密室ミステリガイド

飯城勇三

星海社

263

SEIKAISHA SHINSHO

はじめに

本書のテーマ

本格ミステリにおいて、密室ものは常に主流を占めてきました。「本格に石を投げると密室に当たる」から「密室にあらざれば本格にあらず」まで、いろいろ言われてきました。――というのは大げさですが、密室ものが本格ミステリを象徴するジャンルであることは確かです。本格ミステリの〈推理〉を象徴する言葉が「読者への挑戦」だとすると、〈トリック〉を象徴する言葉は「密室」だと言えます。

本格ミステリでは、「先人たちの積み重ね」が重要ですが、中でも、密室ものはその重要さが突出しています。ある作家がある密室トリックを考える。後続の作家はそれとは異なる密室トリックを考える。あるいはその密室トリックのバリエーションを考える。あるいは他の密室トリックとの組み合わせを考える。あるいは同じ密室トリックでも舞台設定や時代設定や状況設定やプロットや叙述を変える。——こういった後続の人たちの創意工夫によって、密室ミステリの流れは途切れることはありませんでした。その結果、密室ものは、本格ミステリを象徴するジャンルになったのです。

本書は、こういった密室ミステリにおける「先を行く者の独創性」と、「後に続く者の創意工夫」を基準として、優れた50作を紹介するガイドブックです。

本書の狙い

密室ミステリのガイドブックとしては、有栖川有栖による二冊のすばらしい本——『有栖川有栖の密室大図鑑』（一九九九年）と『図説 密室ミステリの迷宮』（二〇一〇年／二〇一四年に『完全版 密室ミステリの迷宮』と改題され増補版が刊行）——があります。それなのに、あえて今、同じテーマで本を出したのは、みなさんにこの二冊とは異なる楽しみを提示できると考えたからです。それは——密室トリックを明かしてのガイド。本書の第一部は通常のガイドですが、第二部では、トリックを明かした上でのガイド（考察と言った方が良いかもしれません）を行っています。

あなたは、すばらしいトリックを読んだとき、誰かと話したくなりませんか？　あなたは、他のミステリ・ファンと、双方が読んでいる本についてネタバラシありの話をするのが楽しくないですか？　本書の狙いは、読者にその楽しみを与えることなのです。

加えて、トリックを明かすことによって、これまでにない評価軸を提示するというのも、本書の狙いです。例えば、J・D・カーの密室もののベストは『三つの棺（ひつぎ）』と言われていますが、本書で選んだのは『緑のカプセルの謎』。ですが、本書の第二部を読んだ人には、この選択の理由がわかってもらえると思っています。

また、通常の密室トリックは犯人が実行したものなので、作中探偵が説明できます。しかし、叙述の仕掛けなどの一部の密室トリックは、作中探偵には説明できません。本書では、こういった「作中で説明されていない趣向」も取り上げています。これもまた、トリックに対する新たな評価軸の提示になるでしょう。

そしてまた、密室ミステリの評価軸はトリックだけではありません。例えば、トリックは既存のバリエーションでも、それをあばく推理が優れている作品は評価すべきでしょう。本書では、トリックを明かすことにより、推理に対する考察も可能にしているわけです。同じように、「密室作成の動機」や「密室を利用した犯人隠し」や「密室とプロットの連携」なども、本書では考察しています。

ではここで、『有栖川有栖の密室大図鑑』と本書を比べてみましょう。この二冊では、作家の重複が十八作家なのに対して、作品の重複は三作しかありません。これは、私が意図的に重ならないようにしたのではなく、トリックを明かして考察するという前提で作品を選んだためです。その証拠に、重複した三作（『帽子から飛び出した死』『本陣殺人事件』『すべてがFになる』）に対する有栖川のガイドを読むと、トリックに踏み込んだ言及が多いのに気づくと思います。その一つ、『帽子から飛び出した死』のガイド文で、有栖川は「隔靴搔痒になる」と書いていますが、本書は、この靴を脱いでかゆいところに手が届くようにしたわけです。本書と『有栖川有栖の密室大図鑑』を併せて読むと、多様な評価軸による密室ミステリの魅力を味わうことができるに違いありません。

本書の読者へ

ただし、こういった狙いは私の立場からのものなので、選ばれた作品の作者にとっては、不満しかないでしょう。自分が苦労して考えたトリックが、他人の本でばらされてしまっているわけですから。

そこで、本書の読者にお願いがあります。第一部のガイドを読み、未読の作品に興味を持ったら、その作品を読んだ〝後〟に、第二部に進んでください。選ばれた50作の中に、入手困難な本はありません。新刊書店になくても、ネットなどを利用すれば容易に手に入ります。私自身、改稿や改訳をチェックするために二十冊以上をあらたに購入しましたが、入手困難な本はありませんでした。ひょっとしたら、本書のせいで品切れ本の古書値が上がったり——はしないか。

さらに、第一部のガイド文や見取り図には、ネタバラシにならないように、嘘を書いている場合があることもつけ加えておきます。例えば、時間差トリックを用いている作品では、被害者が実は発見時に生きていても「死体」と書く、などです。従って、本書を読むだけでは、対象作品の本当の面白さはわかりません。第一部↓対象作品↓第二部の順に読むのが、一番楽しめるわけです。

本書が、「トリックを明かすことによって密室ミステリに新たな楽しみ方を加える本」になるのか、あるいは、「コスパ&タイパ最高！　四分で読める密室ミステリ名作

50！」になるのかは、みなさん次第です。どうか、よろしくお願いします。

もしも、先に第二部を読んでしまった場合でも、あらためて対象作品を読んでほしいと思います。第二部の内容を頭に入れて読むと、多くの発見があるに違いありません。

本書の成り立ち

私は大学時代、老舗（しにせ）ミステリ・ファンクラブ〈SRの会〉の会誌《SRマンスリー》の編集長を務めていました。その一九七九年十一月号で組んだ特集のテーマが、「密室ミステリ」。会員二十名参加の密室ミステリのベスト10選出などを行い、私自身は上位作品に短評を添えたり、クレイトン・ロースンの密室ものの考察を書いたりしました（興味のある人は、http://sealedroom.blog.jp/へ）。実は、この「はじめに」の冒頭の「本格ミステリにおいて～」から「～いろいろ言われてきました」までの文は、その特集の冒頭から再録したものなのです。私が立合いでハッタリをかますのは、昔からだったわけですね。

私はまた、この会誌の一九七九年三月号と七月号に、ジム・ハットン主演のTV版エラリー・クイーンに関する記事を書いています。このＴＶドラマは、手がかりと推理がすばらしいので、何とかこれを会員に紹介したいと思い、頭を絞りました。そこで考え出したのが、二号に分けて紹介するという方法。前編はネタバラシなしの紹介文、後編はネタバラシありの考察にしたわけです。

もうわかってもらえたでしょう。本書は、この二つの企画のアイデアが基になっているのです。四十年以上昔のアイデアを発展させた本書は、私にとって、とても楽しい本になりました。みなさんにとっても楽しい本になっていることを望みます。

目次

注意！　第二部ではベスト50作品の真相を明かしています。

第二部

密室ミステリ・ベスト50 解決篇

159

海外篇ベスト20

161

国内篇ベスト30

203

第一部　密室ミステリ・ベスト50

問題篇

- 海外20作、国内30作の密室ミステリを紹介しています。
- 該当書籍や収録書籍は、2023年3月末時点で刊行時期や値段を考慮して選びました。
- 図版は、作品の描写から推測し作図したものです。作中に図版がある場合も、あらためて作図しました。
- 紹介文にネタバラシはありませんが、真相のヒントめいた記述はあります。予備知識なしで作品を読まれたい方は、未読作は避けてお読みください。
- 紹介文や図版では、ネタバラシを避けるため、作中のミスリードに則った嘘を記述している場合があります。

海外篇ベスト20

1

モルグ街の殺人

エドガー・アラン・ポー

発表＝一八四一年／邦訳＝『ポオ小説全集III』（創元推理文庫）他所収

Story

私の友人デュパンは特異な分析力の持ち主だった。その彼がパリのモルグ街で起きたレスパネー母娘殺人事件に興味を抱く。四階建ての館に二人きりで住んでいる母娘の殺人——娘は絞殺され煙突に押し込められ、母親は剃刀で首を切られて全身打撲で裏庭に倒れていた。

不思議なことに、母娘の悲鳴を聞きつけた近所の人たちが四階に上がる際に、どこの国の言葉ともわからない声が聞こえていたにもかかわらず、四階の部屋に突入すると、犯人は忽然と姿を消していたのだ——完全な密室の中から。

Situation

四階は二部屋で、部屋と部屋をつなぐドアは施錠されてはいない。表の部屋の二つの窓は正面玄関側にあり、住民たちが見ていたが、誰も出ていない。裏の部屋の二つの窓は裏庭に面していて、見られてはいないが、内側から釘付けされていた。廊下に出るドアは、どちらの部屋も内側から施錠。暖炉（原文は複数形）から続く煙突は途中から細くなっていて、大きな猫でも通ることはできない。しかも、住民がドアをこじ開ける直前まで、部屋から犯人らしき男の声と物音が聞こえていたのだ！

Standard-Guide

本作は現代ミステリの第一号なので、当然、密室ミステリの第一号になる。だが、トリックの評価は高くない。密室もののベスト選出でも、「トリックは大したことはないが歴史的価値で」といった感じのコメントが並び、「重要なデータが読者に提示されていない」という批判もある。さらに、密室ミステリ研究家のロバート・エイディによって、〝密室ミステリ第一号〟の栄誉も、シェリダン・レ・ファニュの短篇「アイルランドのある伯爵夫人の秘めたる体験」に奪われてしまった。

しかし、これらはすべて、的外れな意見と言える。本作のトリックは現在でも通用する優れたものであり、アンフェアと批判するのは間違いであり、第一号なのだ。

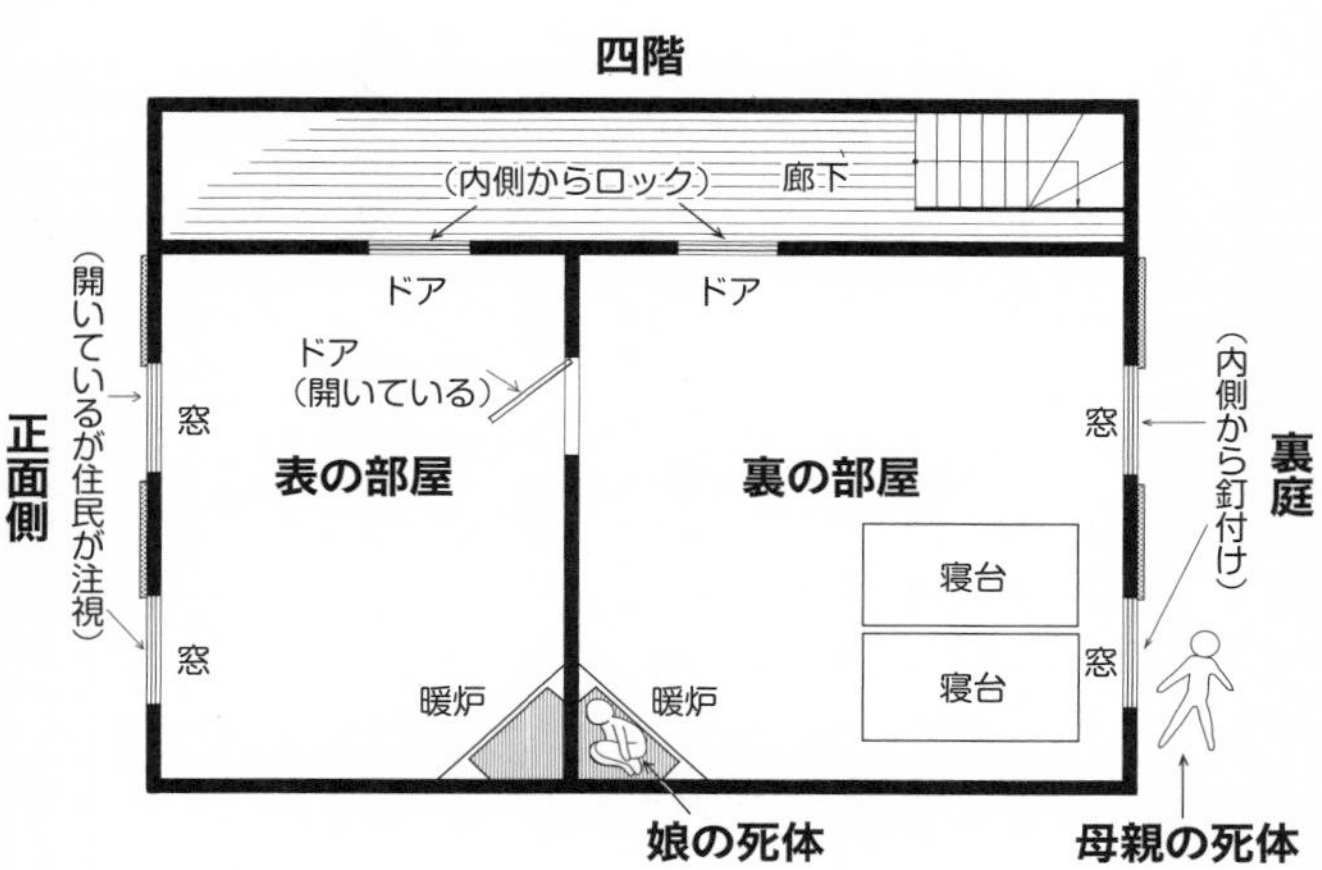

奇岩城

モーリス・ルブラン

発刊＝一九〇九年／邦訳＝ハヤカワ・ミステリ文庫 他

Story

ジェーヴル伯爵邸に泥棒が入り、伯爵は気絶させられ、秘書のダヴァルは殺される。しかも、銃で撃たれて重傷を負った盗賊は、密室とも言うべき伯爵の敷地内から忽然と消えてしまうのだった。

捜査に乗り出した高校生のイジドールは、事件の真相をあばき、盗賊がアルセーヌ・ルパンであることを突きとめる。かくして幕を開けた怪盗と少年探偵の対決は、舞台を《針の城》に、そして、《奇岩城》に移し、ついにシャーロック・ホームズまで参戦するのだった。

Situation

〔伯爵邸での人間消失〕伯爵の姪レイモンドに撃たれて重傷を負ったルパンは、廃修道院に向かい、木蔦で覆われた回廊の奥に姿を消す。そこに残っている建物は礼拝堂だけだが、扉には外から鍵がかかっていた。仮に、ルパンがここに逃げ込むことができたとしても、外からしか鍵はかけられない。その奥の塀についた小門は召使いが見張っていたが、誰も出ていないと証言。他の使用人たちもそれを裏づける。ならばルパンは、どこに姿を消したのだろうか？　しかも、重傷を負った身で。

ルパン・シリーズの密室ものでは、汎用性のある優れた原理を編み出した「テレーズとジェルメーヌ」(『八点鐘』)か、島田荘司流の奇想を先取りした『二つの微笑を持つ女』あたりを選ぶべきかもしれない。しかし、トリックを明かして紹介するという本書のコンセプトでは、『奇岩城』が上にくる。なぜかというと、この作品のトリックは、反則すれすれの境界線上にあり、読者がなかなか思いつきにくいものなのだ。あるいは、「勘では当たるが、論理的に推理しようとすると外れるトリック」だと言っても良いかもしれない。そして、外した読者は、こう言うだろう――「このトリックは実現性はあるかもしれないが、これを認めたら密室ミステリは成り立たなくなってしまう」と。

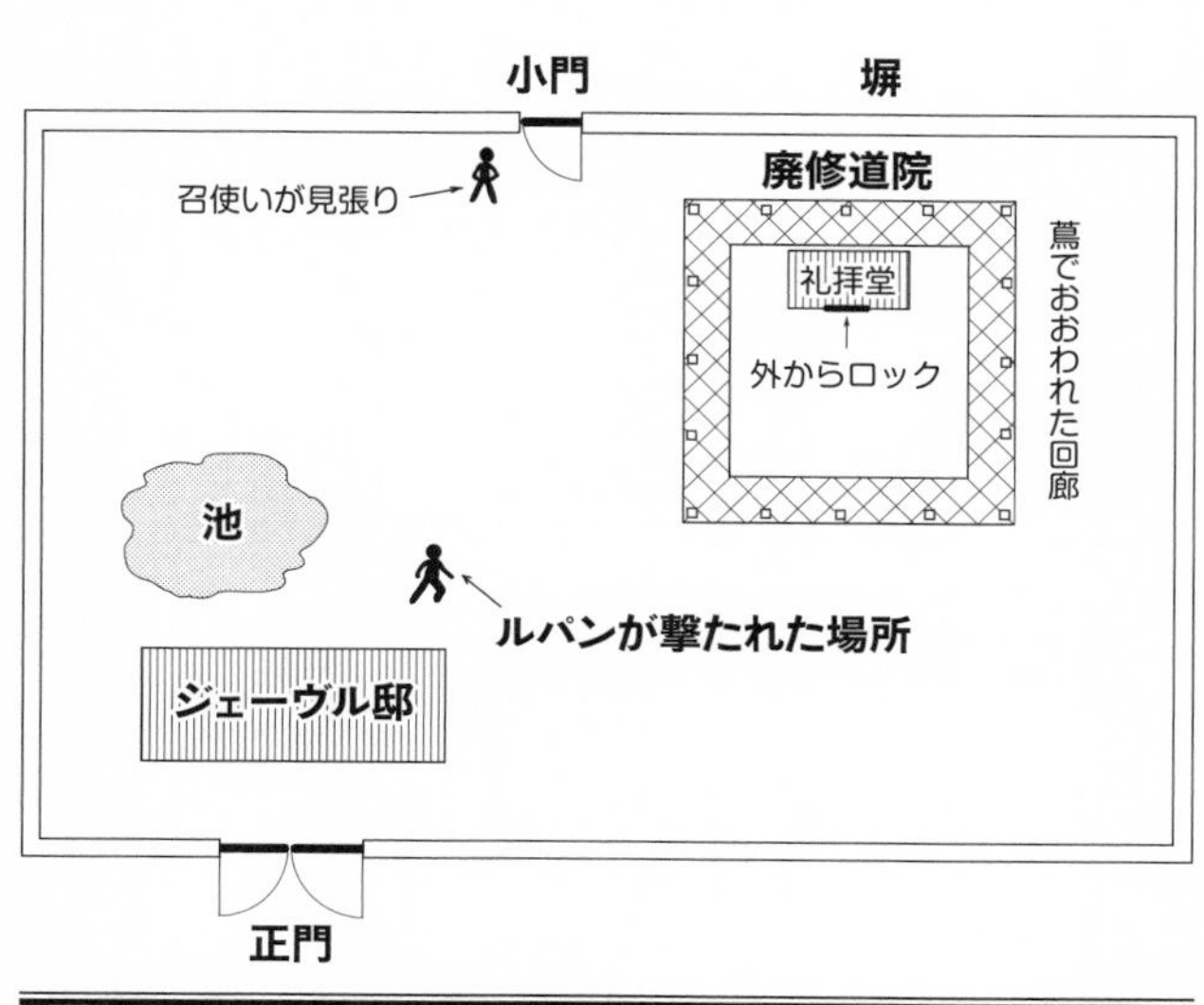

黒い天井

カミ

発表＝一九二六年／邦訳＝『笑いの錬金術』（白水社）他所収

Story&Situation

カフェの広間でカードゲーム中の公証人が突然宙に浮かび、そのまま絞め殺される。しかも、殺人の直前には、「手の無い腕を下ろせ」という声と咆吼が聞こえてきた。

捜査に乗り出した名探偵ルーフォック・オルメスが天井を調べると、大皿ほどの大きさの丸い跡がいくつも残されていた。その跡は外まで続き、村はずれの《死の穴》と呼ばれる深い穴に消えていた。そして、あらわれた公証人の友人が、「ピーナッツ売りのシャム人が怪しい」と告発する。だが、殺人が起こった時、そのシャム人はカフェでピーナッツを売っていたのだった……。

夜になると、今度はその友人が広間で宙に浮かんで絞殺されてしまう。しかも、謎の声と咆吼に加え、今回は天井から水が雨のように降って来たのだ。さらに、オルメスが《死の穴》に向かうと、そこではシャム人が見えないものに何かを与えている姿が見えた。

翌日、真相を見抜いたと語るオルメスは、シャム人を侮辱してからカフェに戻る。そして、広間の白い天井を煤で黒くして、何かを待ち構えるのだった。

密室ミステリには、意図的に〝実現不可能なトリック〟を――ダミーの解決ではなく――真の解決にしたナンセンスな作風のものがある。私の個人的な話で申しわけないが、このタイプに関しては、少年時代に愛読した忍者漫画の忍法の解説や、野球漫画の魔球の解説を思い出して、妙に懐かしい気分になってしまう。

そこで、「実現不可能な密室トリックを実現させた作品」を何作かリストアップしたが（横田順彌の〈金大事包助シリーズ〉「Ýの悲劇」とか）、結局、カミのこの作品だけに留めた。というのも、「カミを入れておけば、他の作家はいらないじゃん」という気分になってしまったからだ。おそらくみなさんも本作を読めば、私に同意してくれると思う。

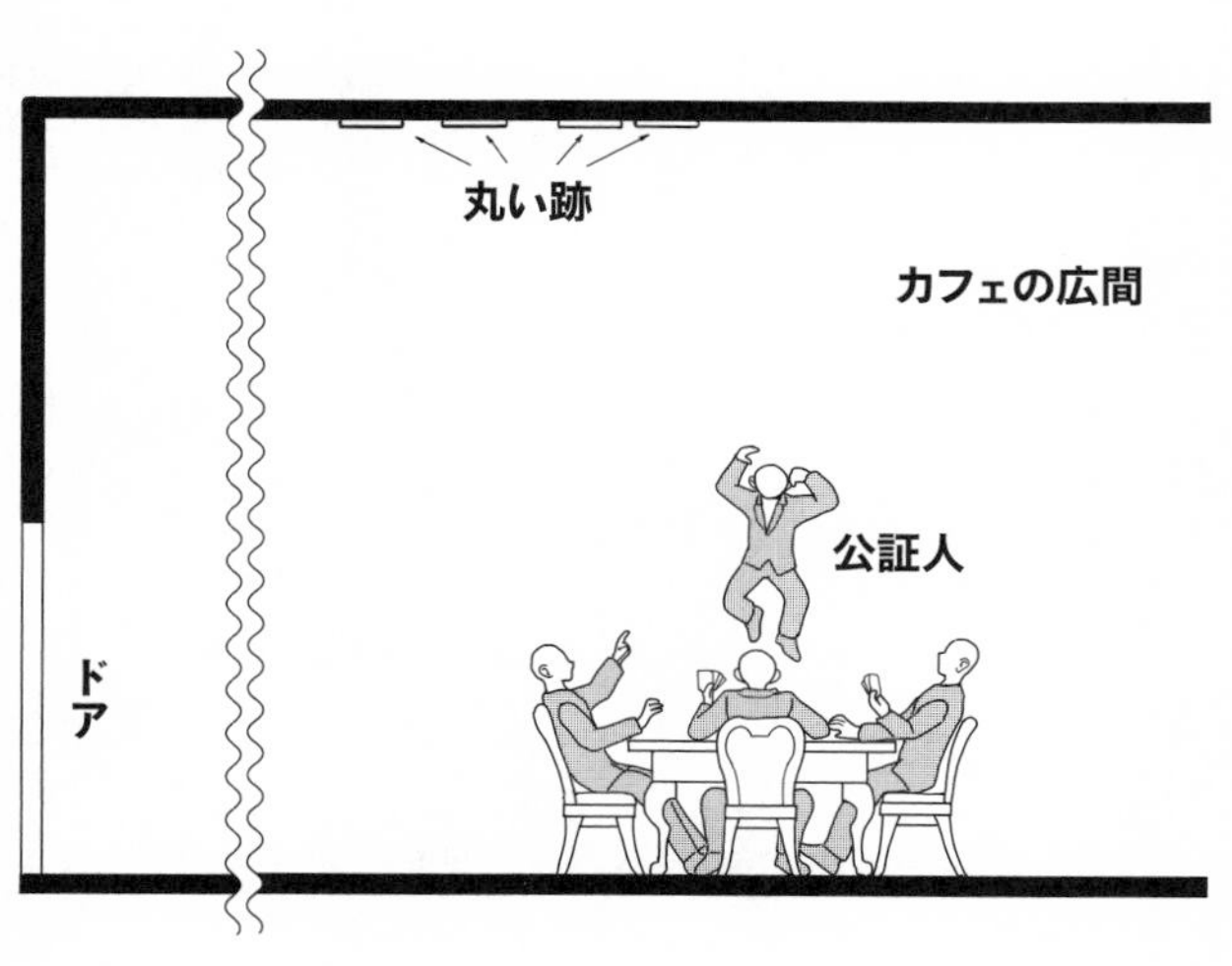

ニッポン樫鳥（かしどり）の謎

エラリー・クイーン

発刊＝一九三七年／邦訳＝創元推理文庫、別訳『日本庭園の秘密』（ハヤカワ・ミステリ文庫）他

Story

日本育ちの女流作家カーレン・リースが、密室状況で殺される。現場に凶器が残されていない以上、自殺ということはあり得ない。だが、他殺の場合、隣の居間にいたエヴァしか現場に出入りできない。つまり、彼女が無実だとしたら、現場は完全な密室になってしまう。

私立探偵テリーとエラリーはエヴァを信じ、密室の謎に挑む。密室内に残された空の鳥籠（とりかご）が意味するものは？　屋根裏部屋に潜（ひそ）んでいた人物の正体は？　そして、外から窓を通して石が投げ込まれた理由は？

Situation

犯行現場はカーレンの部屋（寝室）。居間とのドアは施錠（せじょう）されていないが、エヴァに気づかれずに出入りすることはできない。三つの窓はすべて十五センチ間隔で鉄棒がはまっている。屋根裏部屋に上る階段があるが、ドアは寝室側から施錠してあった。現場に凶器（ハサミの片割れ）が残されていないので、自殺の可能性はない。従って、殺人の前後にずっと居間にいたエヴァが犯人という結論になる――が、エヴァは自分だけが犯行が可能な状況で殺人を犯すほど愚（おろ）かではないのだ。

Standard-Guide

「密室トリックを解明する推理」を描こうとする場合、相性の良いトリックと悪いトリックがある。例えば、〈紐で施錠するトリック〉は、紐の使い方を消去法で絞り込めないため、相性が悪い。クイーンさえも、このタイプの密室は成功したとは言い難い。逆に、〈時間差トリック〉などは、推理で「出入りできるのはこの時間帯のみ」、といった消去法が可能になるので相性は良い。そして、本作の密室のタイプはこちらになり、成功を収めている。

ただし本作では、トリックよりも、その使い方を高く評価したい。本作では、密室を利用した見事な推理を披露するだけではなく、〈物理的にも心理的にも犯人とは思えない犯人〉を作り出すことにも成功しているのだ。

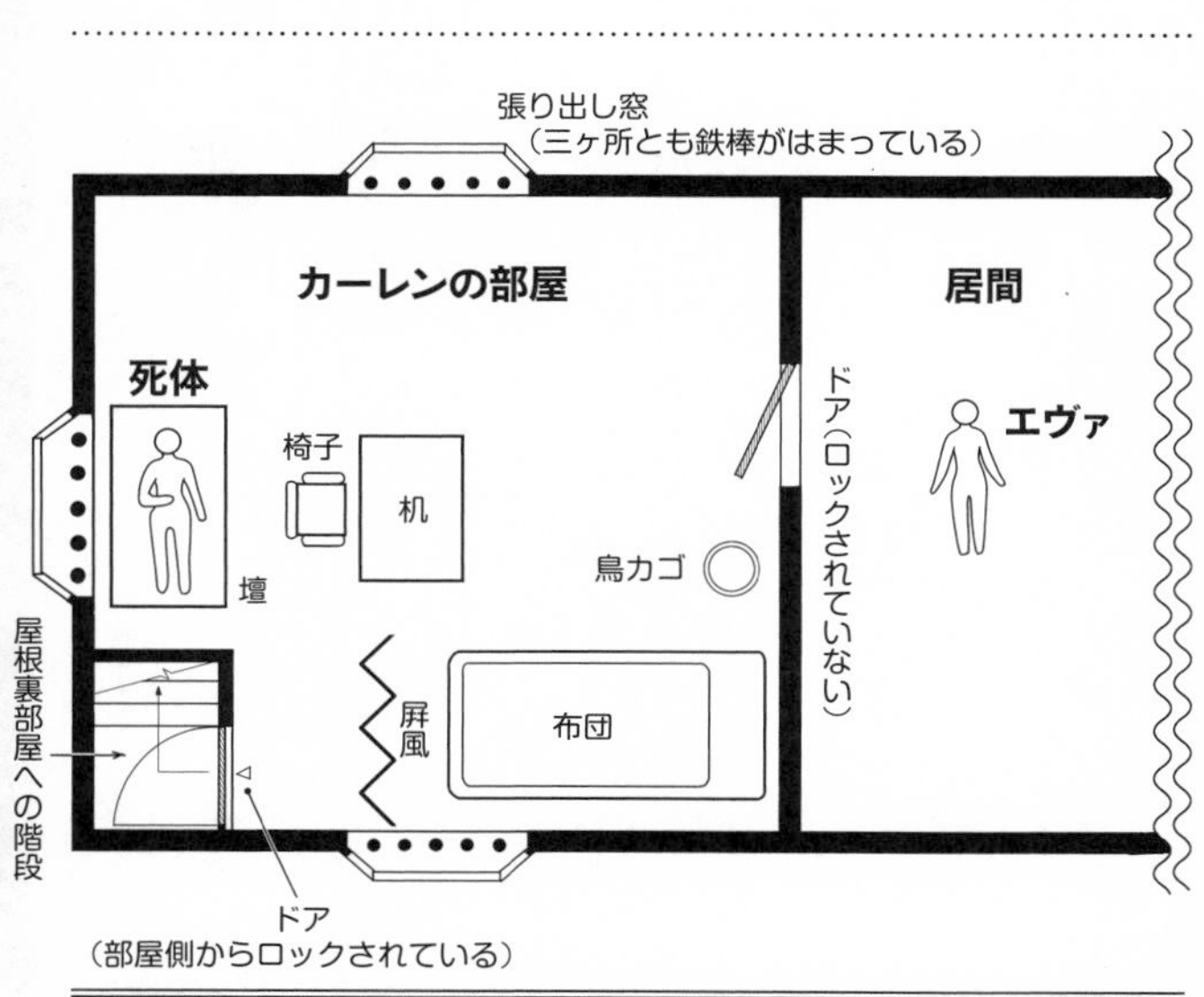

5

帽子から飛び出した死

クレイトン・ロースン

発刊＝一九三八年／邦訳＝ハヤカワ・ミステリ文庫 他

Story

アパートの一室で神秘哲学者サバットが殺される。発見者は心霊学者ワトラス、手品師タロット、霊媒ラプール、そして語り手の広告マンであるハート。現場は完全な密室で、オカルト的な装飾がなされていた。続いて、警察が監視する中、タロットがタクシーから消失。その後、自宅で死体となって見つかる。しかも、周囲に降り積もった雪には足跡がなかった。

この密室に対して、二人の奇術師デュヴァロとマーリニは、それぞれ異なる推理を披露するのだが……。

Situation

〔第一の殺人〕被害者の部屋に出入りするドアは、居間と台所に一ヶ所ずつ。二つとも施錠された上に内側から閂がかけられていた。どちら側から施錠されたかは不明だが、ドアの鍵孔には内側から布が突っ込まれていたので、外側からは施錠できない。居間のドアの前にはソファが置いてあり、ドアは一インチしか開かないので、発見者たちは力任せにドアを開いてソファを動かさなければならなかった。台所のドアの前には何もなし。窓は二つとも内側から施錠されていた。

Standard-Guide

クレイトン・ロースンは有名なアマチュア奇術師で、芸名の〈グレート・マーリニ〉を作中探偵（奇術師）の名に利用。本作は探偵役だけでなく被害者や容疑者も奇術関係。死体は床に描かれた星印の中に横たわり、星の五つの頂点にはロウソクが立てられ、周囲には呪文が書かれていた。その密室殺人の次は、人間消失、そして足跡のない殺人。さらに、マーリニは、カーの「密室講義」の二つの大分類に異を唱え、第三の大分類を追加している。まさしく、〝奇術師だらけの密室大会〟。

だが、解決篇を読み、読者は思い知らされる――密室を、いや、密室トリックを、いや、密室トリックの解明自体をミスリードに使う作者のマジックを。

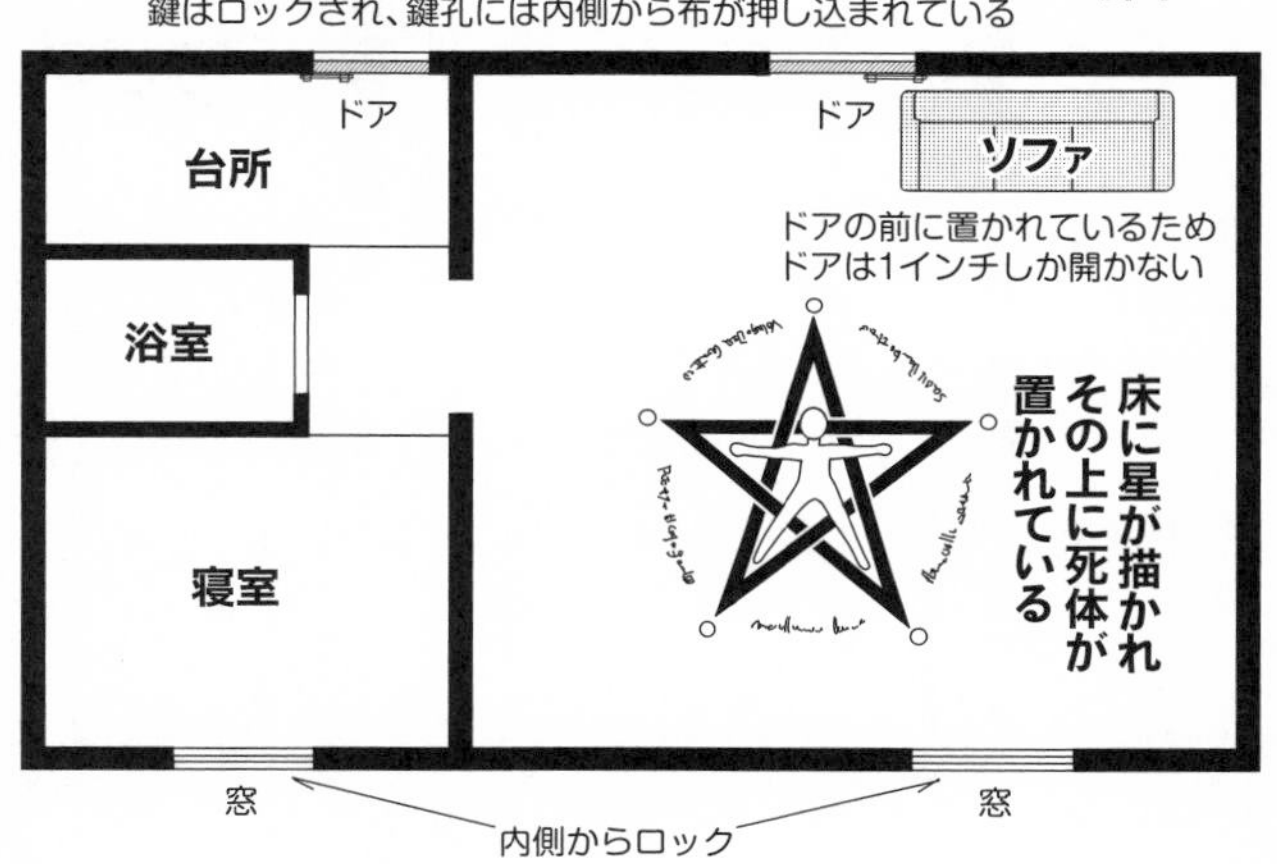

ポアロのクリスマス

アガサ・クリスティ

発刊＝一九三八年／邦訳＝ハヤカワ・ミステリ文庫 他

Situation

書斎のドアは施錠され、鍵孔には内側から鍵がささっていた。二つの窓の一方は施錠され、もう一方は数センチの隙間しかなかった。暖炉の前に横たわる死体のまわりのおびただしい血は固まっていない。部屋の中の家具や調度品は、ひっくり返ったり壊れたりしていた。

だが、鍵を調べると、内側から鍵孔に差し込んだ後で外側から道具で鍵を回した痕跡があった。となると、格闘の音と悲鳴が聞こえてから家族が書斎に着くまでに犯人は脱出できたので、密室ではなくなるのだが……。

Story

大富豪で変人のシメオンは、ばらばらだった家族をクリスマスに招き、四人の息子とその三人の関係者が家に集まる。だが、「いつもは離れている家族が一堂に会するクリスマスには偽善があふれる」というポアロの言葉通りに、不穏な空気がただよう。やがて、イブの夜に、シメオンが喉を切られて殺される。現場の書斎には激しい格闘の跡があり、おびただしい血が流れていた。しかも、密室状況でもあったのだ。ポアロは地元のサグデン警視と共にこの密室に挑むが……。

Standard-Guide

《Situation》を読んで、「密室ではないなら、ベスト50に選ぶなよ」と思った人もいると思う。だが、安心してほしい。本作は密室もの——しかも、とびきり不可能な密室ものなのだ。ただし、それは真相を明かさなくては語れないので、第二部にまわしたい。ヒントとしては、クイーンの国名シリーズの一作とよく似た手法を使っている、と言っておこう。

また、本作の密室トリックの一つの評価は高くないが、これもまた、誤解されている。江戸川乱歩のように、トリックだけ抜き出して他のトリックと比べると、確かに評価は低くなるだろう。だが、ミステリを構成する要素としてこの密室を見た場合、このトリックでなければ、ポアロが犯人を推理できないのだ。

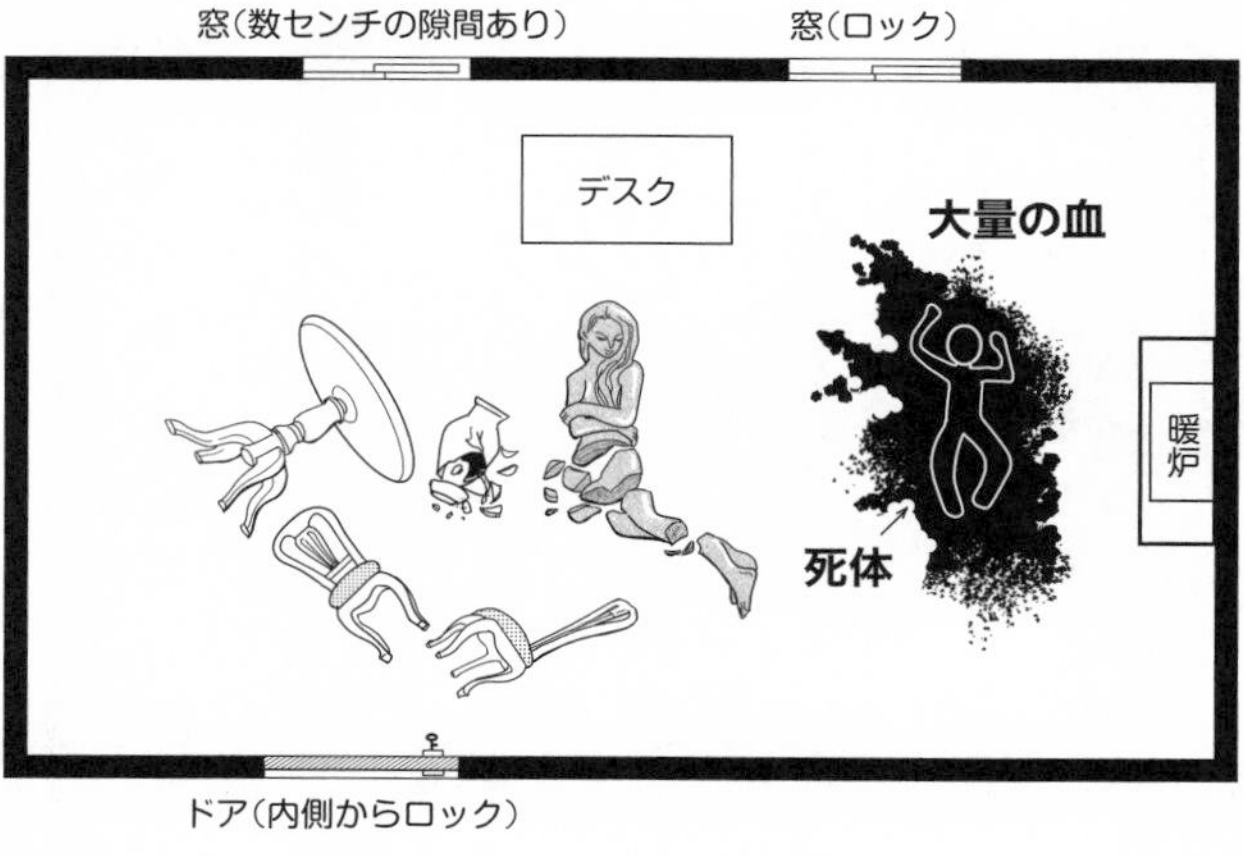

窓（数センチの隙間あり）
窓（ロック）
デスク
大量の血
暖炉
死体
ドア（内側からロック）

7

緑のカプセルの謎

ジョン・ディクスン・カー

発刊＝一九三九年／邦訳＝創元推理文庫 他

Story

イギリスの小さな町で、菓子店のチョコレート・ボンボンに毒が混入され、死者が出る。その町の実業家マーカスが、毒を混入させたトリックを見抜いたと公言するが、自ら提案した心理学の公開実験中に毒殺されてしまう。実験のさなかに、透明人間のように顔を包帯で隠した人物が現れ、マーカスに毒を飲ませたのだ。三人の知人が注視し、撮影までしていたというのに、犯人は皆目(かいもく)見当がつかない。いや、そもそもマーカスの実験の意図さえもわからないのだ……。

Situation

実験は二つの部屋を利用。一つは観客席で、マーカスの友人のイングラム教授と姪(めい)のマージョリーが注視し、その婚約者ハーディングはシネカメラで撮影をしている。もう一つの部屋ではマーカスが机の前に座っている。そこに、顔を包帯で隠した人物がフランス窓から侵入し、マーカスにカプセルを飲ませて去る。マーカスは今の男は助手のエメットだと言うが、そのエメットは失神して外に倒れていた。間もなく、毒入りカプセルが溶けてマーカスは死に、エメットも意識が戻る前に毒殺される。

カーの密室作品から、それほど評価の高くないこの作品を選んだ理由は、本書のコンセプトにある。実は、カーには、トリックを明かして解説すると、不自然な点や御都合主義に触れざるを得ない作品が少なくないのだ。

だが、本作ではそういった不自然な点や御都合主義は見当たらない。この恐ろしく手が込んだ計画の立案者は、犯人ではなく被害者のマーカスだからだ。彼が「人の観察力は当てにならない」ことを証明するために、さまざまな仕掛けを盛り込んだ実験を計画し、犯人はそれを利用しただけに過ぎない。

つまり、トリックを明かして考察する本書では、本作は「カーの密室の最高峰」と言えるのだ。

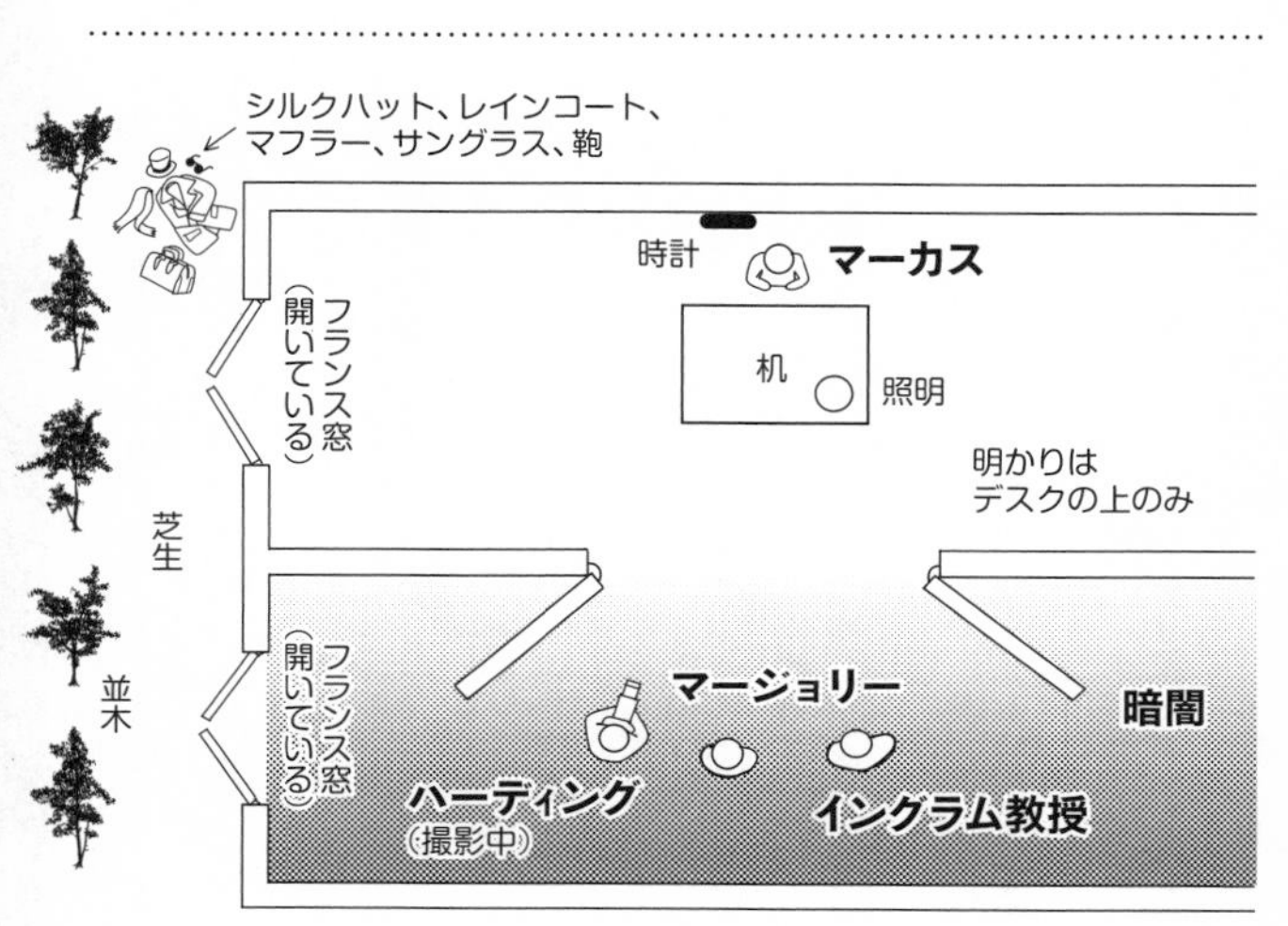

殺人者なき六つの殺人

ピエール・ボアロー

発刊＝一九三九年／邦訳＝講談社文庫

Story

アパートの四階に住むヴィグネレイ夫妻が食事中に銃を持った暴漢に襲われる。夫のマルセルは死に、妻のシモーヌは重傷。だが、現場は密室なのに、犯人の姿は忽然と消えていた。

続いてヴィグネレイ家の召使い夫婦の妻が密室で殺され、夫も別の密室で殺される。ヴィグネレイ夫妻の親戚のローランも密室で毒殺されかける。さらに、私立探偵のリュパアルも密室で殺され、ローランも今度は殺されてしまう――密室で。犯人が存在し得ないこの六つの殺人の謎に、私立探偵ブリュネルが挑む。

Situation

〔第一の殺人〕シモーヌは窓から助けを求めている時に背中を撃たれる。窓の奥では二人の男がもみあっている姿が。それを目撃した人々が四階に上がると、ドアは閉まっていて、中では格闘の音。続いて銃声とマルセルの悲鳴。

管理人が合鍵を使って入ると、シモーヌは背中を撃たれて重傷で、マルセルは絶命。しかし、玄関ドア以外の唯一の出口である使用人専用階段へのドアは、内側から閂がかけられていた。合鍵で入る直前まで部屋の中にいた犯人は、どこに消えたのだろうか？

Standard-Guide

ピエール・ボアローはトーマ・ナルスジャックと組む前は、不可能犯罪ものをいくつも書いていた。その中でも、本作は、『三つの消失』（一九三八年）と並んで評価が高い。

その理由は、まず、本作には六つの密室犯罪が登場するが、トリックの原理はすべて異なっているという点。次に、トリックを個別に見ても、読者の思い込みを逆手にとった第一の密室や、アンフェアぎりぎりの第六の密室など、優れたものが多いという点。そして、六つの密室が――短篇を並べた形ではなく――すべて連携しているという点。もともと密室殺人（一つは未遂）が六つも続けて起こるのは不自然なのだが、作者は偶然と必然を巧みに組み合わせて、鮮（あざ）やかな〝密室の輪舞（ロンド）〟を描いているのだ。

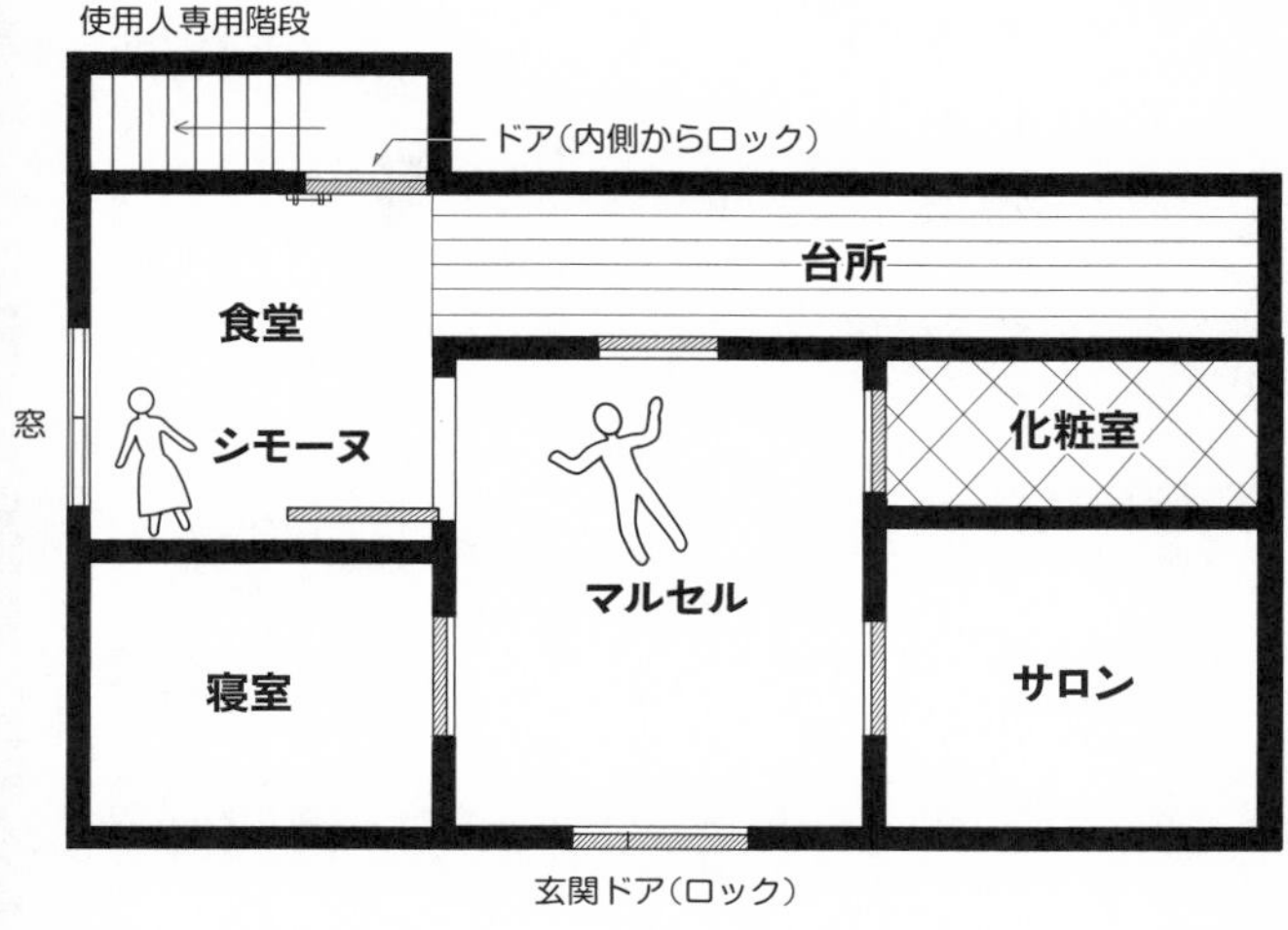

使用人専用階段
ドア（内側からロック）
台所
食堂
窓
シモーヌ
化粧室
マルセル
寝室
サロン
玄関ドア（ロック）

9

密室の魔術師

ナイン・タイムズ・ナインの呪い

アントニイ・バウチャー（H・H・ホームズ）

発刊＝一九四〇年／邦訳＝扶桑社ミステリー、別訳＝『九人の偽聖者の密室』（国書刊行会）

Story

邪教批判の急先鋒であり、現在は〈御光の子等〉教団の調査をしていたウォルフ・ハリガン。その彼が殺害され、現場で目撃された教団の教祖らしき人物は忽然と姿を消した。「ナイン・タイムズ・ナイン」と唱えるこの教団の教祖が、奇蹟を起こしたのだろうか？

捜査担当のマーシャル警部補は、ミステリ・ファンである妻のアドバイスに従って、J・D・カーの密室講義を参考にして解決しようとする。だが、どの分類にも当てはまらないことがわかって、行き詰まるのだった……。

Situation

夕方、フランス窓から書斎をのぞくと、黄色い衣と頭巾（〈御光の子等〉の教祖の装束）の人物が机にかがみ込んでいるのが見えた。その二分後に再びのぞくと、今度はウォルフの射殺死体が床に横たわっていた。フランス窓は内側から施錠され、二つある小窓ははめ殺し。廊下側のドアは内側から閂がかけられ、チャペル側のドアは両側から施錠できるが、チャペルにいた人物は「十分ほどここにいたが、誰も出て来なかった」と証言。教祖は分身を使ってウォルフを殺したとうそぶくが……。

Standard-Guide

本作は密室ものとして評価が高いが、一九六〇年に《別冊宝石》に訳されたきりだったので、トリックを明かして論じる本書で取り上げるのは難しかった。しかし、本書の執筆中の二〇二二年九月に、二種も刊行されたのだ。

本作を選んだ理由は、「密室講義がなければ生まれなかった密室もの」という点。評論家ならば、カーの密室分類を見て、あれこれ文句をつけたくなるだろう。そして、作家ならば、実際にその文句を基に小説を書きたくなるだろう。では、作家兼評論家のバウチャーならどうするか——その答えが本作となる。

なお、本作のトリックは、双葉十三郎（ふたばじゅうざぶろう）の「密室の魔術師」という短篇で、ほとんどそのまま流用されていることを警告しておこう。

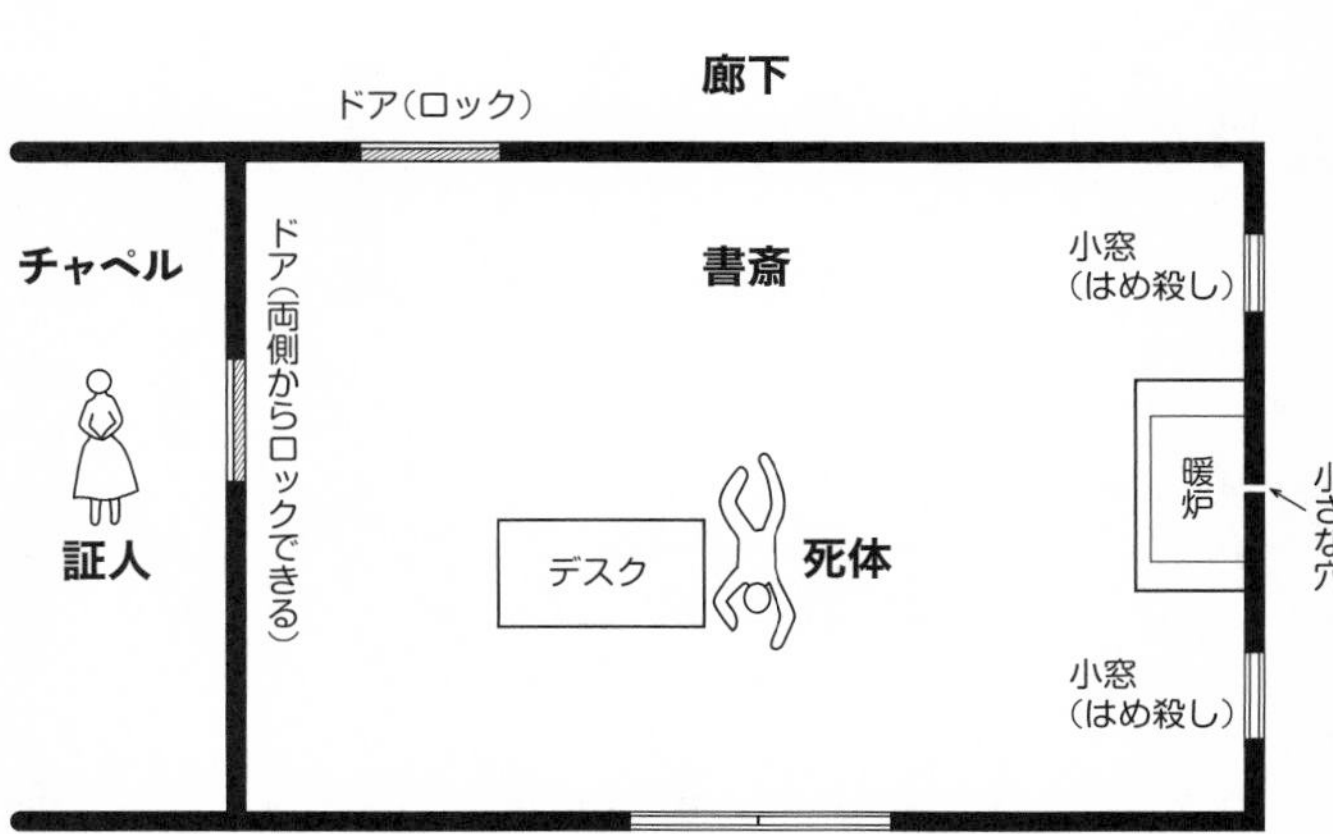

皇帝のキノコの秘密

ジェイムズ・ヤッフェ

発表＝一九四五年／邦訳＝『不可能犯罪課の事件簿』（論創社）他所収

Story

ニューヨーク市警〈不可能犯罪捜査課〉のポール・ドーンは、友人の古代史教授ボトルの家に招かれ、約二千年前の不可能殺人を解いてみないか、と言われる。それはローマ皇帝クラウディウスが、妻のアグリッピナ（皇帝ネロの母親）に毒殺されたと伝えられる事件だった。教授によると、この殺人は不可能状況下で行われたらしい。

約二千年前の事件の話を聞いたドーンは、「答えは二つありそうだ」と言って、その二つの答えを語り出すのだった。

Situation

クラウディウスはキノコ料理を食べた後に苦しみ出し、侍医が吐かせるために喉（のど）の奥に鳥の羽根を差し込む。だが、この羽根には猛毒が塗（ぬ）ってあり、クラウディウスは絶命。侍医はアグリッピナに買収されていたのだ――というのが史実らしい。だが、クラウディウスは用心深く、必ず一時間前に毒味役に同じ物を食べさせていた。もしキノコ料理に毒が入っていたなら、毒味役が平気だったのはおかしい。アグリッピナは、いかにしてクラウディウスだけに毒を盛ることができたのだろうか？

Standard-Guide

E・クイーンが編集する雑誌《EQMM》。作者ヤッフェは、わずか十五歳でこの雑誌でデビューし、〈不可能犯罪捜査課〉のポール・ドーンものを書き続けた。その中の最高傑作と言われ、エドワード・D・ホックがアンソロジー『密室大集合』（一九八一年）に選んだのが本作。

その魅力は、まず、実際にあった二千年近く前の毒殺事件から不可能状況（狭義の密室ではない）を見出し、それをシリーズ探偵ドーンに解決させるという設定。次に、同じ料理を食べた毒味役が平気だったという謎。そして、盲点を突いた（というか、歴史書を利用した）トリックと、どれもすばらしい。しかも、それだけではなく、ドーンは教授の依頼の奥に潜む、現代の〝謎〟をも解いて見せるのだった。

11

見えないドア

マージェリー・アリンガム

発表＝一九四五年／邦訳＝『幻の屋敷』（創元推理文庫）他所収

Story&Situation

ロンドンの社交クラブ〈プリニーズ〉のビリヤード室で、会員のフェンダーソンが殺される。犯人はマートンという金融業界の大立者だと思われた。彼も会員だったが、フェンダーソンに詐欺をあばかれて刑務所送りになり――先日、脱獄したばかりだった。だが、現場の密室状況のためにマートンを逮捕できない。

クラブは清掃のために閉鎖中で、一階の玄関ホールと二階のビリヤード室しか開いていなかった。出入り可能な唯一のドアの前にいた守衛のバウザーは、被害者のフェンダーソンと、足が不自由なビリヤードの得点記録係のチェッティしか来ていないと証言する。一方、チェッティはクラブを訪れたことを否定。「一度見た顔は決して忘れない」と言われるバウザーが間違えるはずはない。ならば、チェッティが犯人か？　だが、弱々しい老人である彼が、フェンダーソンを絞殺できるだろうか？　また、バウザーはマートンが逮捕される前に彼と揉めているので、かばうことはあり得ない。

エレガントな名探偵キャンピオンは、エレガントとはほど遠いオーツ警視の求めに応じて、この事件をエレガントに解決するのだった。

Standard-Guide

密室トリックを見ると、犯人がピンと紐（ひも）で複雑な操りをしたり、動物を訓練したり、早変わりをしたり、逆立ちして歩いたり、真っ先に被害者に駆け寄って早業で殺したりと、しんどい思いをしている場合が多い。また、被害者も、重傷を負っても病院に行かず、あれこれ細工をしてから絶命する場合が多い。

しかし、これとは対照的な〝スマートな密室トリック〟というのもある。犯人も被害者も大して複雑なことはしていないのに、結果的に不可能状況が生まれてしまうのだ。

アリンガムは、本作と「ボーダーライン事件」（一九三六年）の二作で、このタイプのトリックを生み出している。どちらも傑作だが、本書では、よりエレガントなこちらを選んだ。

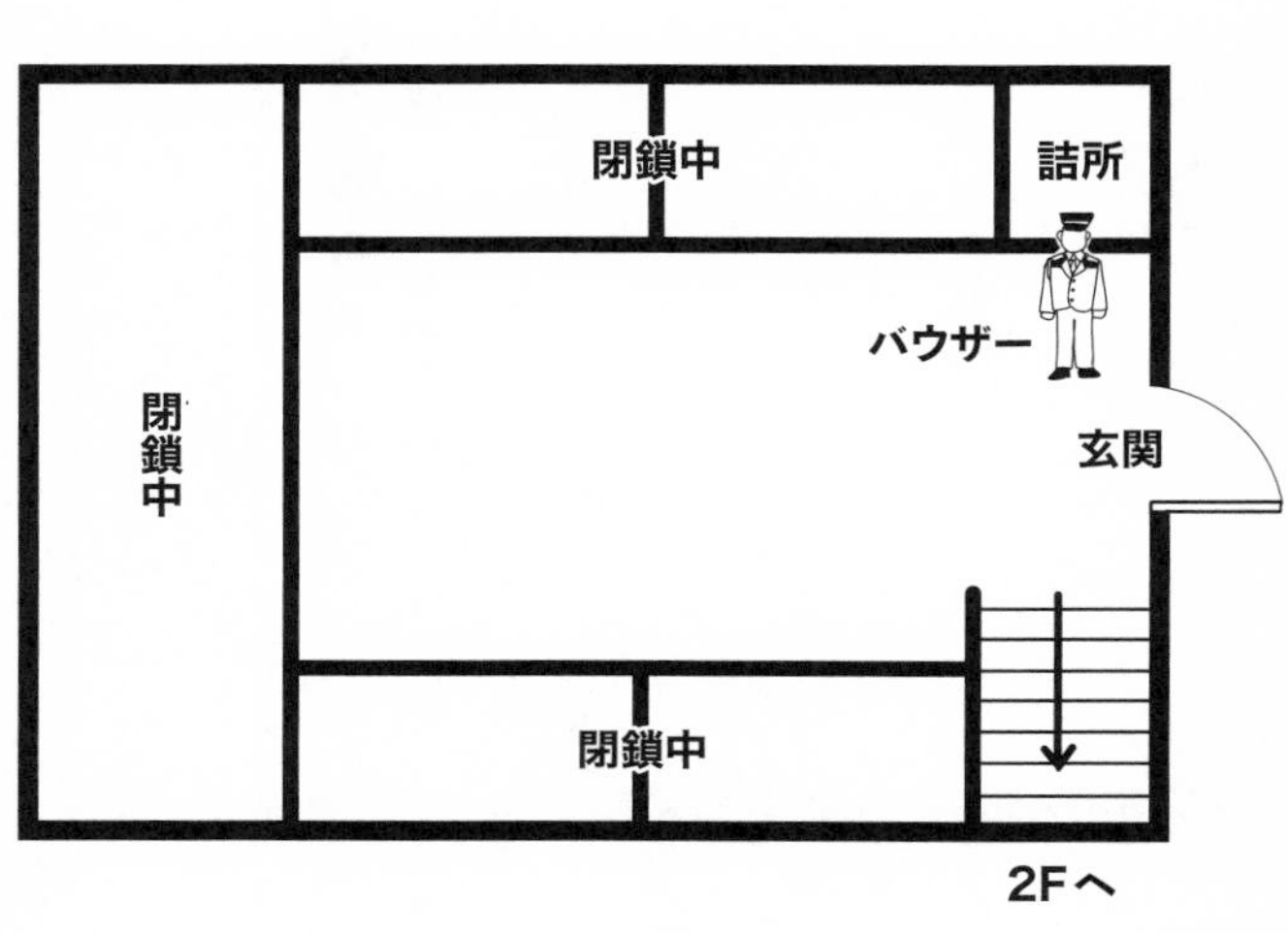

姿なき殺人者

フレドリック・ブラウン

発表＝一九四六年／邦訳＝『不吉なことは何も』（創元推理文庫）他所収

Story

保険外交員スミスの顧客ウォルターが伯父殺しの疑いで勾留された。伯父のカルロスは元ボードビル芸人で、当時の仲間をはじめ、他人の曲をいくつも剽窃して大儲けしたために、被害者たちに恨まれていた。ウォルターは匿名で「剽窃した人々に弁償しないと殺す」という脅迫状を出したのがばれて勾留されたのだ。

犯行現場はカルロスが趣味の馬の飼育と繁殖をしていた田舎屋敷。ウォルターが脅迫したためにカルロスが雇った私立探偵は、「屋敷に近づいた者は一人もいない」と断言する……。

Situation

犯行時刻の前も後も、屋敷には被害者しかいなかった。ならば、犯人は屋敷に入り、殺害後に出て行ったことになる。だが、二人の私立探偵が屋上から侵入者を見張っていた。屋敷の周囲には草地が広がっていて、二人の探偵の目を逃れる場所はない。犯行時刻は夜だったが、月は充分、明るかった。屋敷に最も近い身を隠すことができる場所は木立ちだが、そこから屋敷まで五百メートルはある。犯人が探偵二人の目をかいくぐって屋敷に出入りすることは不可能としか思えないのだが……。

Standard-Guide

フレドリック・ブラウンは才気あふれるミステリの長短篇をいくつも書いている。だが、〈密室もの〉となると、本作以外で思い浮かぶのは、短篇「笑う肉屋」、「魔霊殺人事件」、「球形の食屍鬼」、長篇『死にいたる火星人の扉』くらいしかない。この中から本作を選んだのは、「トリックを明かして評価する」という本書のコンセプトに最もふさわしいと考えたため。

もっとも、E・クイーンのように、普通に本作を高く評価している人もいる。これは、クイーンが編んだ全二十巻の短篇ミステリの傑作集『MASTERPIECES OF MYSTERY』には、ノンシリーズ物の代表として「後ろを見るな」が、名探偵物の代表として本作が収録されていることからわかるだろう。

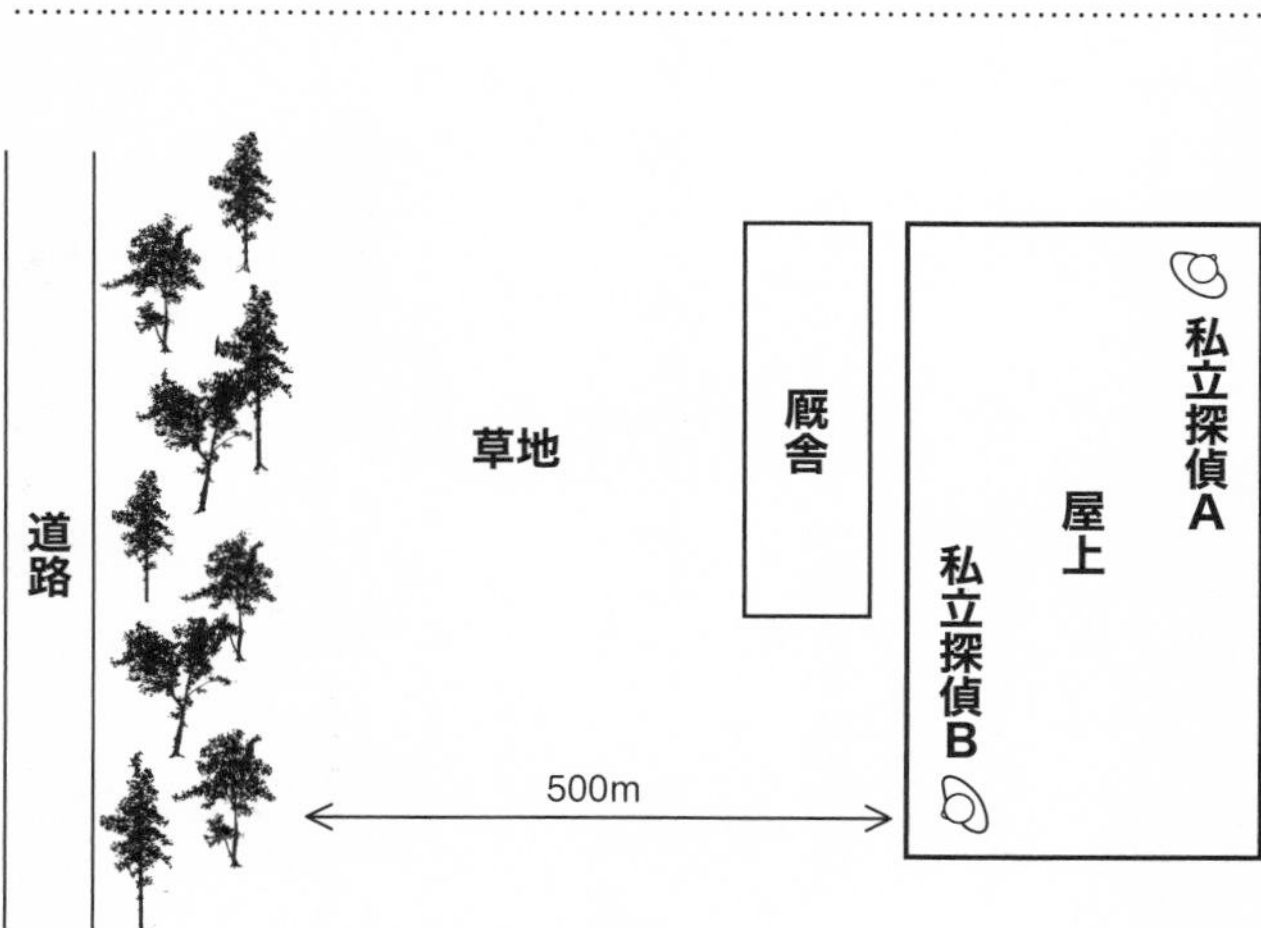

発刊＝一九四八年／邦訳＝ハヤカワ・ミステリ文庫 他

ジェゼベルの死

クリスチアナ・ブランド

Story

一九四〇年、青年将校のジョニイが自殺をする。彼を追い込んだのは、婚約者のパーペチュア、彼女をものにしようと目論んだアール、男に寄生して生きるイゼベルの三人だった。

一九四七年。そのパーペチュア、アール、イゼベルの三人に殺人予告が届く。そして、帰還軍人のためのアマチュア演劇の舞台上でイゼベルが殺され、アールも首を斬られて殺され、その首がパーペチュアに届く。しかも、イゼベル殺しは、衆人環視の中での不可能状況で行われたのだった……。

Situation

イゼベルは張りぼての塔のバルコニーで何者かに首を絞められ、十五フィート下に墜落した。バルコニーに登るには、塔の裏手（控室）の梯子を使うしかないが、控室と楽屋をつなぐ唯一のドアには見張りがいて、通ったのは出演者だけだと証言。だが、その出演者は全員が、犯行時には自分の持ち場にいた。赤い馬に乗ったアール、白い馬に乗ったブライアン、青い馬に乗ったジョージ……。いや、甲冑をつけているので、本人かどうかはわからない。名探偵コックリル警部はこの不可能状況を解けるのか？

ブランドの作品には「悪魔のような」という形容詞が添えられることが多い。主に「悪魔のように巧妙な」と、「悪魔のような発想」の二つの使い方がされるが、本作はその二つの評価がふさわしい作品。

まず、前者に関しては、役者は被害者以外は全員が甲冑をつけているという状況設定がある。役者以外でも甲冑をつければ見張りは通してくれるのだ。しかも、アールはイゼベルより先に殺された可能性が高いので、役者以外が加わっても、人数が合わなくなることはない。

だが、本作をベスト50に選んだ理由は、後者の「悪魔のような発想」にある。私見では、その悪魔性は、傑作「ジェミニイ・クリケット事件」を上回るのだ。

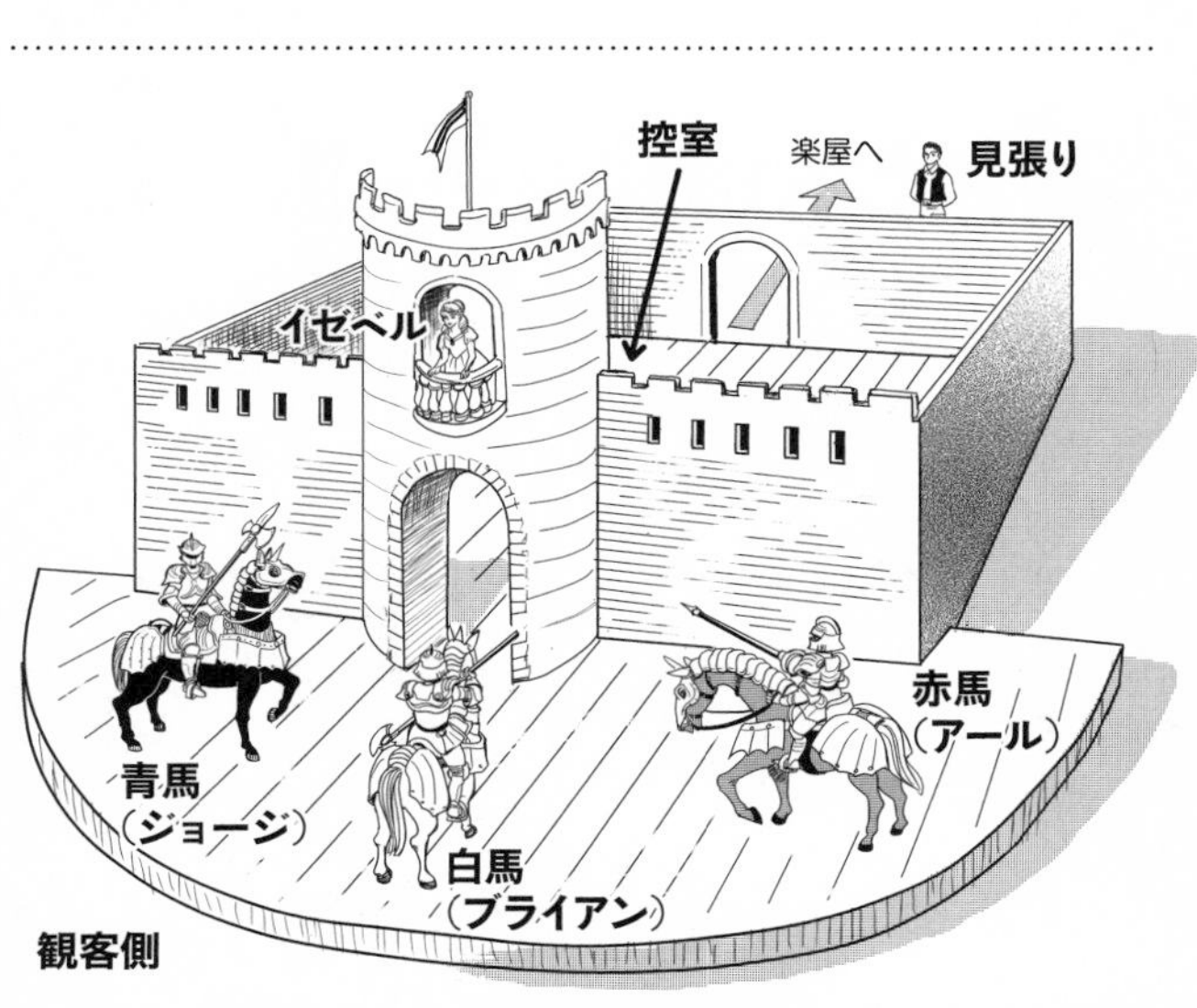

14

くたばれ健康法！

アラン・グリーン

発刊＝一九四九年／邦訳＝創元推理文庫 他

Story

全米に五千万人の信者を持つと言われる健康法教祖マーリン。彼はフロリダ州の小島を買い取って信者を集め、自らの健康法を実践する生活を送っていた――何者かに密室状況で射殺されるまでは。

地元のヒューゴー警部が捜査をすると、犯人は自室にいたマーリンをプールの中から窓を通して射殺し、その後、部屋に入ってわざわざパジャマを着せたことがわかる。他にも空を飛ぶスリッパの目撃談もあり、謎は深まるばかりだった……。

Situation

犯行現場の部屋のドアは施錠され、内側から鍵が差し込まれていた。窓は50センチほど開いていたので、外からこの隙間を通して撃たれたと考えられる。だが、入射角を見ると、射撃地点は中庭のプールの中になってしまう。しかも、そのプールには空薬莢が落ちていたのだ。

さらに不可解なのは死体の状況。背中を撃たれたのにパジャマには孔が開いていない。犯人は射殺した後にパジャマを着せたのか？　そして、犯行時刻に宙を飛んで中庭に落ちたスリッパの謎は？

Standard-Guide

本作はユーモア本格として評価されているが、私がベスト50に入れた三つの理由は、どれもユーモアとは関係がない。

一つ目は、トリック自身のすばらしさ。密室分類をするようなマニアの案出するトリックはシンプルさに欠けていることが少なくない。だが本作は、読者がある一点に気づけば、容易に密室トリックを解明できる。

二つ目は、その「ある一点」に読者が気づかないようにするミスリードの巧みさ。

三つ目は、密室トリックを解明する推理のすばらしさ。密室ものでは探偵が「こうやって密室を作りました」と説明するだけの作品が多いが、本作では、手がかりを基に推理をすれば、読者もトリックを見抜くことができるのだ。

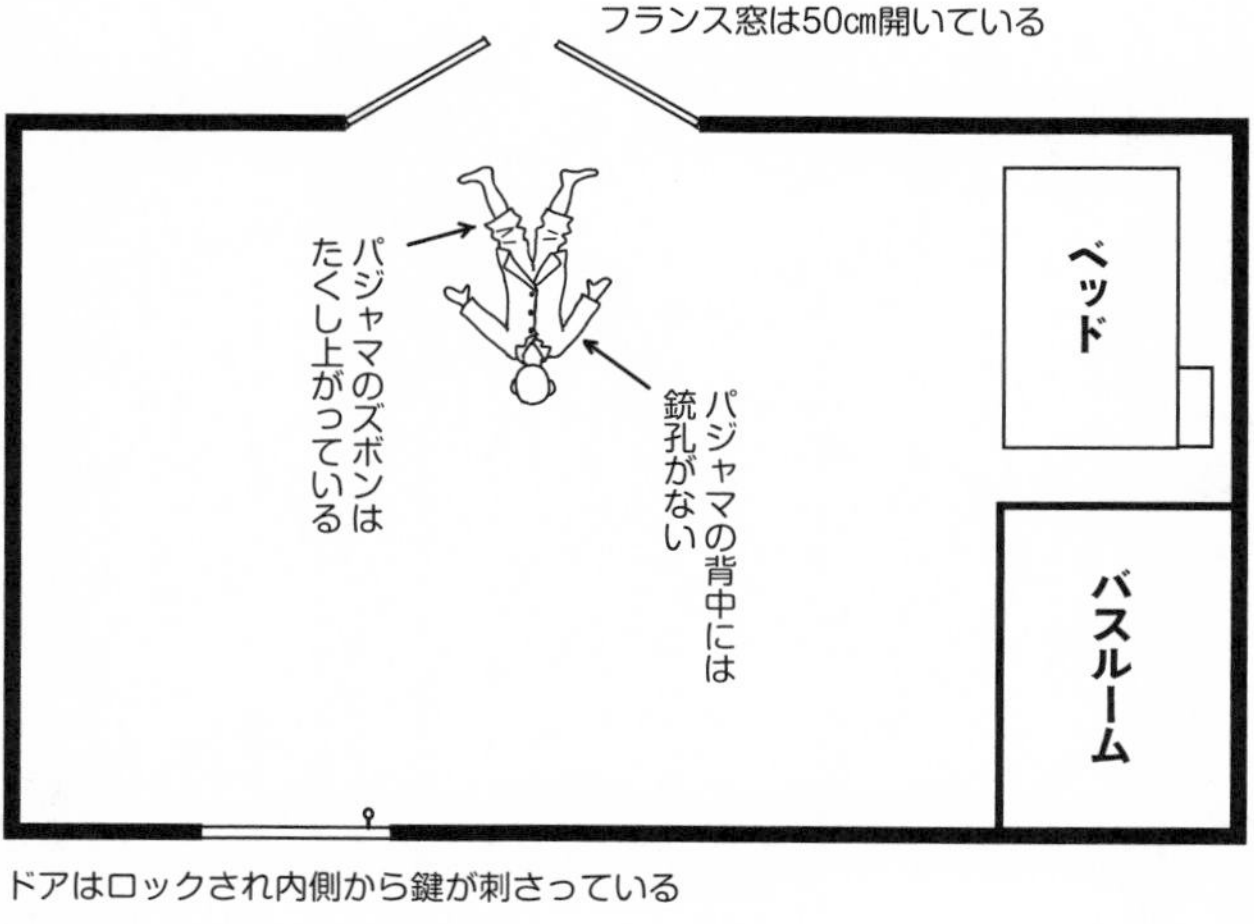

〈引立て役倶楽部〉の不快な事件

W・ハイデンフェルト

発表＝一九五三年／邦訳＝『有栖川有栖の本格ミステリ・ライブラリー』（角川文庫）他所収

Story

世界の名探偵がインドでの《第一回世界名探偵会議》に出席している中、残されたワトソン役の面々は、イギリスにある〈引立て役倶楽部〉の別荘に集まっていた。その彼らの目の前で殺人が発生。敷地内のコテージで見知らぬ男が全裸で死んでいたのだ。しかも、完璧な密室の中で。「ホームズがこの場にいたら」や、「エラリーがここにいてくれたらいいのに」や、「わが友エルキュール・ポアロがよく言っておったことだが」と言うしか芸のない彼らに事件の解決ができるのだろうか？

Situation

死体が発見されたのはコテージの書斎。ドアは内側から普通の鍵がかけられている上に、やはり内側からエール錠と二本の鉄の閂がかかっていた。二つの窓は閉まっていて、ガラスの破損はなし。さらに外側から鉄の桟が取り付けてあった。暖炉の煙突は小人も通れないほど狭く、抜け穴も機械仕掛けも見つからない。

奇妙なことに、死体の周囲には一滴の血痕もなかった。警察によると、殺害現場はそのコテージ以外の場所であったはずがない——と同時に、そのコテージであったはずもないのだ。

Standard-Guide

ミステリのパロディには名探偵を風刺したものが多いが、特定のジャンルを風刺した作品も少なくない。その中でも上位に来るジャンルは、おそらく〈密室もの〉だろう。そして、その中でも、私が上位に来ると思っているのが本作。

パロディの密室トリックは——カミのナンセンス作品などとは異なり——〝一応は〟実現可能なものになっている。そのため、〈密室トリック分類〉に含まれることは珍しくない。本作のトリックも、江戸川乱歩などの分類に含まれ、詳しい紹介も何度かされている。ただし、その紹介を読んだ人は、「どうすればこんなトリックが可能になるのだろう？」と疑問に思ったに違いない。その答えこそが、「ワトソン役ばかりを集めた倶楽部」という設定なのだ。

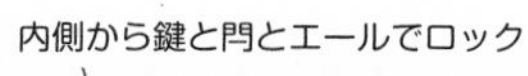

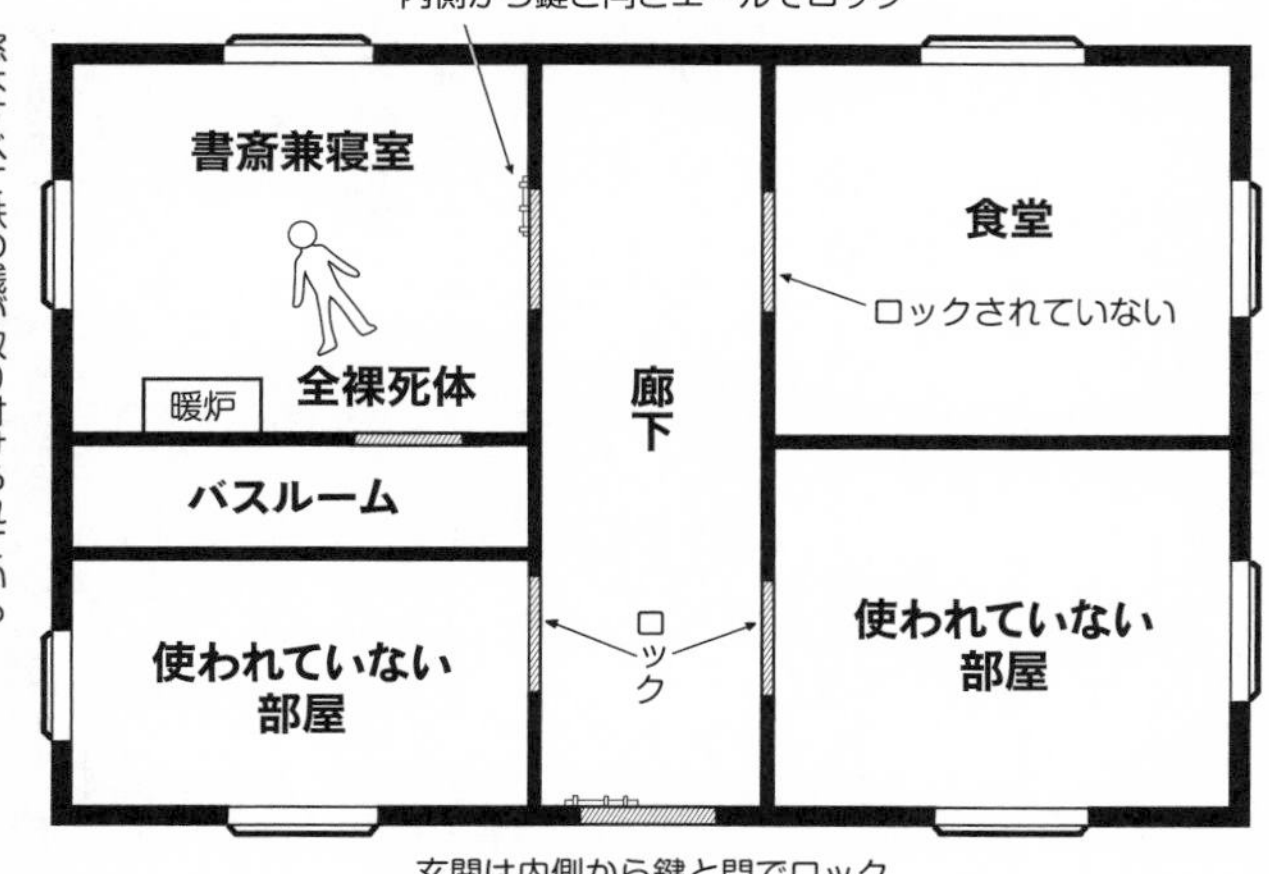

長い墜落

エドワード・D・ホック

発表＝一九六五年／邦訳＝『サム・ホーソーンの事件簿Ｉ』（創元推理文庫）他所収

Story

合併の件で対立する《ジュピター・スティール＆ブラス》社の重役たち。賛成派はビリー・カーム社長やジェイソン・グリーン、反対派はW・T・ノックスやサム・ハミルトン。そんな中、合併をまとめた社長が帰って来た。だが彼は、二十一階の重役会議室に直行し、秘書のマーガレットに自殺をほのめかして部屋に入る。そして、窓ガラスを破り、そこから飛び降りた――が、落下地点では死体が見つからない。ところが、それから三時間四十五分後、落下地点で社長の墜落死体が見つかったのだ。

Situation

会議室に入る前に社長と言葉を交わしたのはマーガレットだけなので、彼女が偽証をした可能性はある。だが、彼女の「やめて、ビリー！」という叫びは、演技とは考えられない。また、警備部長も社長が会議室に入る姿を見ている。その会議室に誰もいなかった以上、社長は窓から飛び降りたとしか考えられない。

一方、三時間四十五分後に落ちた死体は墜落死であり、ビルの他の窓は開かず、屋上にも出入りした痕跡がない以上、二十一階の割れた窓から落ちたとしか考えられないのだ……。

Standard-Guide

Ｅ・Ｄ・ホックは数多くの密室ミステリを書いているが、そのほとんどが高い水準を達成している。ホックはなぜ、密室トリックの枯渇をものともしないのだろうか？　答えは、「密室ミステリにトリック以外の魅力を持たせることに成功した」となる。

その一つ目は、「奇抜で魅力的なシチュエーション」。ホック作品では、他の密室ミステリではお目にかかることができない、魅力的な不可能状況が多いのだ――本作のように。

二つ目は、「密室の謎を解き明かすフェアで魅力的な推理」。ホックの作品の密室トリックは、作者の腹話術人形に説明されるのではない。きちんと提示された手がかりに基づく推理によって解き明かされるのだ――本作のように。

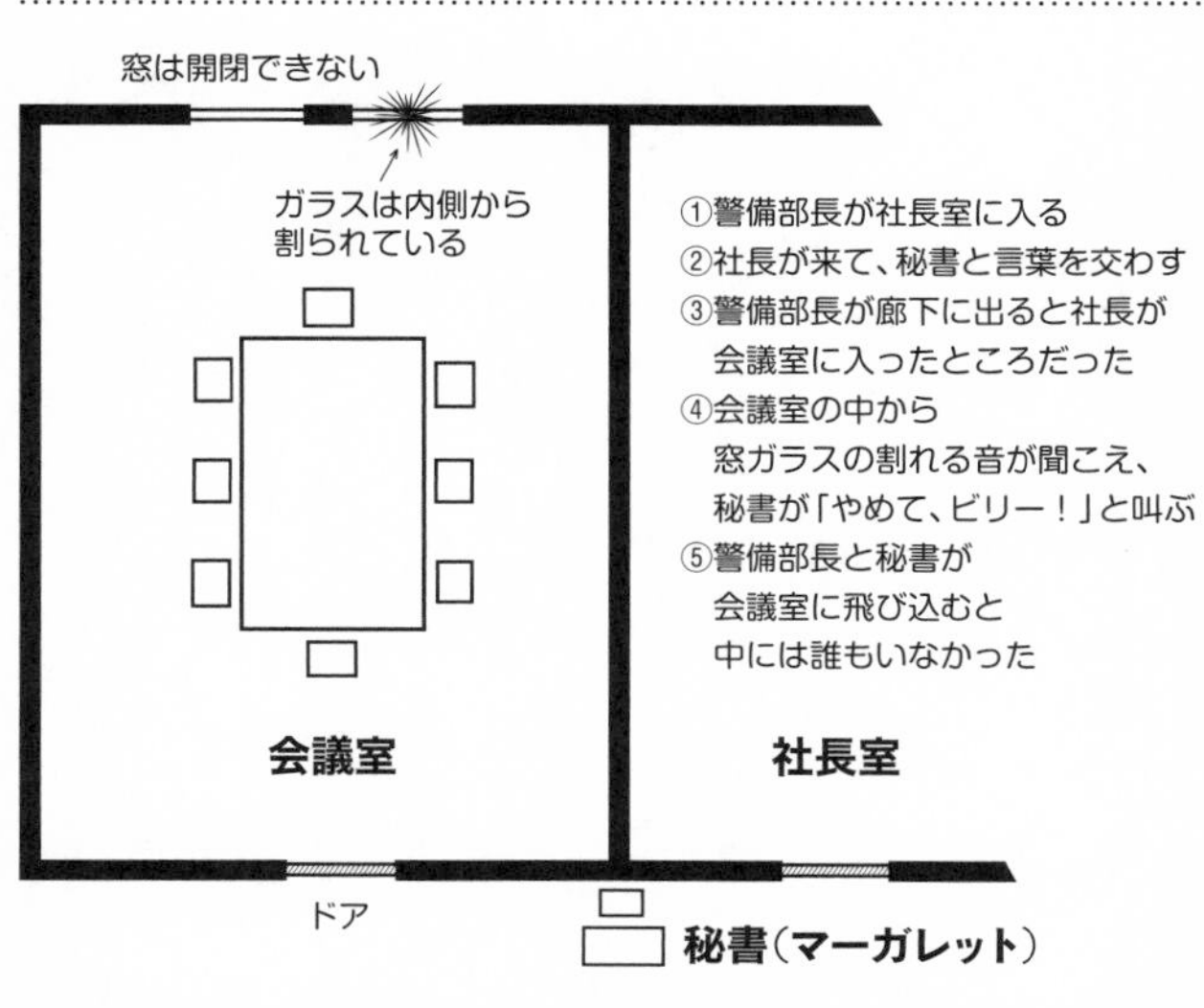

17

魔術師が多すぎる

ランドル・ギャレット

発刊＝一九六七年／邦訳＝ハヤカワ・ミステリ文庫 他

Story

科学ではなく魔術を基本とするパラレルワールド。そこでは魔術は実在し、科学以上にさまざまな分野で使われていた。この世界の英仏帝国のホテルで開催されている三年に一度の魔術師の大会。その最中にマスター魔術師のジェームズが自室で殺害される。しかも、現場は物理的な施錠に加え、魔術によっても施錠されていた。物理的な手段でも魔術でも殺人は不可能としか思えない完璧な密室。この密室の謎を、ノルマンディ公の主任捜査官ダーシー卿は解明できるのだろうか。

Situation

魔術師仲間のシーンがジェームズの部屋をノックすると、中から助けを求める声と人が倒れる音。ドアを破って突入すると、ジェームズが心臓を刺されて死んでいた。死体のそばには呪文用ナイフとドアの鍵が落ちていた。ドアは内側から施錠された上に、被害者がドアが開かないようにする呪文をかけていた。窓は桟がかけられた上に、外にいた十二人の魔術師に気づかれずに出入りすることはできなかった。そしてまた、犯行を可能にする魔術も存在しないように見えた……。

Standard-Guide

現在の日本では、異世界を舞台にした密室ミステリは珍しくない。本作は、その先駆として選んだが、もちろん、作品自体が密室ミステリとして優れている、というのも選出理由になっている。密室トリックを検討する際に、「犯人は第一発見者の一人で時間差トリックを用いた」や「外から施錠して鍵をドアの下の隙間から室内に戻した」といった推理と並んで、「犯人は空中浮揚の魔術で窓から逃げた」や「犯人は犯行後も密室に留まり、姿が見えなくなる魔術を自分にかけた」といった推理が俎上に載せられるのは、まさに異世界本格ならではの面白さと言えるだろう。加えて、ダーシー卿の推理も、現実世界のロジックと異世界のロジックを組み合わせた、独自の面白さを持っているのだ。

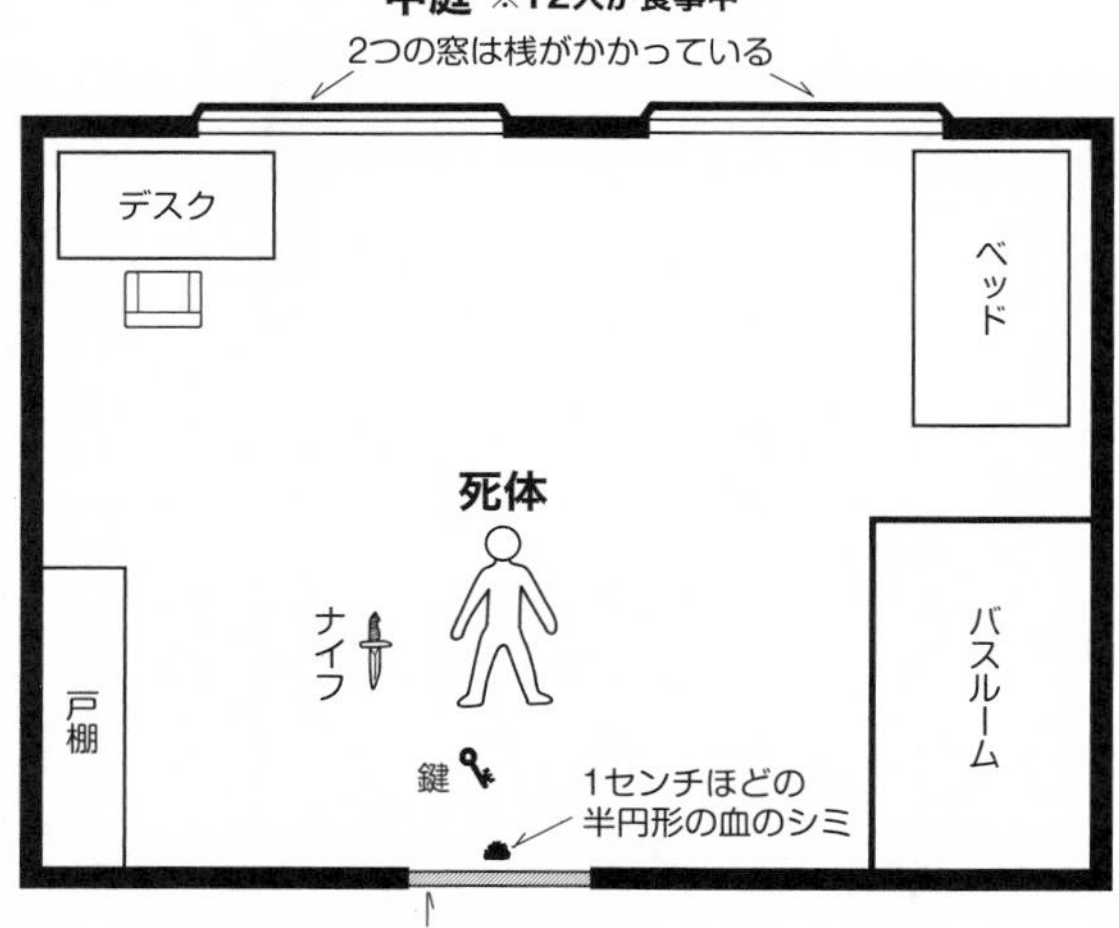

密室

もうひとつのフェントン・ワース・ミステリー　ジョン・スラデック

発表＝一九七二年／邦訳＝『法月綸太郎の本格ミステリ・アンソロジー』（角川文庫）他所収

Story

名探偵フェントン・ワースはある晩、書斎で一冊の本を読み始める。題名は『密室』。内側から鍵のかかった密室で一人の男が死体となって発見される。他殺であることは明らかだが、凶器は発見されていない。

ワースはこれまで自分が解決してきた多くの密室殺人事件を思い出し、この小説に当てはめようとする――が、どのトリックも当てはまらなかった。残されたトリックは、「元先任将校焼死事件」で使われたものしかない。ワースはこの事件を思い出す……。

Situation

〔元先任将校焼死事件〕被害者は元軍人で、熱心な実験動物解剖反対論者。書斎で絞殺され、ソファの上に横たわっていたが、奇妙なことに、死体は焼け焦げ、両足には火薬による火傷があった。書斎の唯一のドアは施錠され、唯一の鍵は被害者のポケットの中。地上十二メートルの高さにある窓は開いていたが、窓の下は濡れた砂地なので、梯子などの道具を利用すれば跡が残る。屋根からの侵入も不可能。しかも、三十メートルにわたって広がる砂地には、人が近づいた跡は残されていなかった。

Standard-Guide

スラデックの密室ものと言えば、『見えないグリーン』におけるトイレの密室を挙げる人が多いと思うが、私が語りたいことは、本作の方が多い。例えば、作中で言及される密室トリックの数々について。これらはすべて、ワースが解決した事件のトリックという設定だが、実際には過去の密室ミステリで使われたものばかり。「第一発見者が施錠する」とか、「ドアの蝶番を外す」といった既存の作品そのままのものから、「氷の弾丸を鍵孔から撃ち込む」といった組み合わせまで、いくつものトリックが披露され、今回の密室に当てはまるかどうかが検討される。つまり、密室もので探偵がしばしば行う「カーの密室講義を現実の事件に当てはめて解く」手法と同じなのだ。

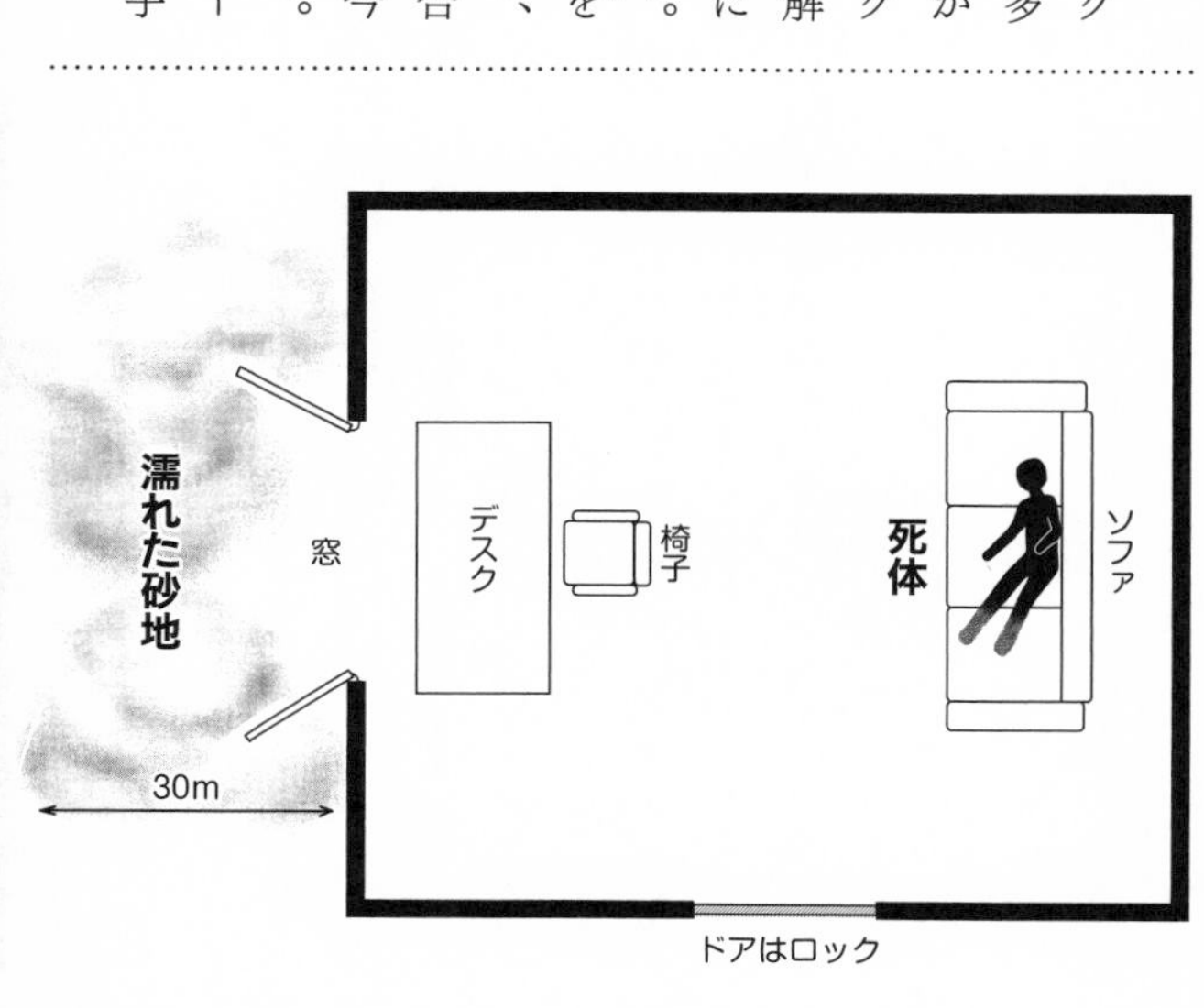

鏡よ、鏡

スタンリイ・エリン

発刊＝一九七二年／邦訳＝ハヤカワ・ミステリ文庫 他

Story

出版エージェントのピート・ヒブンは、自分のアパートの浴室で、射殺された女を――娼婦（しょうふ）のような下着姿の大柄で豊満な女を――見つける。だが、すぐに浴室は幻の知人であふれ、彼の裁判が始まる。次々に明らかになるピートの性遍歴。女は、かつては父の愛人であり、その後、ピートの浮気相手になったヴィヴィアン・パパゾーアなのだろうか？　そして、無学なメキシコ人家政婦がピートに残した電話メモ「NO SCOOL SONIC COMIC LOC」が意味するものは何だろうか？

Situation

幻想シーンを除くと、状況は以下の通り。ピートの住むアパートは、カメラで人の出入りを監視している。部屋の鍵（かぎ）は、ピートと息子のニックしか持っていない（と書いてあるが家政婦も持っているのでは？）。妻とは離婚していて、ニックは週末だけアパートを訪ねて来る。そのアパートのドアは、内側から施錠（せじょう）され、掛け金がかかっていた。従って、謎は、「女はどうやってアパートに入ったのか？」と、「女を射殺した犯人は、どうやってアパートから抜け出したのか？」になる。

Standard-Guide

スタンリイ・エリンの読者ならば、彼が長篇と短篇で作風が異なることは知っていると思う。だが、本作は、どちらの作風でもない。冒頭で女の死体が登場した後は、ピートの〝意識の流れ〟と、(彼の脳内で展開される)知人たちによる裁判が混在して描かれていくのだ。そこではピートの性遍歴が描かれ、彼が関係を持った女性が次々と登場し、謎の女へと収束していく――が、もちろん本作は実験文学などではない。どんでん返しのある密室ミステリであり、だからこそ初刊時は、本国でも日本でも、結末を封印して出したのだ。もっとも、半世紀後の現在では、日本の本格ミステリの読者の方が、この密室トリックを楽しめるに違いない――類例がいくつもあるので。

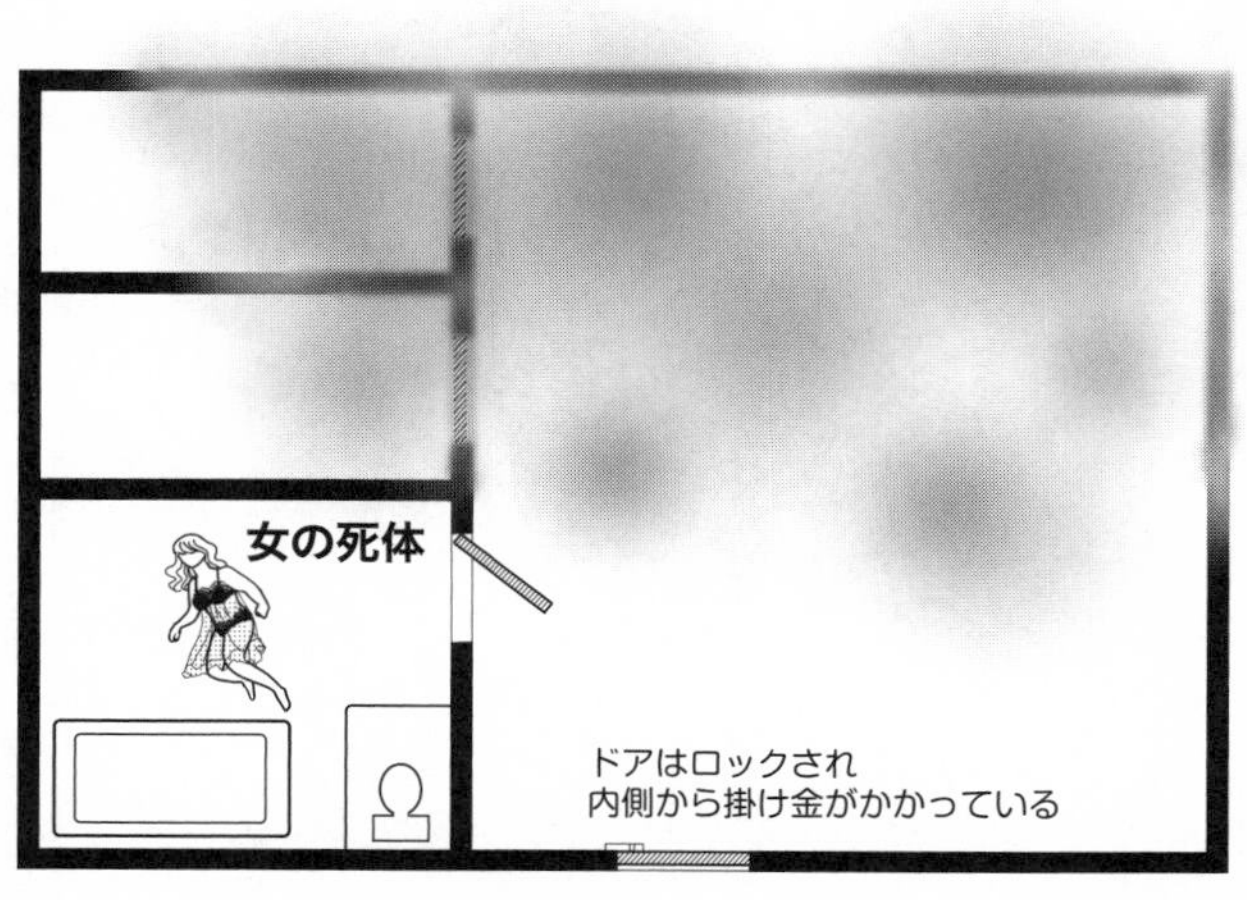

赤い霧

ポール・アルテ

発刊＝一九八八年／邦訳＝ハヤカワ・ポケット・ミステリ

Story

一八八七年。イギリスの小村を訪れた謎の男（実はロンドン警視庁のリード警部）は、九年前に起こった事件の再調査を行う――地元の名士モースタンが、衆人環視の密室で殺された事件の。だが、捜査が進むと、当時の事件関係者が殺され、さらに、手がかりらしき重要な品物を持っていた人物も殺される。しかも、この二つの殺人も不可能状況だった。

リードがようやく突きとめた犯人は警察の手を逃れてロンドンに逃亡。そして、ロンドンでは連続猟奇（りょうき）殺人事件が幕を開ける！

Situation

モースタンは娘の誕生祝いに友人を招いて奇術を見せようとしていた。広い部屋をカーテンで仕切り、一方は舞台で、ドアは板が打ちつけられて開かない。もう一方は十人の少女が座る観客席で、ドアの前には見張りとして娘の担任教師が座っている。窓は舞台側が一つ開いていたが、外では子供たちが遊んでいて、気づかれずに出入りすることはできない。

この状況下、モースタンは舞台側には誰も隠れていないことを示してからカーテンを閉めるが、そこで刺殺されてしまうのだった……。

Standard-Guide

ポール・アルテは「フランスのJ・D・カー」と言われているが、その「カーらしさ」は、不可能状況や舞台設定のような表面的な部分だけに留まっているように見える——少なくとも私にとっては。本作も、読み始めた時は、「密室の設定は、カーの『緑のカプセルの謎』の流用だな」と思い、感心することはなかった。

しかし、本を読み進め、最後にトリックが明らかになると、心底感心した。トリック自体ではなく、そのトリックに読者が気づかないようにするミスリードに感心したのだ。そして、このミスリードは、カーのある短篇で使われている技巧を発展させたものに他ならない。しかも、カー・ファンでも、気づいていない人が少なからずいる技巧なのだ。

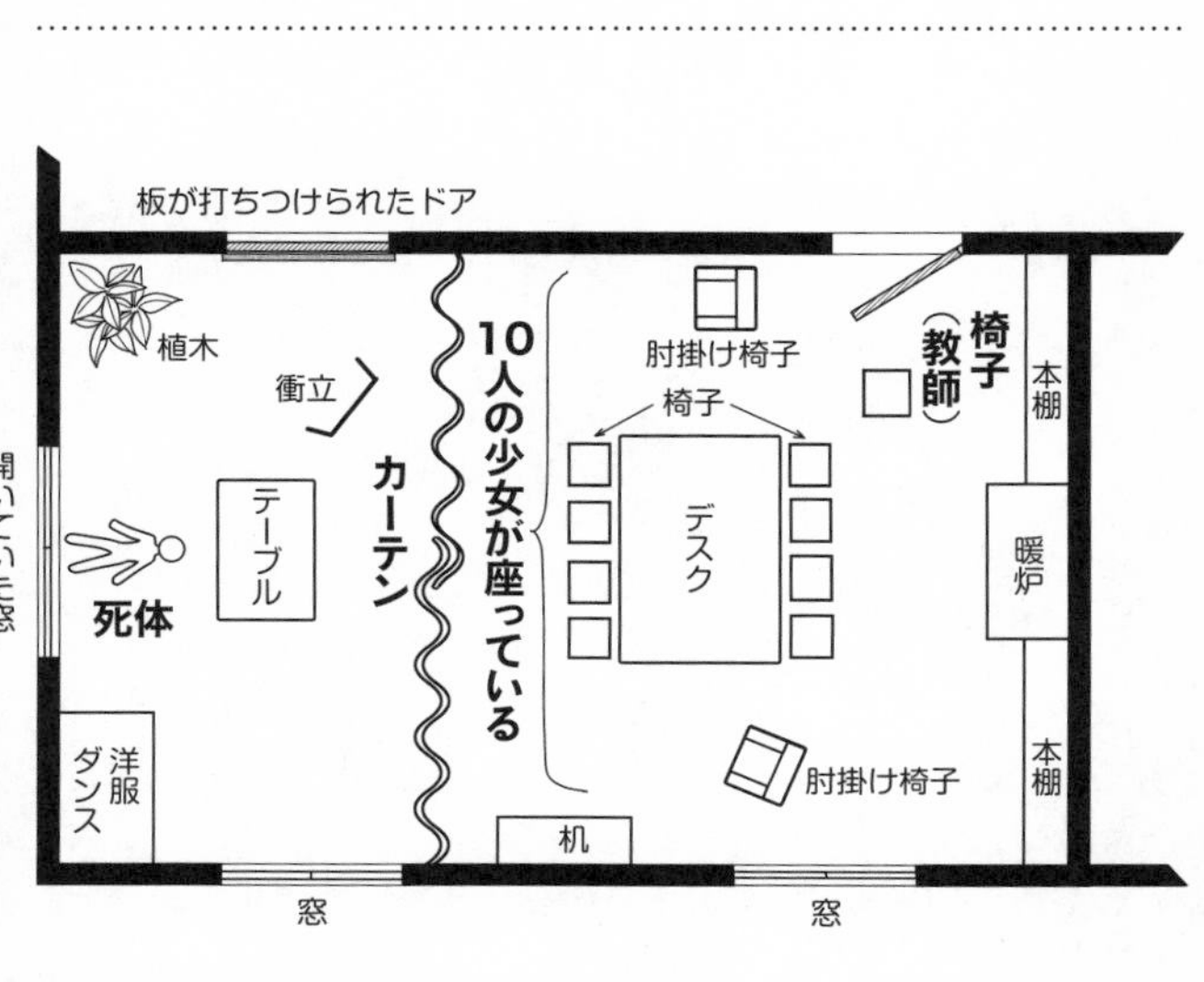

国内篇ベスト30

1

本陣殺人事件

横溝正史

発刊＝一九四七年／書籍＝角川文庫 他

Story

岡山の旧家・一柳家で、長男の賢蔵と久保克子の結婚式が行われた。その新婚初夜、新郎新婦が日本刀で斬り殺される。犯行現場である離れは密室状態で、自殺も考えられない。しかも、犯行当時、離れで琴の音が鳴り響いたのだ。続いて賢蔵の弟の三郎も襲われ、重傷を負う。犯人は、賢蔵が「生涯の仇敵」と語っていた三本指の男なのだろうか？

金田一耕助は、克子が自身のパトロンの姪であることから調査を依頼され、この奇怪な密室殺人事件に挑むのだった。

Situation

離れのまわりに積もった雪の上には、犯人らしき人物が来た足跡はあったが、出て行く足跡がなかった。ならば自殺かというと、凶器の日本刀が死体から離れた場所で見つかったので、それもあり得ない。また、犯行時に鳴り響いた琴の音の他にも、いくつか謎があった。離れにある琴から琴柱が一つ消え、外の落葉溜めの中に落ちていたこと。樟の木に鎌が刺さっていたこと。松の木の枝支えの竹の節が抜いてあったこと。これらは密室トリックと関係あるのだろうか……。

Standard-Guide

本作は「日本の密室ミステリの最高傑作」と言われることが多い。ここで「日本の」と付くのは、オリンピックの〝日本記録〟が〝世界記録〟に劣るのと同じ意味ではない。開放的な日本家屋で密室犯罪を実現したことや、日本刀、琴、雨戸、屏風、燈籠、竹、水車といった日本独自の物を巧みに使ったことや、日本独自の殺害動機や密室作成の動機を設定しているから、「日本の」と付いたわけである。

しかし、その日本風の装いの下には、黄金時代の海外ミステリ風の技巧が隠されている。コナン・ドイル、アガサ・クリスティ、エラリー・クイーン、そして、J・D・カー……。そう、本作は「世界の密室ミステリの最高傑作」なのだ。

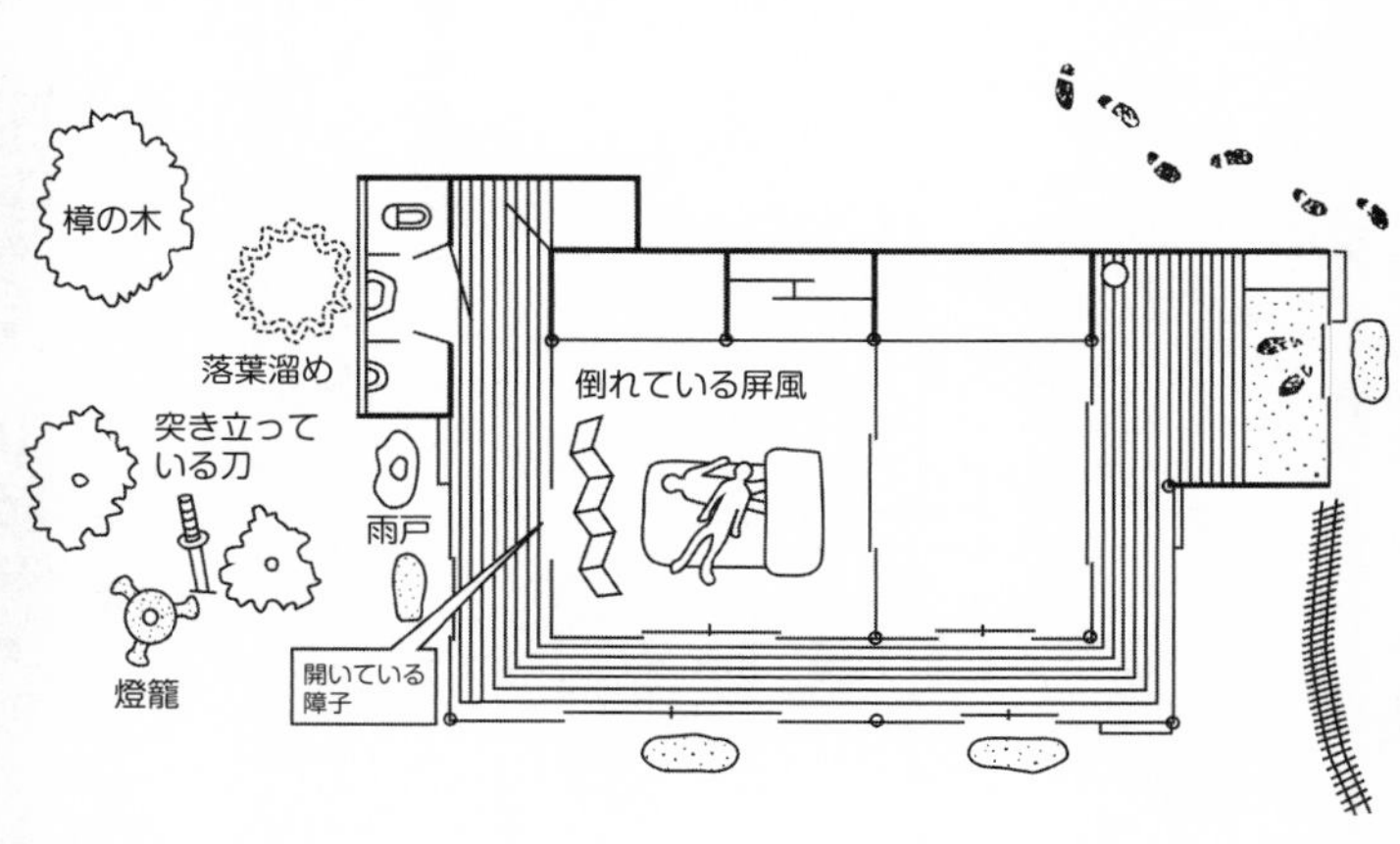

能面殺人事件

高木彬光

発刊＝一九五〇年／書籍＝光文社文庫 他

Story

資産家の千鶴井家。そこで当主の泰次郎が謎の死をとげる。不思議なことに、死体には外傷がなく、毒の痕跡もなく、心臓麻痺にしか見えなかった。しかも、犯行現場は内側から施錠された密室状態。なぜか、その密室の床には鬼女の能面が落ちていた。

千鶴井家の食客・柳光一とその友人で探偵作家志望の高木彬光がこの謎に挑む。だが、続いて泰次郎の次男・洋二郎が、そして、泰次郎の兄（故人）の妻が同じように殺され、事件は混迷の度を深めるのだった……。

Situation

〔第一の殺人〕ドアは施錠され、鍵孔には鍵が内側からささったまま。窓もその鎧戸も内側から施錠。窓の上にある回転窓は閉まっていたが、犯行時に開けて紐などを通すのは可能だった。ただし、紐を回収した後で回転窓を外から閉めるには窓を叩く必要があるが、犯行現場は二階にあり、回転窓は地上から五メートルの高さになるので、簡単には叩けない。

何よりも不可解なのは、床の上に落ちていた能面。般若の面（正確には「蛇の面」）は、殺人とどう関係するのだろうか？

Standard-Guide

私が高木彬光の密室ものからこの作品を選んだ理由は、〝密室の必然性〟にある。高木の密室ものは、犯人が手間暇かけて不可能状況を作る理由が弱い——つまり、必然性に乏しい作品が多いのだが、本作は違う。表面上は鬼女の呪いに見せかけるために密室にしたように思えるが、解決篇を読んだ読者は、「そうか。犯人はそう使うためにこんな手間のかかるトリックを実行したのか」と感心するに違いない。

その見事な使い方は、類似したクレイトン・ロースンの先行作——高木は本作の執筆時期には未読だったと思われる——よりも優れている。しかも、二十四年後に書かれた、ほとんど同じ使い方をしている高柳芳夫の長篇と比べても、やはり数段優れているのだ。

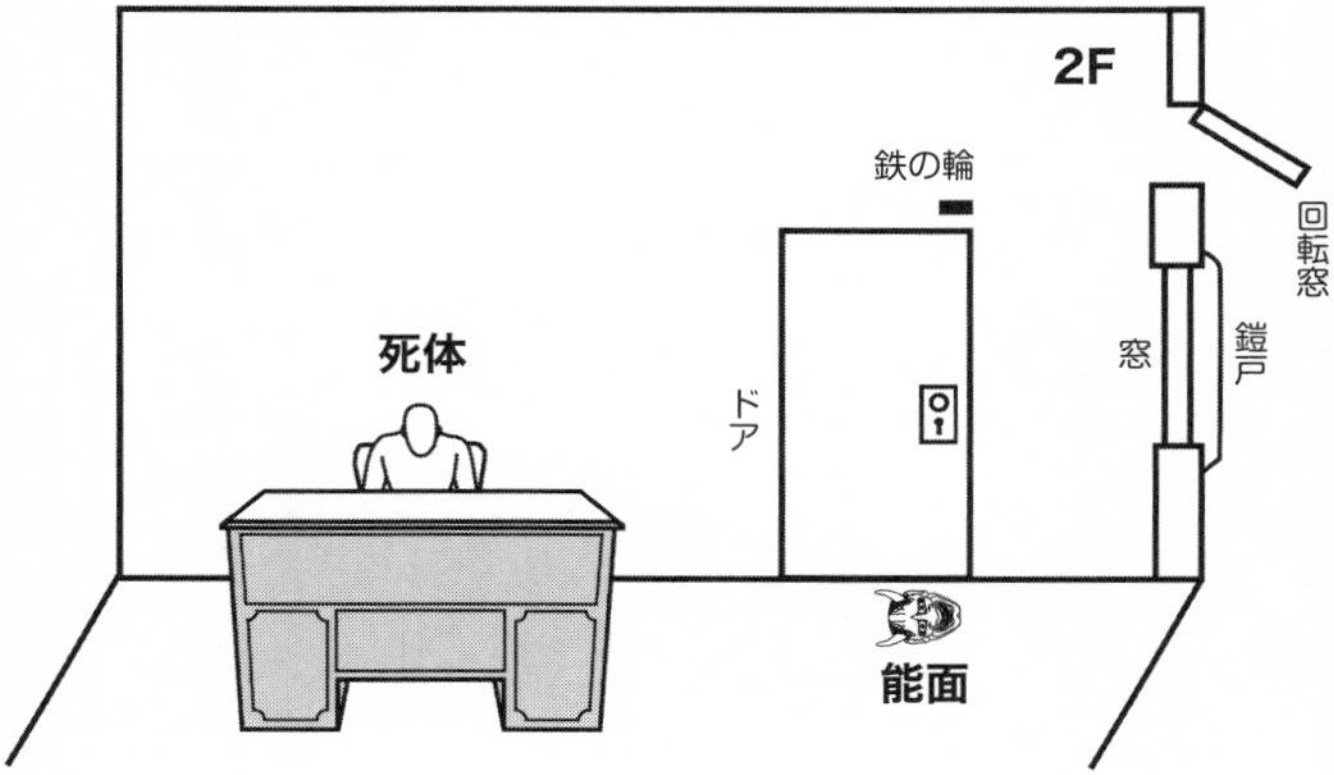

明日のための犯罪

天城一（あまぎはじめ）

発表＝一九五四年／書籍＝『天城一の密室犯罪学教程』（宝島社文庫）他所収

Story

名家の当主・名寄篤が自宅の居間で死んでいた。篤の前妻の妹・朱実は、「雨中に帰宅すると、篤の死体のそばに女が立っていて、その女に胸を刺されて気を失った」と警察に語る。警察が雨上がりの庭を調べると、居間のフランス窓から出たハイヒールの足跡が庭の中央まで続き、そこで消えていた――まるで天に昇ったかのように。

検屍（けんし）の結果、被害者の死因は心臓発作で、その後で刺されたことがわかる。誰が、なぜ、そんなことをしたのだろうか？

Situation

殺害現場の居間から庭に出た足跡は、中央で途切れている。雨が上がった後なので、足跡を残さずに庭の中央から立ち去ることはできない。ジョウロなどで足跡を消しながら歩くこともできない。池がないので池の水で足跡を消すこともできない。片足ずつの往復の足跡を片道に見せかけることもできない。共犯者が発見者となって足跡を消すこともできない。ロープを渡して移動することもできない。まさに完璧（かんぺき）な不可能状況だが、名探偵・摩耶（まや）は「他愛もないテクニックさ」と語るのだった……。

Standard-Guide

天城一の密室ものから一作を選ぶとしたら、「高天原（たかまがはら）の犯罪」だろう。だが、私は『数学者と哲学者の密室』の中で十二ページも費やしてこの作品を論じている。そこで今回は、私が企画して二十一名の投票によって決まった〈天城一作品ランキング〉で、「高天原」に次いで二位になった本作を取り上げることにした。

この短篇について、作者は「密室をコケにしたファルス（笑劇）」だと語っている。確かに苦笑してしまうトリックではあるし、本作をバカミスに含めている文を読んだこともある。その一方で、前述の投票で本作に入れた人などは、優れた密室ものだと評価している。

バカミスでもあり傑作でもある——これが本作の、「高天原」にはない魅力なのだろう。

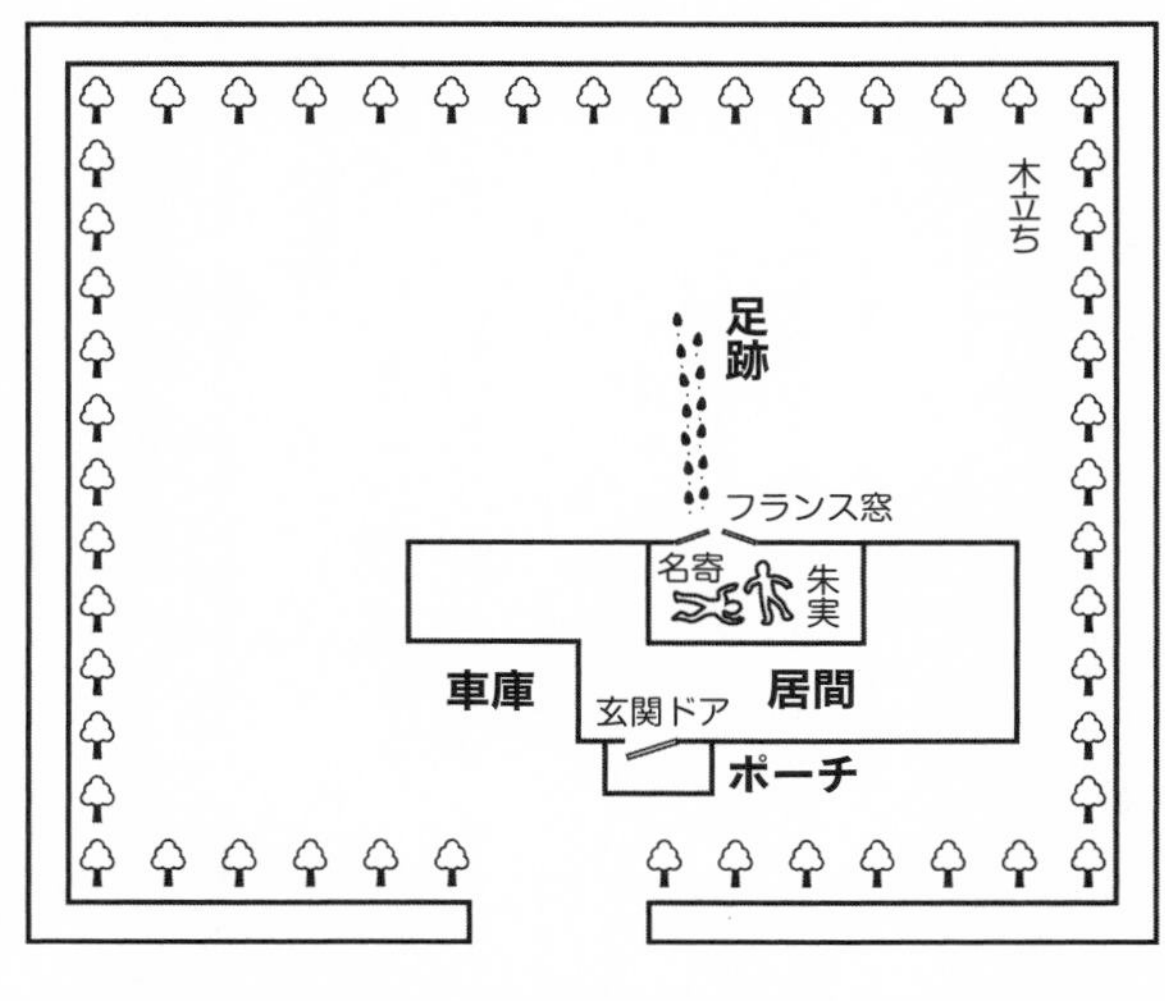

白い密室

鮎川哲也（あゆかわてつや）

発表＝一九五八年／書籍＝『消えた奇術師』（光文社文庫）他所収

Story

医大教授の座間が自宅で殺された。第一発見者は、雑誌編集者の峯。そして、間を置かずに教授のゼミの学生・佐藤キミ子が訪れる。だが、犯人は雪が止んだあとに立ち去ったはずなのに、邸宅（ていたく）のまわりに積もった雪には、峯とキミ子の足跡しかない。

この謎を持ち込まれた星影龍三（ほしかげりゅうぞう）は、「犯人は座間家を出るとき雪の上を堂々と歩いていったんだよ。最初から、最後までトリックなどは一切使っていない。ただきみはその足跡に気づかないんだ。見えないんだよ！」と言い放った。

Situation

座間教授の死亡時刻は夜九時頃。雪は八時四十分に止んでいるので、犯人が出て行く足跡が残っていないとおかしい。ところが、門と玄関の間に残された足跡は、九時半頃に訪れた峯とキミ子のものしかなかった。犯人が出て行かずに邸宅内に残っている可能性も、警察の調査で消去された。峯の証言が嘘で、実際には雪が止んだ直後に訪ねていたならば、キミ子が訪れるまで時間的余裕があり、殺人は可能になる。だが、教授を敬愛する峯には、殺人の動機がないのだ。

Standard-Guide

鮎川哲也の密室ものの最高傑作を「赤い密室」だと見なす人は多いだろうし、私も異論はない。だが、私は同時に、本作が過小評価されているとも思っている。――実は、アンフェアだと批判する人も少なくないのだ。そこで、本書では、「赤だけでなく白もオススメ」と言わせてもらうことにする。

では、どこが優れているかというと、まずはトリック。心理的な錯覚を利用したもので（星影曰く「機械的なトリックは使っておらん」）、実に鮮（あざ）やか。加えて、そのトリックを補強する叙述上の巧妙な工夫（これがアンフェアだという批判を招いてしまったが）。そして、そのトリックをあばく星影の名探偵ぶりは、シリーズの中でもトップクラスだと言える。

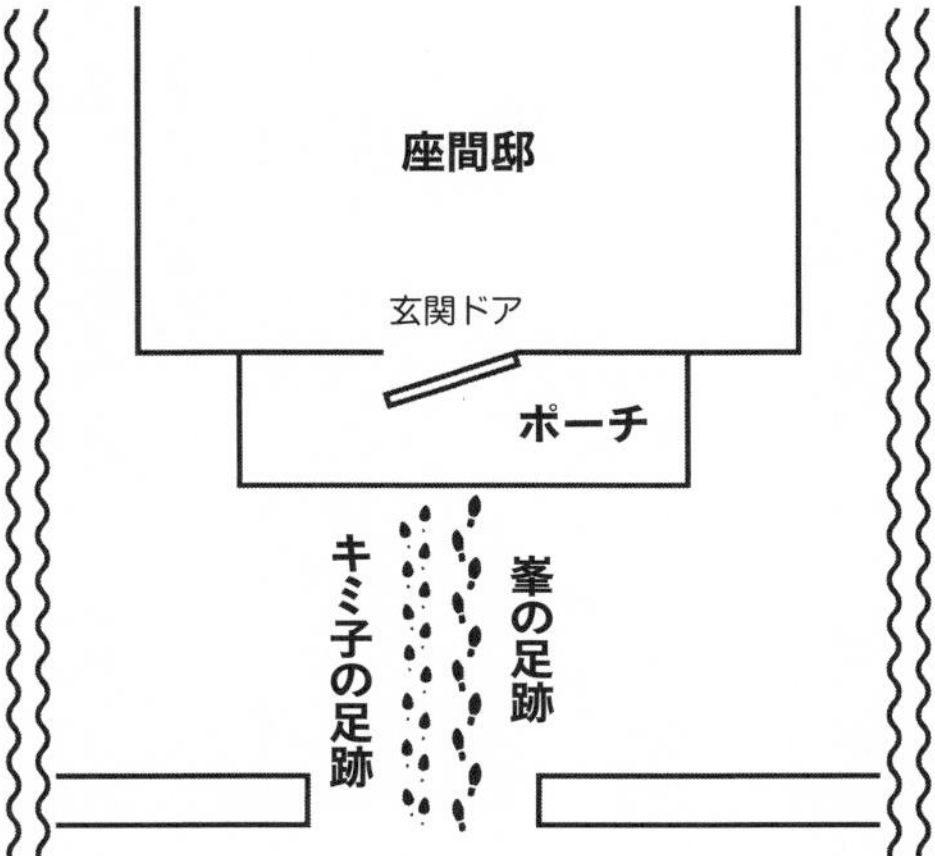

虚無への供物

中井英夫

発刊＝一九六四年／書籍＝講談社文庫 他

Story

氷沼家は函館大火、広島の原爆、そして洞爺丸沈没事故で一族の者を次々と失い、「呪われた氷沼家」と呼ばれていた。そして今、一族は連続密室殺人に巻き込まれる。当主・蒼司の弟・紅司、叔父の橙二郎、氷沼家の番頭代わりの八田皓吉の義弟・鴻巣玄次が次々と密室の中で殺害。そのたびに、知人たちは推理合戦を繰り広げる。そして、小説の形で提供される第四の殺人。なぜか密室ではないのに、小説の作者・牟礼田は、「これは密室ではない密室だ」と語り、トリックの解明を求めるのだった。

Situation

〔第四の殺人〕書斎のドアは二つ。書庫側の閂は内側から閉まり、階段側の閂は開いていた。皓吉は刺殺され、当主の従弟・藍司は生存。手足を束ねて縛られ、丸められた二人の体はロープで結ばれ、そのロープはシャンデリアに引っかけられている。体重の重い皓吉が床に倒れているため、それより軽い藍司はシャンデリアまで引っ張り上げられていた。さらに、別の紐の一方が藍司の首にかけられ、もう一方が皓吉の体に結びつけられていたが、藍司は絶命まで至らなかった。

Standard-Guide

作者自身が〈反推理小説（アンチ・ミステリ）〉と呼ぶ本作のラストで、ある人物が、「安全地帯にいて、見物の側に廻る」人々を批判する。この批判はもちろん、作中人物だけでなく読者にも向いている。洞爺丸の遭難（そうなん）事故などを娯楽として消費するすべての人々を批判しているのだ。

そして、作者がその批判のために用いたのが〝密室〟だった。なぜならば、「誰がA氏を殺したか?」という謎では犯人や被害者について考える必要があるが、「どうやって密室を作ったか?」という謎では人間について考える必要がないからだ。言い換えると、密室の解明では、人の苦しみや哀しみを感じ取る必要はない。かくして、人の心など気にせず〝御見物衆〟に廻った読者は、批判されることになる。

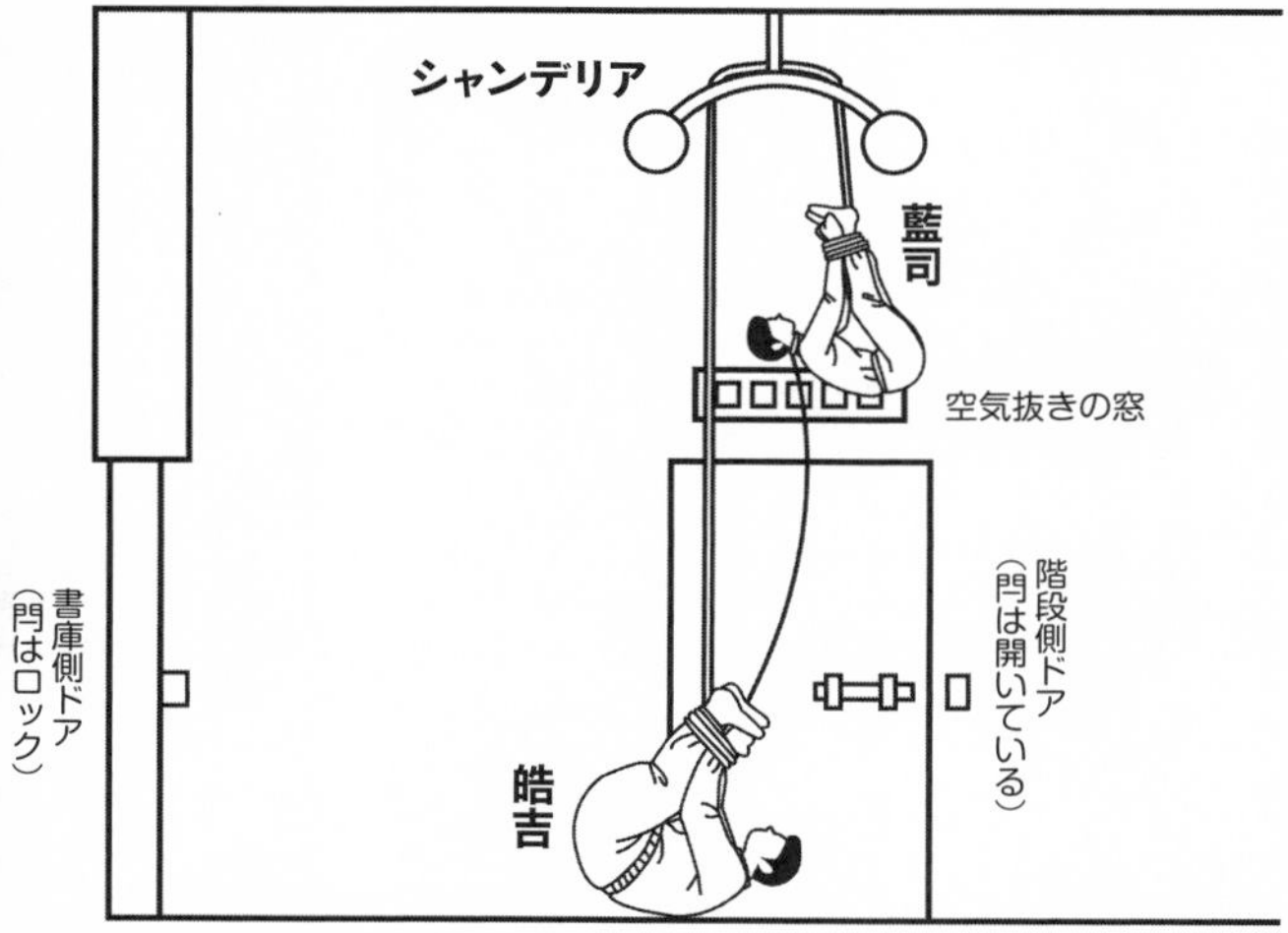

シャンデリア
藍司
空気抜きの窓
階段側ドア
（閂は開いている）
皓吉
書庫側ドア
（閂はロック）

蜃気楼博士

都筑道夫

発刊＝一九七〇年／『都筑道夫少年小説コレクション3 蜃気楼博士』（本の雑誌社）他所収

Story

霊媒の峠原忠明は霊魂によって殺人を犯すと宣言。中学二年の草間次郎、その兄で雑誌記者の昭一、そして、二人の祖父の弟子にして、かつてアメリカで蜃気楼博士と呼ばれた大奇術師・久保寺俊作が見張る中、離れた場所にいた富豪が殺される。続いて、テレビ局のスタジオにいる峠原が、今度も離れた場所にいた高名な物理学者を殺害。さらに、警察が警備する中で前科者が殺される。いずれの殺人も、霊魂が行ったとしか思えない。蜃気楼博士は、この不可能犯罪を解明することができるのだろうか？

Situation

〔第一の殺人〕青山のマンションで、峠原は昭一が目印をつけた短刀を持って大型の箪笥に入り、身体検査を受けて椅子に縛りつけられる。箪笥を閉めると取っ手に鎖を通して錠をかけ、鍵孔は昭一たちがそれぞれサインをした三枚のテープでふさぐ。箪笥の前で三人が見張るが、途中で俊作は退出。五時間後、峠原が「真瀬という男を殺した」と告げるので箪笥を開くと短刀が消えていた。そして、新宿で殺された男の名は真瀬で、凶器の短刀には昭一が描いた目印があった……。

Standard-Guide

私見では、都筑道夫作品の密室トリックのベストは、『三重露出』（一九六四年）のエレベーターからの消失トリック。その作品を選ばずにジュニア向け作品（《中学二年コース》連載）を選んだ理由は、都筑の評論書『黄色い部屋はいかに改装されたか？』にある。この中で作者は、〝J・D・カーばりの不可能犯罪に挑んだ『蜃気楼博士』の連載中に書きづらくなり、本格推理小説についてあらためて考えるようになって『黄色い〜』を書いた、と語っているのだ。本格ミステリ関係者すべてのバイブルを生み出すきっかけになった作品なので、取り上げなければならないだろう。なお、本作は犯人が密室の〝中〟にいるために犯行が不可能になるタイプなので、広義の密室ものだと言える。

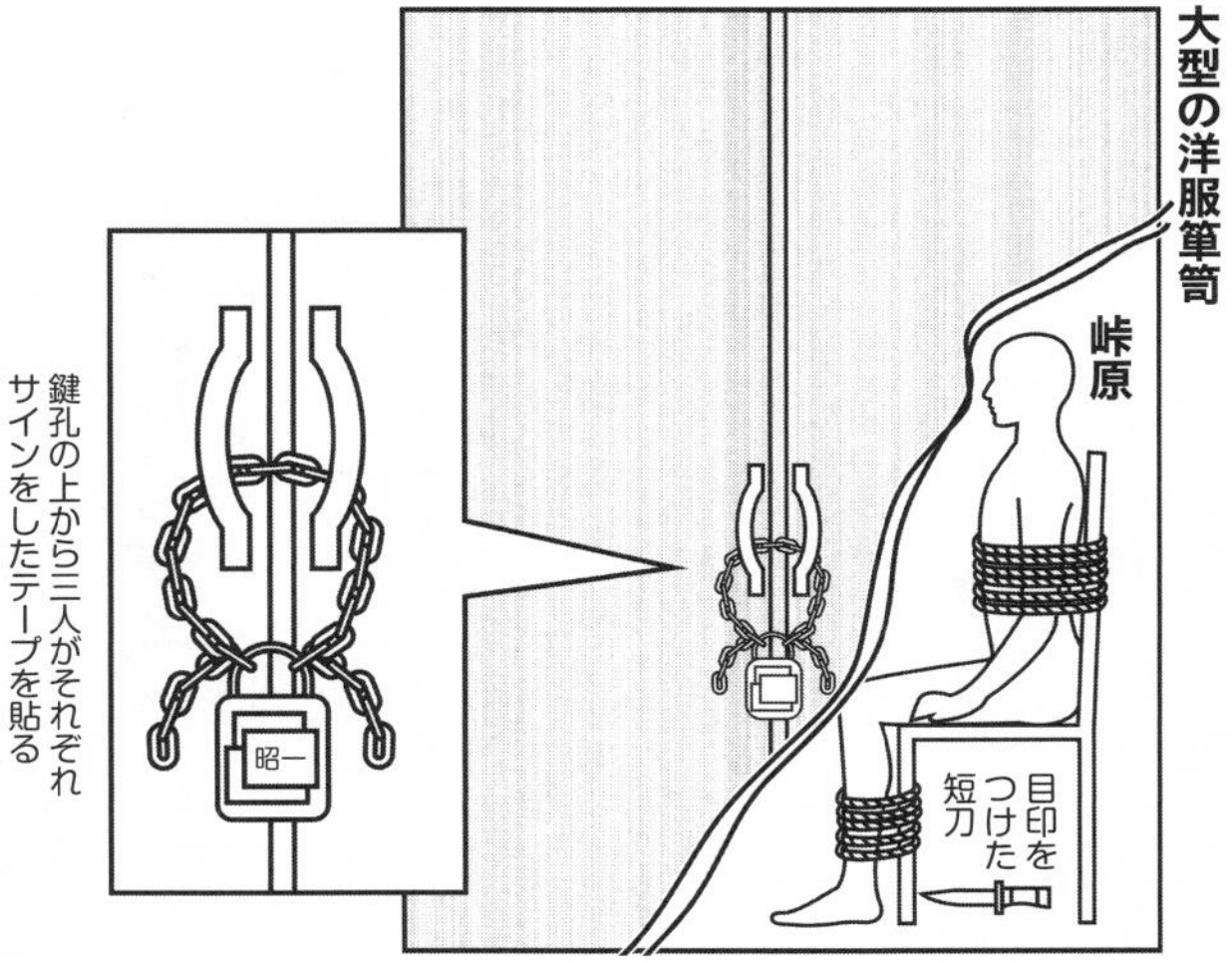

7

仮題・中学殺人事件

辻真先（つじまさき）

発刊＝一九七二年／書籍＝創元推理文庫 他

Story

少年推理作家・桂真佐喜は旅客機と防衛隊機の接触事故の生き残りの一人だったが、母と自らの両足を失ってしまった。もう一人の生き残りで事故を起こした張本人の林一曹は、起訴猶予になったが、密室で殺されてしまう。

その桂が執筆中の推理小説は、中学二年の牧薩次と可能キリコが、時刻表アリバイや中学校のトイレで起きた密室殺人に挑む話だった。桂は、林一曹の事件と重なるようなこの小説を、同じ事故で両親を失った、そして、好意を抱いている加賀見清子に読ませるのだった……。

Situation

〔トイレの密室〕被害者は地方から転校してきた成績一位の日置浜子。職員室の近くにある女子トイレの個室で刺されていたが、自分で刺すことができない位置だった。個室の仕切りは天井まであるので、ドア以外から出入りはできない。ドアの錠は換えたばかりの新型で、外からの施錠はできない。しかも、犯行が可能な時間はわずか七分間で、その間にトイレに近づくことができたのは二人だけ。さらに捜査を進めると、その二人も犯人ではあり得ないように思えるのだった……。

Standard-Guide

本作は、都筑道夫の『蜃気楼博士』と同じジュニア向けシリーズでの刊行。作者によると、旧《宝石》誌の中篇コンクールに応募して「審査員にまったく認めてもらえ」なかったアイデアを、「稚気まんまんの設定を、若い読者は受け止めてくれるかも」と思って流用したとのこと。大人による現在の高評価を見ると、〝早すぎた作品〟と言うべきだろう。

――というのは、犯人の設定の話。密室トリックに関しては、現在でもそれほど評価は高くないように見える。しかし、発表時期を考えると、かなり興味深いので、こちらもまた、〝早すぎた密室トリック〟と言うべきだろう。さらに、その密室の使い方も興味深く、これもまた、〝早すぎた〟と言うべきだろう。

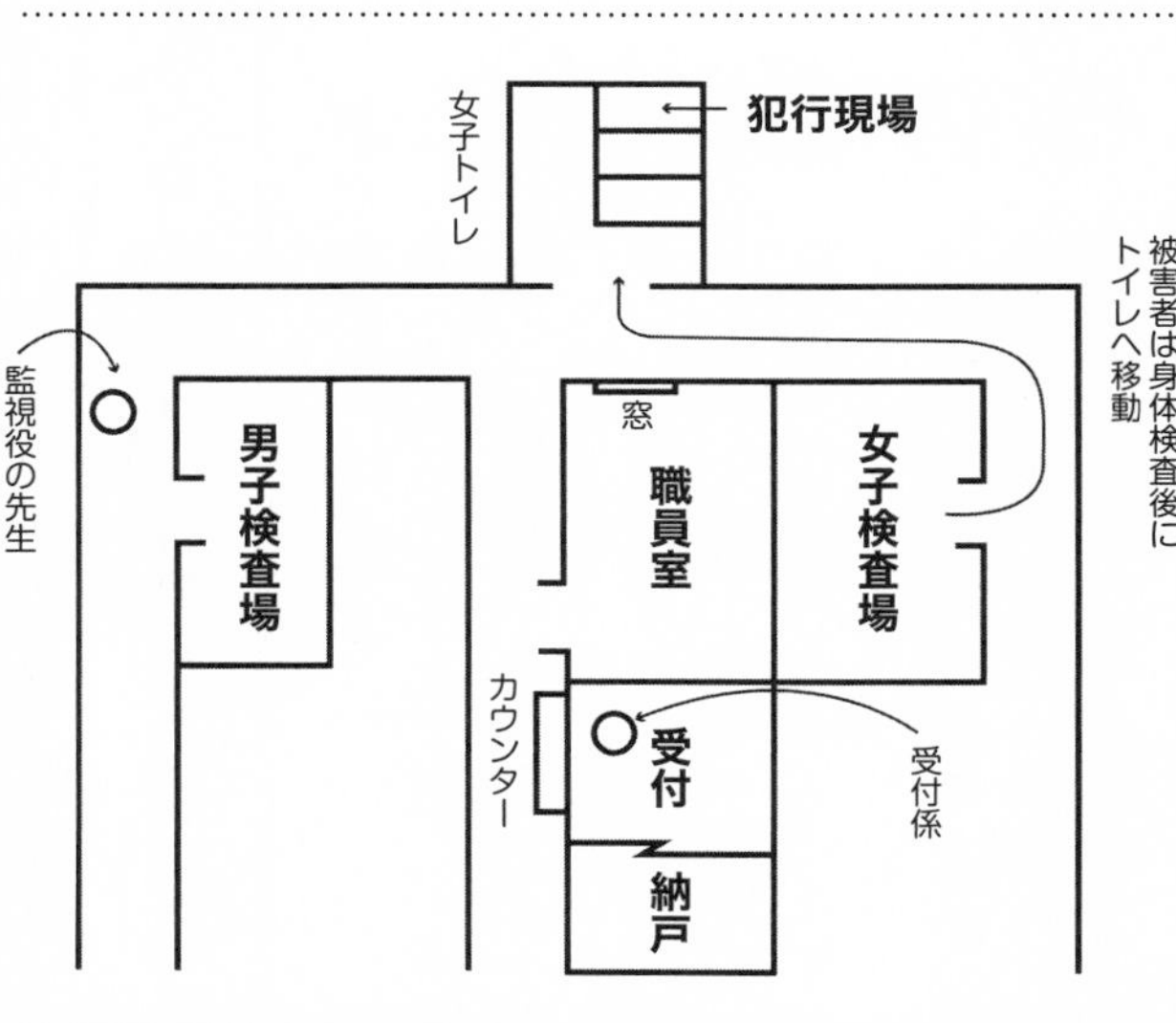

サマー・アポカリプス

笠井潔

発刊＝一九八一年／書籍＝創元推理文庫 他

Story

南仏に向かった矢吹駆とナディアは、連続殺人に巻き込まれる。第一の殺人の被害者は密室の中で石球で頭を砕かれた上に、弩の矢で射られていた。つまり、二度殺されていたのだ。そして、現場には白馬の死体が。続く第二の被害者は、密室の中で首吊り自殺をしたとしか思えなかった。だが、現場には赤い馬の死体が。さらに、第三の被害者が黒馬と共に殺され、第四の被害者が青いペンキをかけられた馬と共に殺される。これは、〈ヨハネ黙示録の四騎士〉に見立てた連続殺人なのだろうか……。

Situation

〔第二の殺人〕犯行現場は城の石塔の中で、夜は窓から星明かりが差し込むだけ。被害者は天井を十字に走る梁にロープを引っかけ、一方は小窓の鉄格子に登山器具で固定し、輪にしたもう一方に首を入れ、石棚の上から飛び降りて首をくったように見えた。小窓は鉄格子が邪魔して出入りできない。塔に入るドアは内側から閂がかけられている。自殺としか思えないが、それならなぜ、塔の外で赤い馬を殺したのだろうか？　そして、床に落ちていた四本の針は、何を意味するのだろうか？

Standard-Guide

笠井潔の密室ものから一作を選ぶとしたら、『哲学者の密室』だろう。だが、私は『エラリー・クイーンの騎士たち』の中で十八ページ、『数学者と哲学者の密室』の中で十九ページも費やしてこの作品を論じている。そこで今回は、笠井のトリックの発想法がはっきりあらわれている『サマー・アポカリプス』の第二の密室を取り上げることにした。

ここで言う「笠井の発想」とは、〝巧妙なバリエーション〟のこと。原理は既存のミステリに出て来るのだが、変形が巧妙なので、その先行作を読んでいる人でも、トリックを見抜くことは難しいだろう。また、〈ヨハネ黙示録の四騎士〉の見立てが、トリックのカモフラージュになっている点も、実に巧妙だと言える。

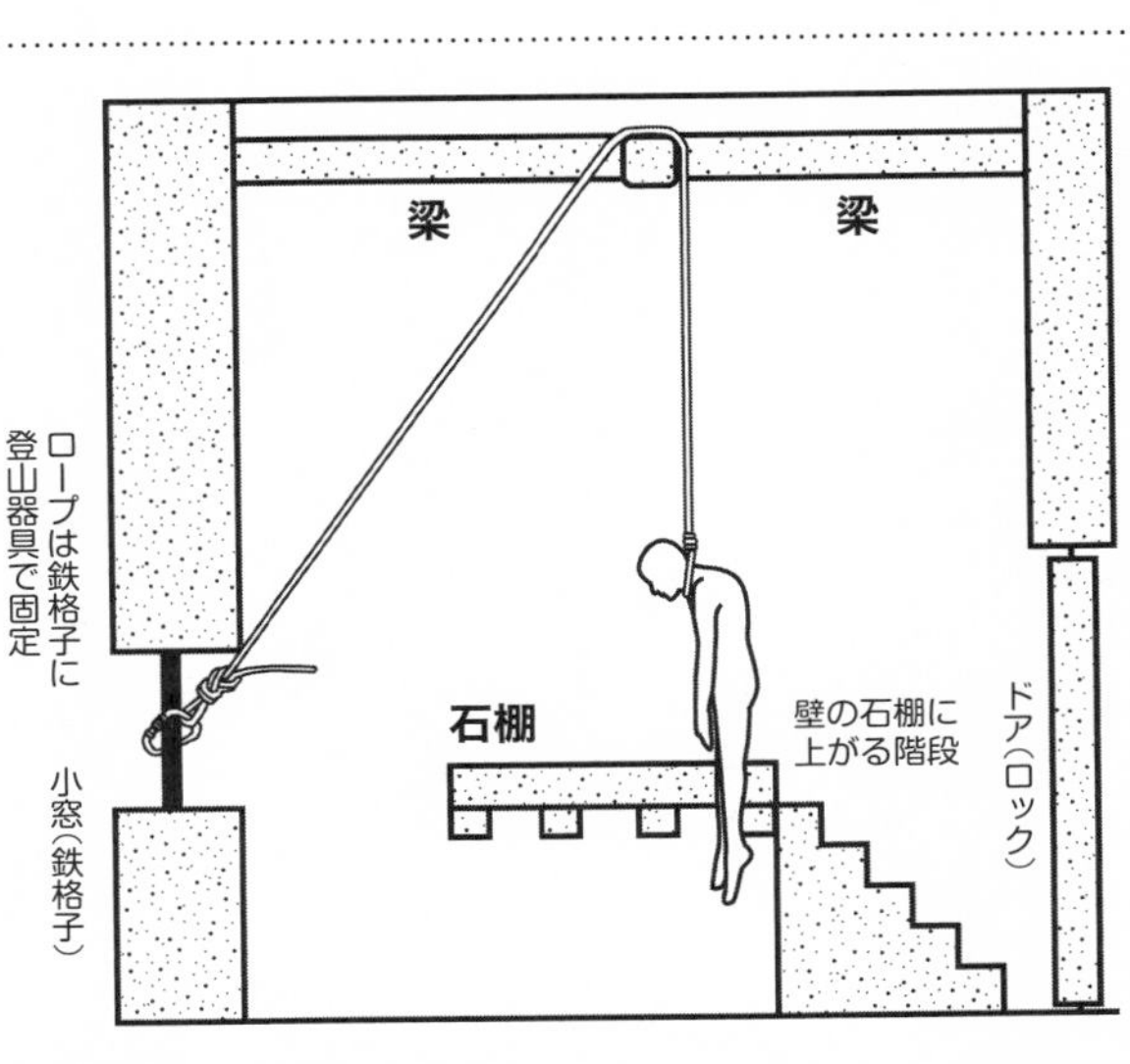

追憶（recollection）　田沢湖からの手紙　中町信

発刊＝一九八三年／書籍＝徳間文庫 他（初刊時題名『田沢湖殺人事件』）

Story

大学助教授にして高名な脳外科医・堂上富士夫に、妻の美保が田沢湖で溺死したとの知らせが入る。中学の同窓会に出席するため秋田県に行っていた彼女は、その十五年前の中学時代に自らが遭遇した密室殺人事件を調べていたらしい。そして、富士夫が妻の死因を探ると、十五年前の事件の関係者が次々と殺されていった。第一発見者の谷原卓二、同じく第一発見者の秋庭ちか子、現場の近くにいた添畑明子……。十五年前の事件の犯人が、関係者を殺しているのだろうか？

Situation

〔十五年前の密室〕犯行時刻は午後五時頃。犯行現場は二階の生徒集会室。中からうめき声が聞こえるので、谷原と秋庭、それに教師の北田がドアを破って入ると、問題教師の名城が頭部への打撃で死にかけていて――ほどなく絶命する。ドアは内側から施錠。窓のカーテンを開けてみたが、ベランダには誰もいなかった。ベランダから地上に飛び降りるのは不可能で、ロープなどを使った痕跡もなかった。この事件を調べた美保は、「棺のない死体（ロースン）」というメモを残していたが……。

Standard-Guide

作者を〝叙述トリックの名手〟と思っている人は少なくないと思う。確かに、創元推理文庫が復刊した本だけを見れば、そういうイメージを抱いても不思議はない。しかし、作者が得意なのはミスリード全般であり、叙述トリックはそのための手段の一つに過ぎない。そもそも叙述トリックは、読者しか欺けないものが多い――例えば、『空白の殺意』（旧題『高校野球殺人事件』）の叙述トリックは、作中人物には効果がない――のだが、作者のミスリードは作中人物にも効果があるものの方が多数派なのだ。

その「作中人物にも効果のあるミスリード」を密室に用いたのが本作である。おそらく、作者の巧妙なミスリードに欺かれない読者はほんの一握りしかいないだろう。

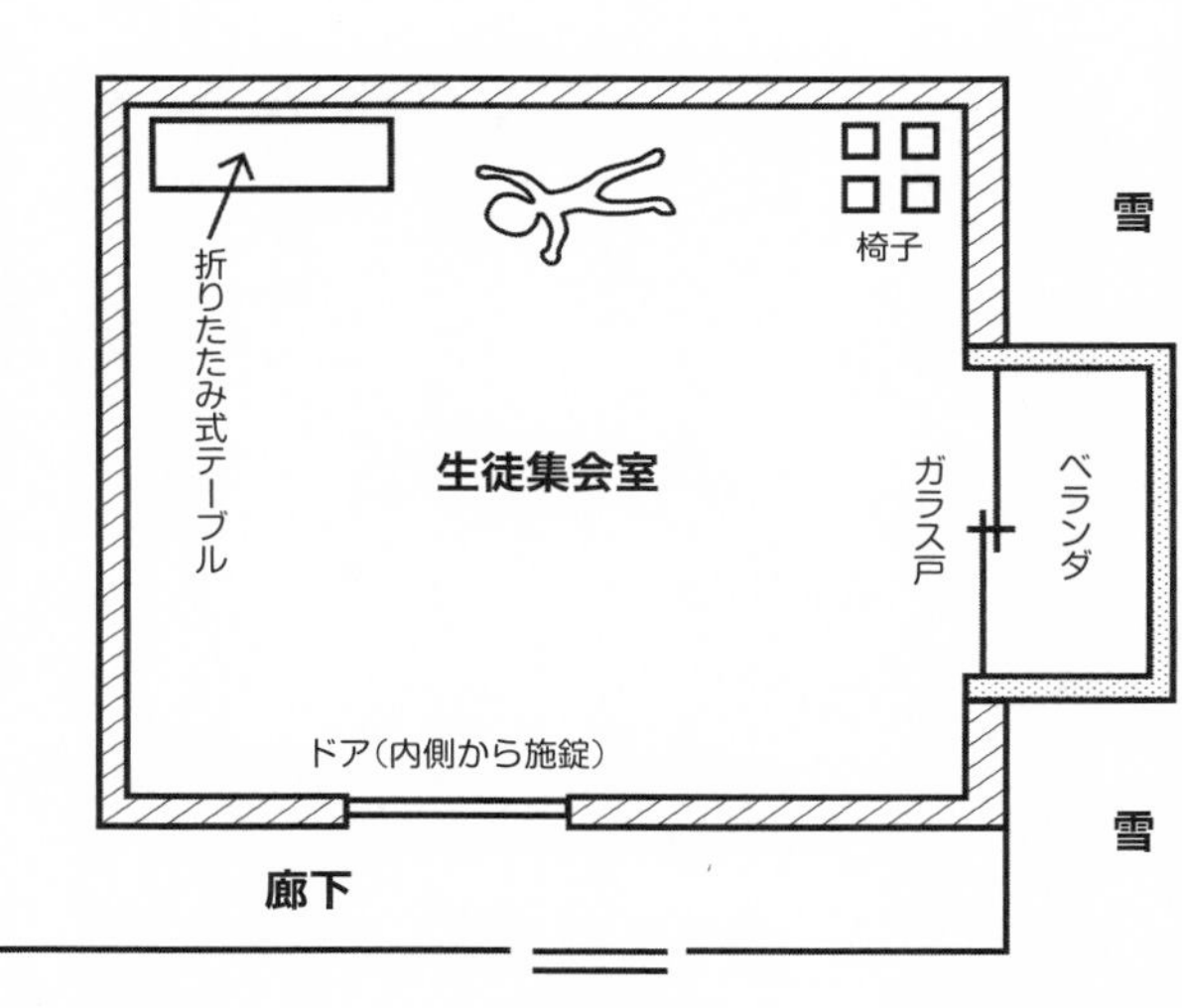

10

雪密室

法月綸太郎

発刊＝一九八九年／書籍＝講談社文庫 他

Story

長野の避暑地にある〈月蝕荘〉の集まりに招かれた法月警視。表向きはオーナーの沢渡冬規からの招待だが、実際は招待客の一人・篠塚真棹からの招きだった。彼女は恐喝者であり、集まった客は、全員が彼女の犠牲者だった。

だが、その晩、真棹が離れで殺される。しかも、母屋と離れの間に降り積もった雪には、第一発見者の足跡しか残されていなかった。

誰にも動機があり、誰にも殺人は不可能だった。途方に暮れた法月警視は、探偵小説作家で名探偵で息子の綸太郎に助けを求めるが……。

Situation

離れの玄関は施錠され、キーは屋内にあった。スペアのキーは母屋に。月蝕荘と離れの距離は二十メートルほど。犯行推定時刻にはやんでいた雪には、第一発見者の沢渡恭平（沢渡冬規の双子の弟）が母屋から離れに向かった足跡のみ。足跡の深さを見ると、恭平が死体を運び込んだ可能性はなく、そもそも玄関は施錠されていたので、恭平は中に入れない。自殺としか考えられないが、現場の寝室の明かりは消えていた。ということは、被害者は暗闇の中で首を吊ったのだろうか？

Standard-Guide

本作の講談社文庫版あとがきで、作者は「私はエラリイ・クイーンのエピゴーネンたろうとして、クイーンのコピー探偵をシリーズに起用する地点から始めた」と語っている。そのシリーズ第一作の本作では、クイーンの『スペイン岬の秘密』の設定（別荘に恐喝者とその被害者が集まり、恐喝者が殺される）を流用。ところが作者は、本作の十年後に書いた評論「密室——クイーンの場合」の中で、「わたしは最近、『スペイン岬の謎』を再読して、そのプロットが『足跡のない殺人』の定石の裏をかくように構成されていることに初めて思い当たった」とも言っているのだ。本作の〈足跡のない殺人〉テーマも『スペイン岬』から来ていたことを、当時の作者は意識していなかったようだ。

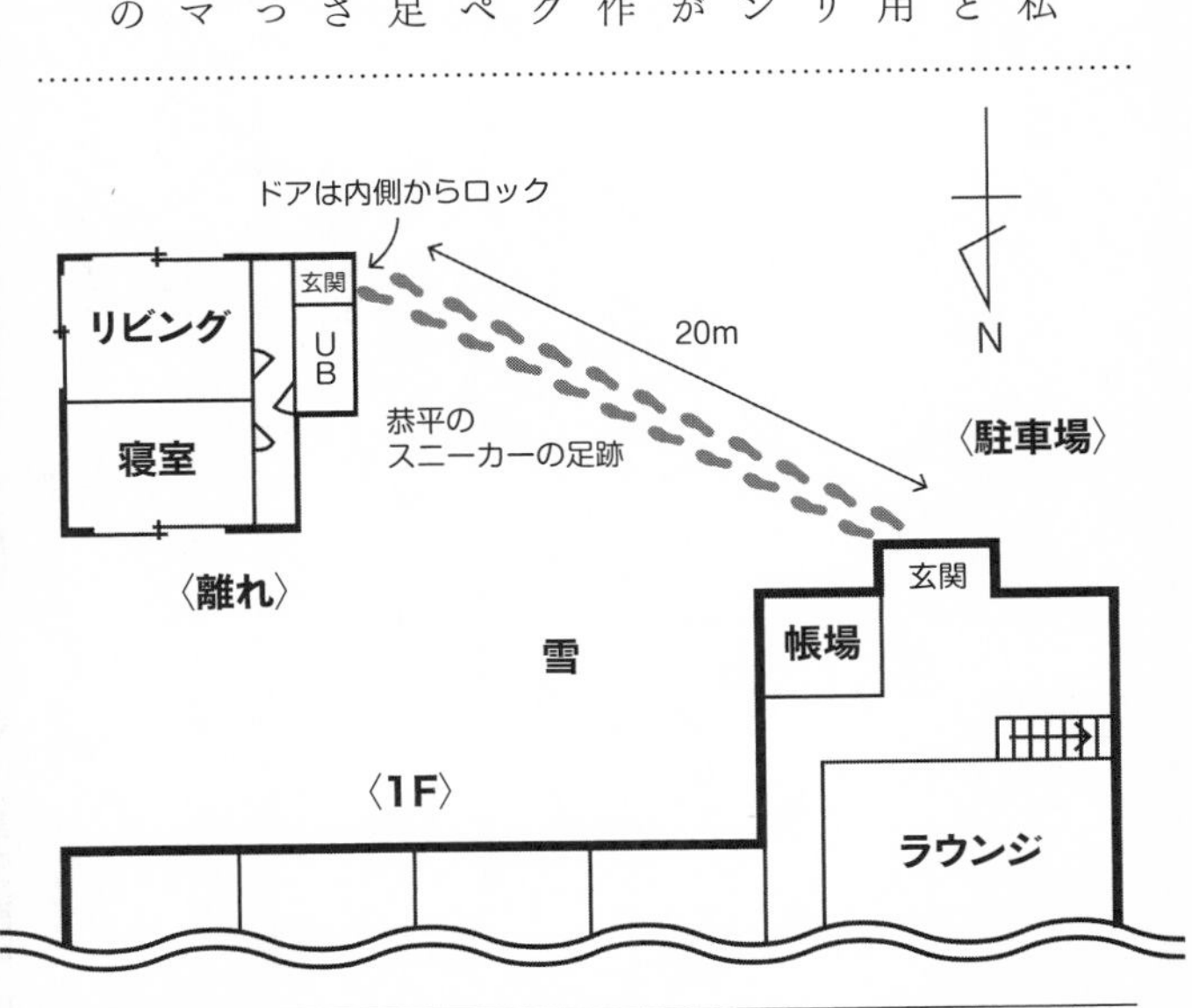

11

翼ある闇

メルカトル鮎最後の事件

麻耶雄嵩

発刊＝一九九一年／書籍＝講談社文庫 他

Story

中世ヨーロッパの古城のような〈蒼鴉城〉に住む今鏡家。そこに招かれた名探偵・木更津悠也と香月実朝を待っていたのは、二つの首斬り殺人だった。しかも、現場の一つは密室状況。その後も次々と殺人が起こり、今鏡家の一族は減り、首を斬られて奇妙な装飾を施された死体は増えていく。

ついに自信を失った木更津は山に籠もり、入れ替わるように、銘探偵・メルカトル鮎が今鏡家を訪れる。事件を解決するのはどちらの探偵なのだろうか？

Situation

最初の被害者は今鏡伊都とその子・有馬。死体の一部は〝地獄の門〟と呼ばれる円筒形の部屋で見つかった。有馬の死体は頭部だけがなく、伊都の死体は頭部だけがその近くに転がっていた。唯一の出入り口であるドアは内側から施錠され、鍵は有馬の左手に握られていた——彼は右利きだというのに。しかも、死体のまわりにはミカンの種がばらまかれていた。

さらに、有馬の頭部は玄関ホールの帽子掛けにかけられ、伊都の首から下は別の部屋にあり、足には甲冑の靴がはかされていた……。

Standard-Guide

麻耶雄嵩は本作で、まぎれもない「鮮烈なデビュー」を飾ったのだが、この時点では、読者の理解が追いついていたとは言い難い。私の認識では、本作の三大趣向の内、「銘探偵」は無視され、「見立て」は新本格特有のオタク趣味だと解釈され、「密室」はトンデモ・トリックだと見なされていたように思える。

だが、麻耶雄嵩が活動を続け、『貴族探偵』（二〇一〇年）、『隻眼の少女』（二〇一〇年）、『メルカトルかく語りき』（二〇一一年）といった（作者にしては）わかりやすい作風の作品を書くようになると、読者の認識も変わってきた。そして、こういった作品群からさかのぼっていくと、『翼ある闇』の、そして、この作品の密室トリックの独自性が見えてくるのだ。

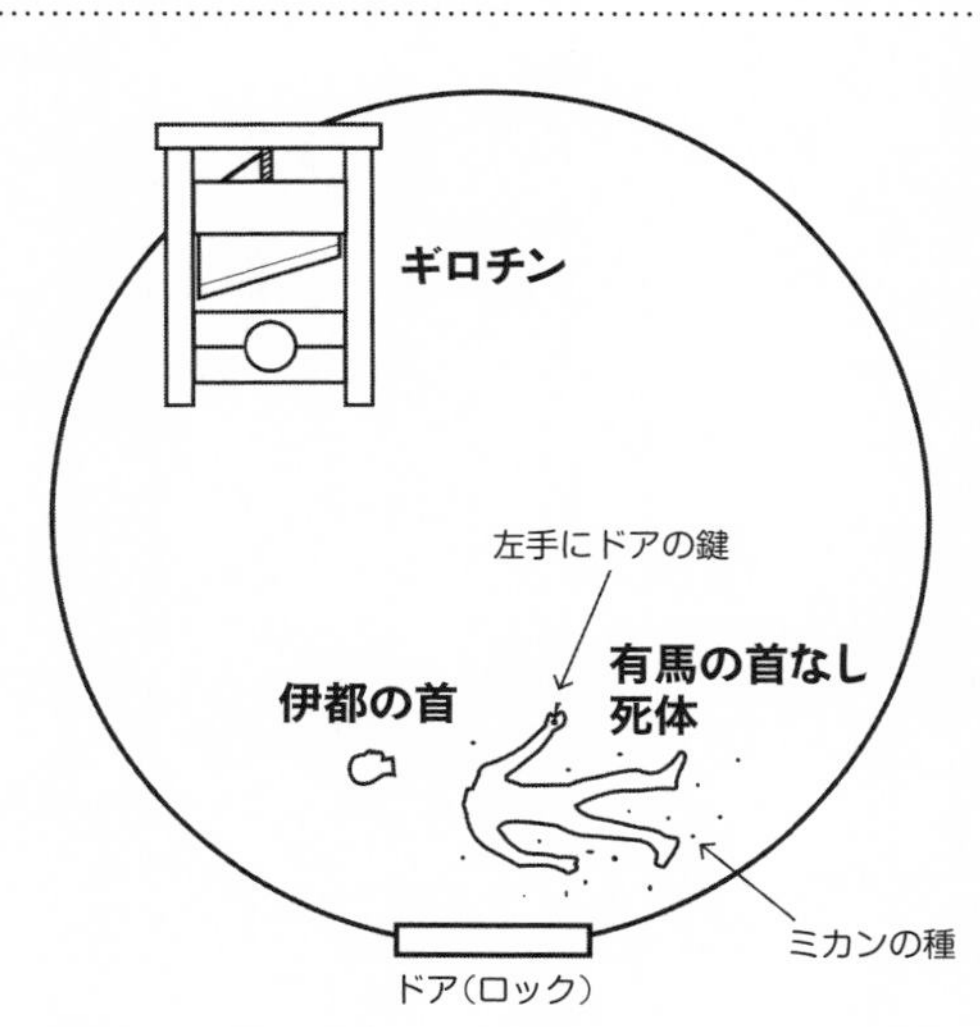

46番目の密室

有栖川有栖

発刊＝一九九二年／書籍＝講談社文庫 他

Story

〈日本のディクスン・カー〉と呼ばれ、45もの密室トリックを編み出した推理作家・真壁聖一。別荘に作家や編集者七人を招いた彼は、密室ものは次の46作目で打ち止めにし、〈天上の推理小説〉を目指すと宣言。ところがその夜、二つの密室殺人が現実に起こる。被害者の一人は身元不明の人物。そして、もう一人は真壁その人だった。この謎に挑むのが、臨床犯罪学者・火村英生とその友人の推理作家・有栖川有栖。犯人は、真壁が考案した46番目の密室トリックを用いたのだろうか？

Situation

〔真壁殺し〕犯行現場は地下の書庫。真壁は頭部を殴られて死んだ後、暖炉に上半身を突っ込まれ、灯油をかけて燃やされたように見える。頭部も指先も燃やされていたため、本当に真壁かどうかはわからない。さらに、暖炉の中の壁には謎のメッセージが書かれていた。

書庫の唯一のドアは内側から掛け金が下りていた上に、外からドアを壊して開けたのが火村なので、細工の余地はない。暖炉の煙突は屋根まで伸びているが、一辺三十センチの正方形なので、人間が通ることはできなかった……。

Standard-Guide

作者は『有栖川有栖の密室大図鑑』（磯田和一との共著／一九九九年）といった密室ガイド本を三冊出しているが、その密室トリックの評価の多くは、〝読者〟の立場でなされているように見える。では、〝作者〟の立場からは、どうだろうか？　本作には、その答えがある。

　この本の初刊時の「あとがき」で、作者は「本作のトリックは（略）読者のこれまでの密室トリック体験のどこかしらに落ち着くものだ」、「トリックを直感で見破れば犯人の名前が浮かび出た、という構図を避けるべく、犯人特定のプロセスは論理的であるよう心掛けた」と語っている。そして、実際に、法月綸太郎の『雪密室』とは異なる、「クイーン・ファンによる密室へのアプローチ」を見せてくれるのだ。

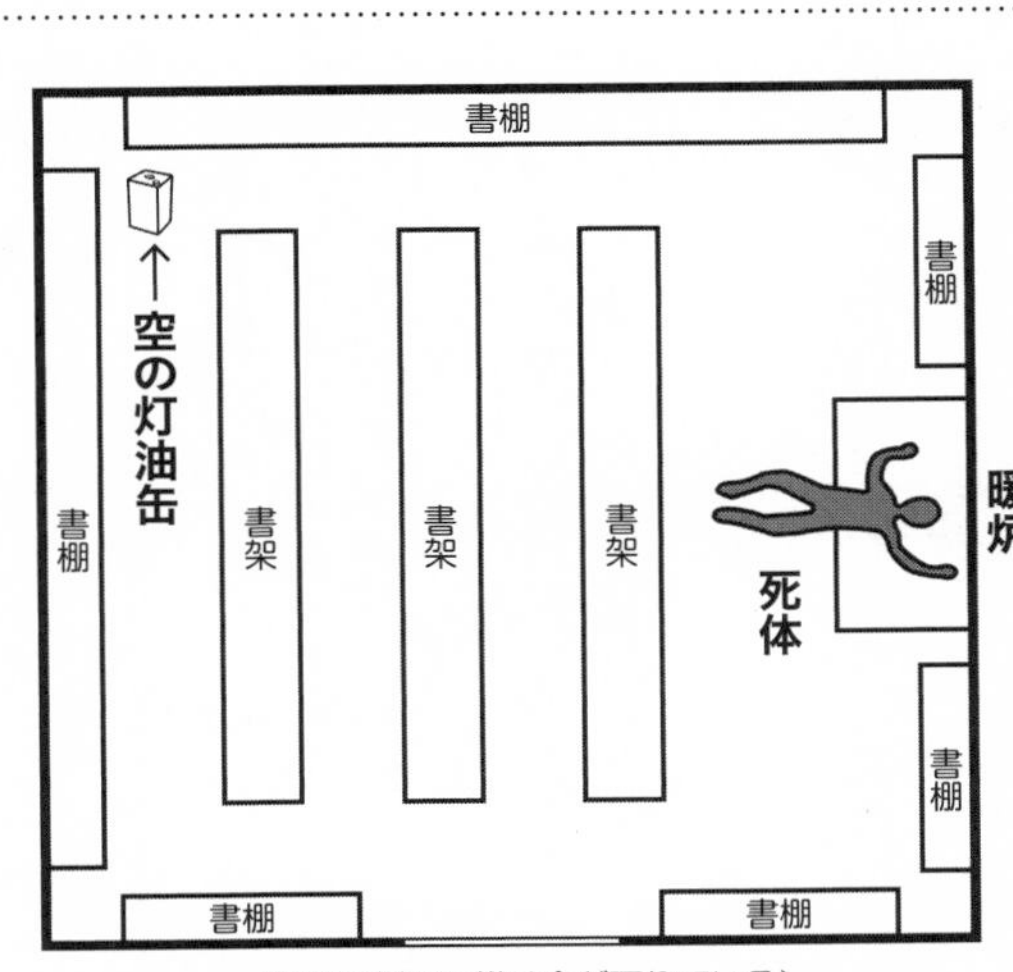

黒猫館の殺人

綾辻行人

発刊＝一九九二年／書籍＝講談社文庫 他

Story

推理作家・鹿谷門実の元を、鮎田という記憶を失った老人が訪れる。しかも、彼の持っていた「鮎田冬馬の手記」には、〈黒猫館〉で起きた不可思議な事件が描かれていた。

鮎田が管理人を務める黒猫館に、オーナーの息子とその友人たちが泊まりに来る。だが、その中の二人が殺され、第二の殺人は密室だった。さらに、隠し部屋で白骨死体が……。

鹿谷と友人の江南、そして鮎田は、北海道の阿寒にある黒猫館に向かう。しかし、そこでも謎は深まるばかりだった。

Situation

〔第二の殺人〕被害者は浴室の中で首を吊っていた。この浴室は隣の部屋と共同なのだが、どちらの部屋につながるドアも、浴室側から掛け金が下りていた。掛け金が下りないように何かで固定した痕跡はなく、真鍮なので磁石も使えない。ドアとドア枠の間に糸を通す隙間はない。窓はなく、排水口は金網のカバーがかかり、換気口はファンが回っていた。蝶番は浴室側に付いているので外すことはできない。第一発見者は複数なので時間差トリックでもない。となると、自殺としか思えないのだが……。

Standard-Guide

デビュー当時の綾辻行人の斬新さは、既存のトリックを叙述上の仕掛けで再生した点にあった。例えば、『十角館の殺人』のプロットはクリスティの『そして誰もいなくなった』と同じだが、本土と島の二元描写を行うことによって、ミスリードと意外性を生み出すことに成功している。『時計館の殺人』も、鮎川哲也（あゆかわてつや）作品のトリックを、館の中と外の二元描写と組み合わせることによって、ミスリードと意外性を生み出している。

本作も同様で、クイーン作品のトリックを作中作と組み合わせ、密室トリックに巧妙なミスリードを加えることに成功。「トリックを明かしてその魅力を語る」という本書のコンセプトに、最もふさわしい一作だと言えるだろう。

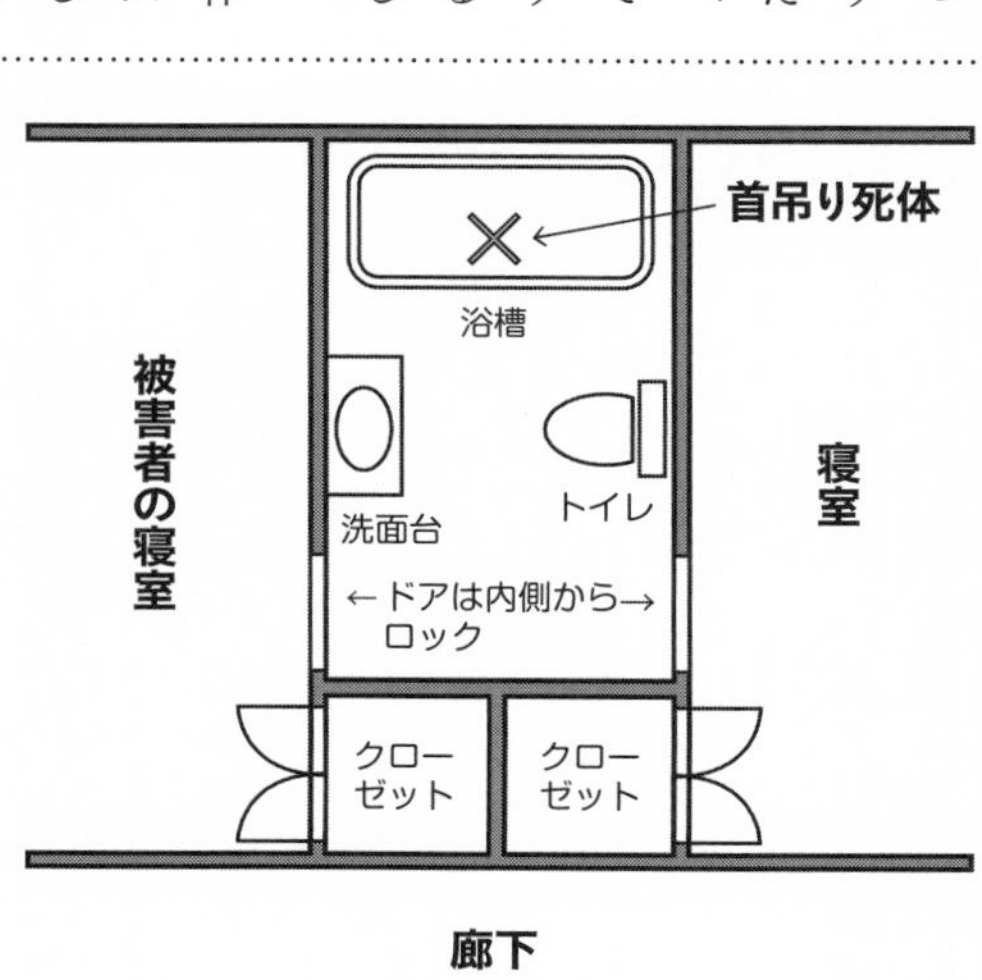

凶漢消失

泡坂妻夫（あわさかつまお）

発表＝一九九二年／書籍＝『夢の密室』（光文社文庫）他所収

Story

奇術愛好家の〝私〟は、偶然、「凶漢消失」と題された江戸時代の小説を手に入れる。結末は欠落しているが、どうやら、悪人が衆人環視の納屋（なや）から忽然（こつぜん）と消え去る話らしい。だとすれば、一八三五年頃に出たと思われるこの小説は、エドガー・アラン・ポーが一八四一年に発表した「モルグ街の殺人」より早い、世界最初の密室探偵小説になる。

私は奇術仲間にして探偵小説マニアの――特に密室トリックに目がない――根本にこの小説を見せ、二人で密室の謎に挑むのだった。

Situation

暴行殺人犯の藤八は、逃亡中に百姓の子供をさらい、納屋に立てこもった。納屋のまわりは役人が包囲しているが、人質がいるので手が出せない。

そこに牧馬恭という男が現れ、武器を持たずに納屋に入り――子供を連れて出て来る。すかさず役人が納屋に飛び込むが、中には誰もいない。納屋を解体し、床下も調べるが、藤八は影も形も見えなかった。不思議に思う人々に向かい、牧馬恭は説明を始める（が、この先は欠落しているのでわからない）。

泡坂妻夫は優れた密室ミステリをいくつも書いている。その中で、「右腕山上空」、「掌上の黄金仮面」、「球形の楽園」といった作品は、〈トリック分類〉に当てはめることができるし、先例がないわけでもない。

だが、「ホロボの神」、「病人に刃物」といった作品は、〈トリック分類〉には巧く当てはまらない。シチュエーションを無視してトリックだけ抜き出すと、意味不明になってしまうからだ。そして本作は、トリックの次元（レベルではない）が違うため、他のトリックと同じ分類基準を当てはめることができない。無理に当てはめるならば、「作中作を利用した密室トリック」だが、実は、「作中作を読む読者を利用した密室トリック」なのだ。

姑獲鳥の夏

京極夏彦

発刊＝一九九四年／書籍＝講談社文庫 他

Story

昭和二十七年。病院を経営する久遠寺家の次女・梗子は、一年半前に夫の牧朗が密室状態の書庫から消失した上に、自身は妊娠二十箇月だった。作家・関口巽は、拝み屋・京極堂こと中禅寺秋彦や、他人の記憶を見ることができる榎木津礼二郎と共にこの怪異に挑む。

梗子をめぐる謎は久遠寺家をめぐる謎へと広がり、関口の過去とも関わってくる。そして、ついに真相を突きとめた中禅寺が〈憑物落し〉を行うと、なんと、密室の中に死体が出現したのだ。

Situation

一年半前、久遠寺牧朗は内側から施錠された書庫から忽然と消失。その後、妊娠中の梗子は、その書庫に運び込んだベッドで寝たきりの生活を送る。だが、腹部は大きくなるが、二十箇月たっても赤ん坊は生まれてこない。

そして今、中禅寺の〈憑物落し〉が、梗子の父母や姉、住み込みの医師、それに関口の前で行われた。彼らが見たのは、梗子の腹部が裂け、中から赤ん坊が出て来る光景だった。――いや、それは赤ん坊ではなく、脇腹をナイフで刺された久遠寺牧朗の死体だったのだ！

「密室の中から忽然と消えた死体」は珍しくないが、「密室の中に忽然と出現した死体」というのは珍しい。しかも、出現したのが衆人環視の中となると、さらに珍しい。

だが私は、この綱渡り（つなわた）のようなトリックを本格ミステリに仕立てる作者の技巧の方を高く評価したい。例えば、冒頭には中禅寺が長広舌を振るって、妖怪や幽霊や夢を脳科学や量子力学を用いて説明する場面が出て来る。これは物語の雰囲気作りであると同時に、真相を裏づけるデータにもなっている。

そして何よりも、榎木津の「普通の人には見えないものが見える」能力の使い方がすばらしい。この能力こそが、本作を卓越した本格ミステリに仕立てているのだ。

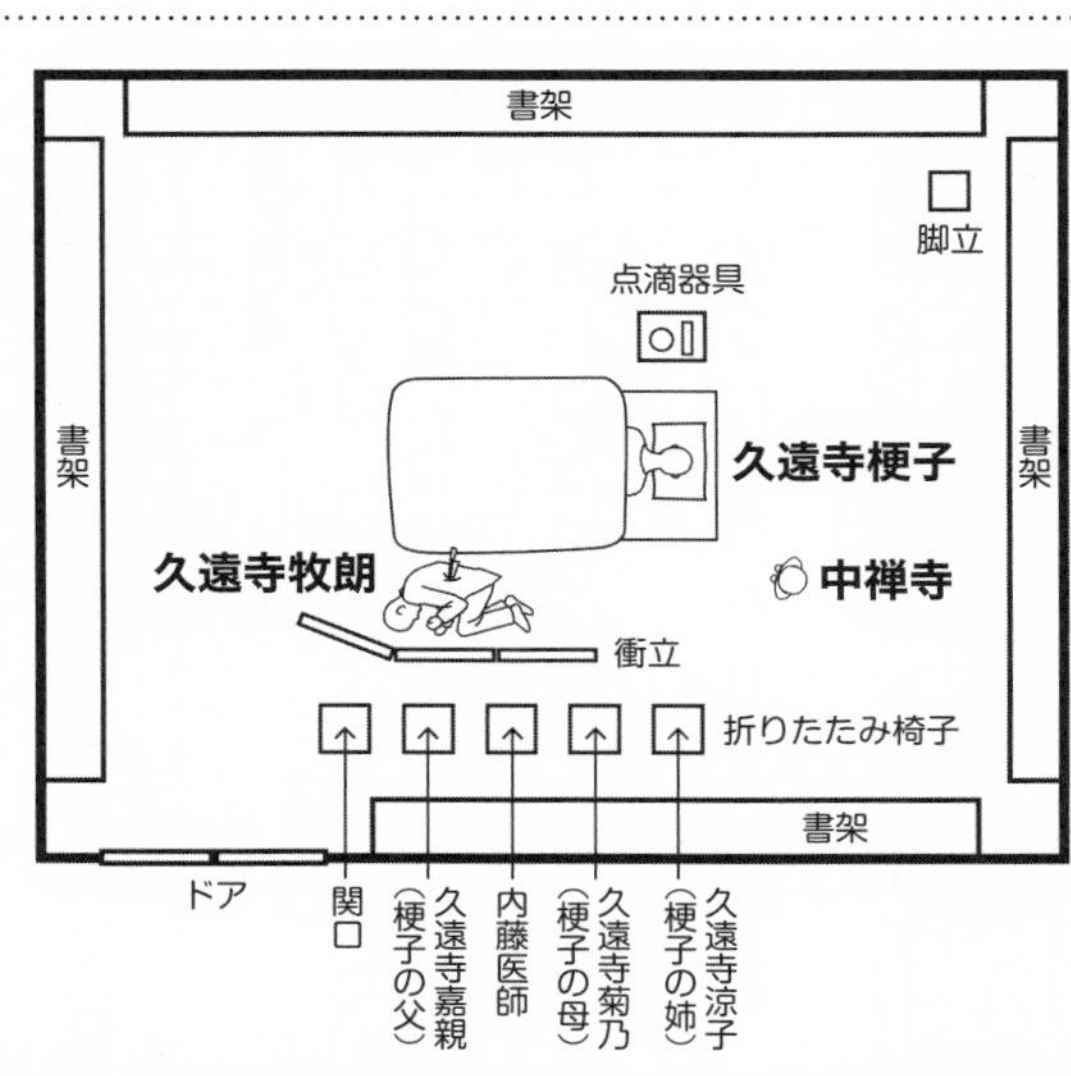

16

ネヌウェンラーの密室

小森健太朗

発刊＝一九九六年／書籍＝講談社文庫 他

Story

エジプトの〈王家の谷〉で新たな遺跡が大量に発掘された。発掘隊に加わった情報文化大学考古学研究室は、ネクエンラー王のミイラを発見。ところが、そのミイラには他殺の痕跡があった！　しかも、棺にあった三枚のパピルスの文字を解読すると、王は自分しかいない密室の中で殺害されたとしか解釈できないのだ。

だが、その四千年前の密室の謎を解く間もなく、研究室のメンバーは王墓に閉じ込められ、仕掛けられたトラップによって次々と死んでいくのだった。

Situation

〔四千年前の密室〕ネクエンラー王は自分の命を狙う敵を恐れるあまり、偽の葬儀を行って王墓に隠れた。さらに、偽装に気づいた敵が侵入してきたら返り討ちにすべくトラップを仕掛けてもいた。だが、敵にはトラップは通用せず、王は殺された――としか考えられない。それなのに、王が死ぬ直前に残したパピルスには、「この王墓には誰もはいっていない」し、「この部屋には誰も人はいない」と記してあったのだ。王の文が正しいならば、完璧な不可能犯罪になってしまうのだが……。

Standard-Guide

小森健太朗と言えば、『ローウェル城の密室』（一九九五年）の異世界密室トリックの印象が強いが、他の作品も読めば、小森がこだわっているのは、〈見えない人〉テーマであることがわかると思う。ざっと見ただけでも、長篇では七割以上がこのテーマを扱っている。そして、その中で最も優れていると私が考えたトリックが、本作になる。何せ、被害者本人が「部屋には私以外誰もいない」と言っているのに殺されるのだから、まさしく〈見えない人（The Invisible Man＝透明人間）〉ではないか。

そしてまた、〈見えない人〉を作り出す原理もお見事。G・K・チェスタートンとも天城一（あまぎはじめ）とも異なる、シンプルだが実現性のあるアイデアなのだ。

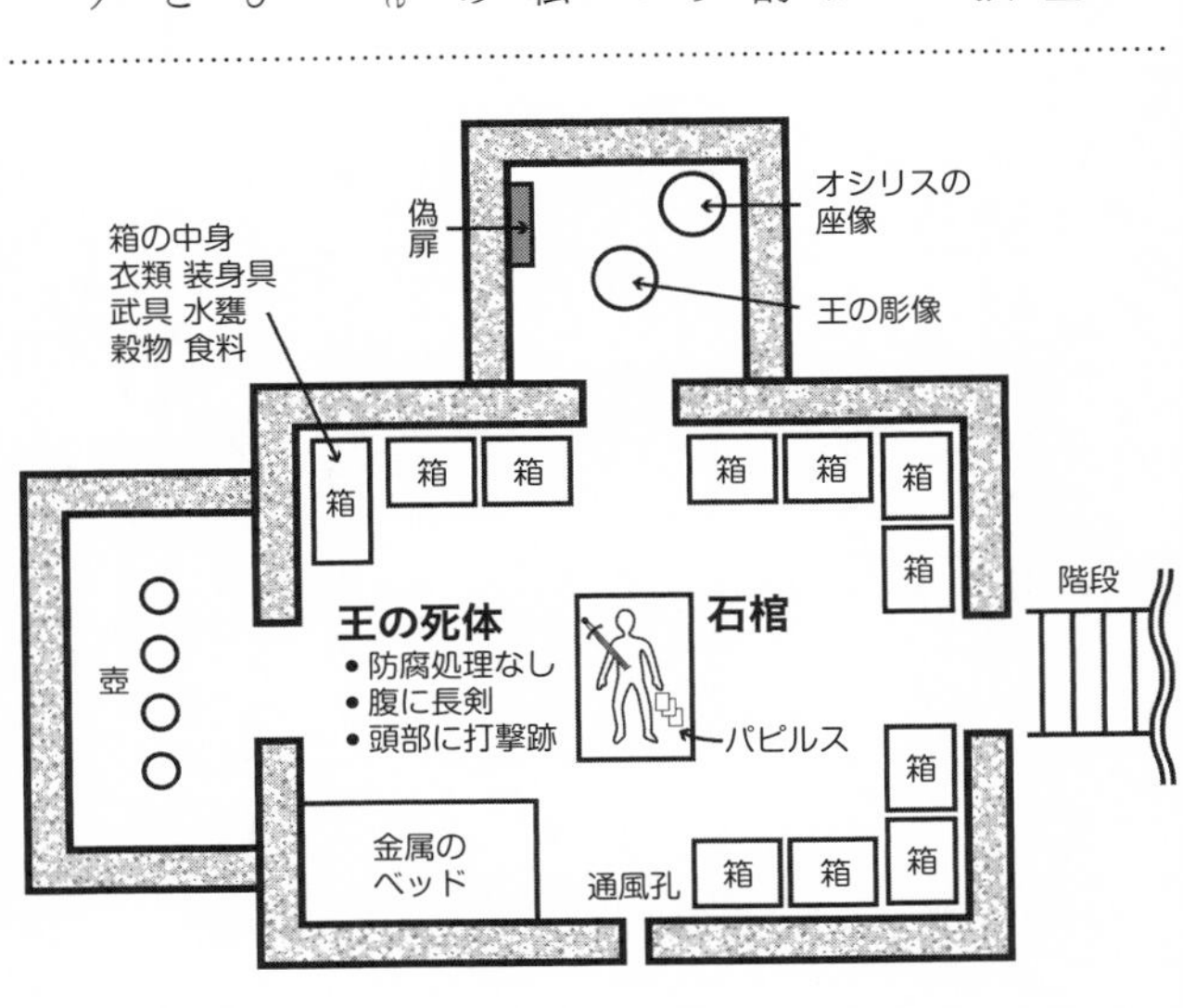

17

すべてがＦになる

森博嗣

発刊＝一九九六年／書籍＝講談社文庫 他

Story

天才プログラマ・真賀田四季は、十四歳の時に両親を殺害。無罪となったが、それ以降の十五年間、孤島に建てられた真賀田研究所に幽閉され、自室から出ることはなかった。

Ｎ大学助教授の犀川創平と学生の西之園萌絵が研究所を訪れると、研究所のシステムが狂い、四季の部屋から手足を切断されロボットワゴンに乗せられた四季の死体が出て来る。続いて研究所の所長・新藤と副所長・山根が殺害される。そして、四季のＰＣには「すべてがＦになる」という文字が残されていた……。

Situation

四季しかいないはずの部屋から、ウェディングドレスを着た彼女の死体がロボットワゴンに運ばれて出て来る。死体は手足が切断されていたので、他にもう一人が部屋にいたことは間違いない。だが、部屋には誰もいなかった。となると犯人は、犯行後に脱出したことになる。犀川たちが四季の死体に気を取られている隙に脱出したのだろうか？　だが、監視カメラの映像には誰の姿も映っていなかった。そして、事件前後の研究所のシステムの異常な動きの原因は何だったのだろうか？

Standard-Guide

森作品は「理系」と言われることが多い。では、本作のどこが「理系」なのだろうか？　これは、本作と同じく監視システムを欺（あざむ）くトリックが登場する貴志祐介（きしゆうすけ）の『硝子（ガラス）のハンマー』と比べてみると、よくわかる。『硝子』はハイテクを利用したトリックだが、本作はそのハイテクの土台部分にトリックが仕掛けてあるのだ。ハイテクを利用するだけなら文系の人でもできるが、その土台部分は理系の人でないと利用できない。おそらく、この部分を本格的にトリックに用いたのは、森博嗣が初めてだろう。

そして、メインの密室トリックも同じ。このトリックの根底にある異常な発想が理系なのではない。この異常な発想を実行してしまうことが理系なのだ。

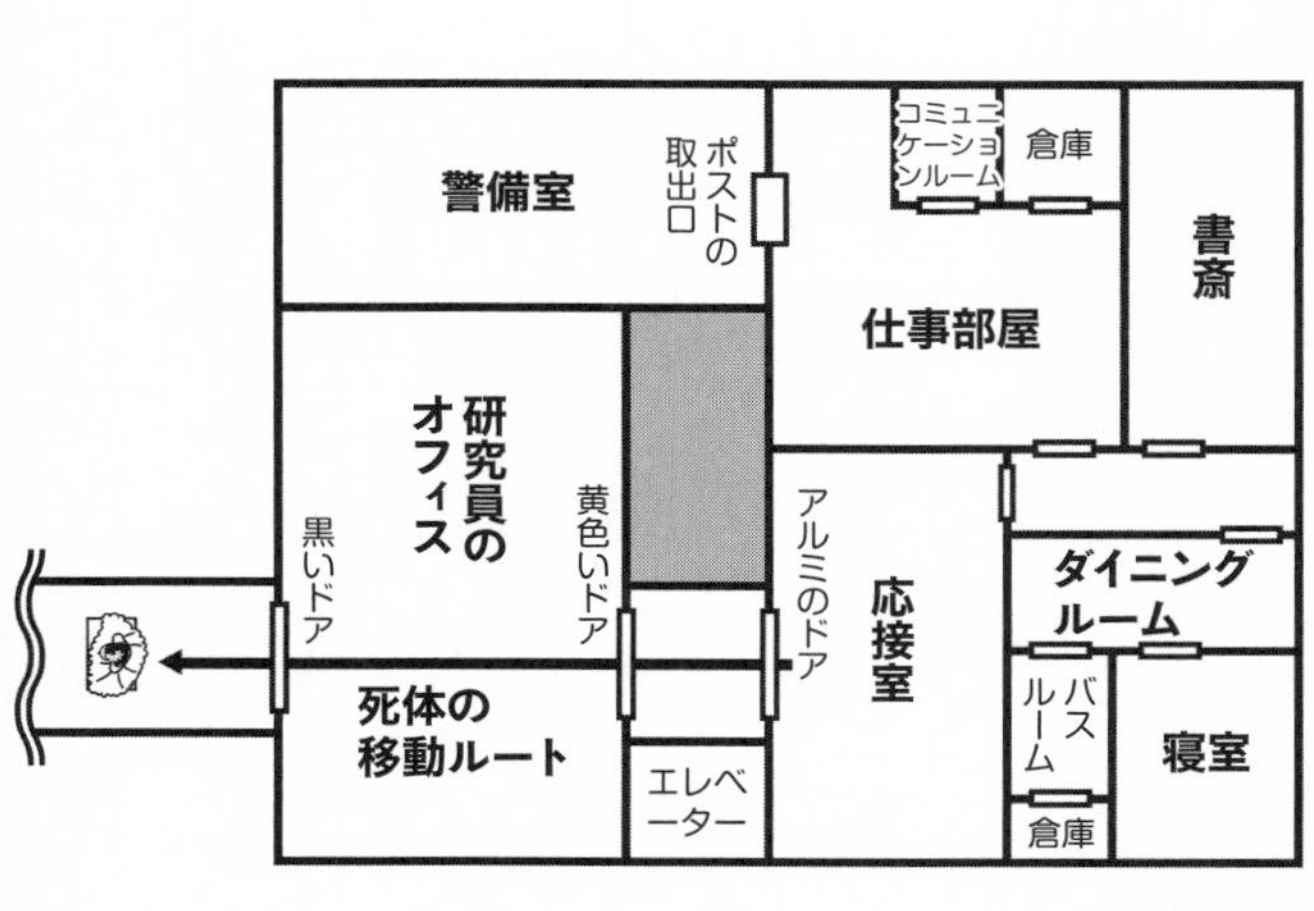

火蛾

古泉迦十

発刊＝二〇〇〇年／書籍＝講談社文庫 他

Story

十二世紀の中東。聖者たちの伝記作家を志すファリードは、高名な聖者の法燈を継ぐ行者アリーに取材をする。そこで聞いたのは、アリーが訪れたスーフィズム（イスラーム神秘主義）の修行地で起こった連続殺人の物語だった。導師ハラカーニーの弟子カーシムが密室状態の住居で殺され、もう一人の弟子ホセインも殺される。もはやこの修行地にはアリー、三人目の弟子シャムウーン、導師ハラカーニーしか残っていない。犯人は？　動機は？　密室の謎は？　そして、アリーはなぜ、この密室殺人を語るのか？

Situation

〔第一の殺人〕犯行現場の穹廬（テントの一種）は、木の骨組みにかぶせた布を木杭で地面に固定したもの。出入り口は帷幕だけだが、ここは内側から紐で固定してあった。紐を外から結ぶことはできない。

穹廬の中には大きな絨毯が敷いてあるが、死体の場所には小さな絨毯も敷いてあった——なぜか、大きな絨毯の〝下〟に。さらに、燭台の位置もおかしかった。イスラーム教徒ならばメッカの方向を示す場所に燭台を置くはずなのに、そうではなかったのだ。

Standard-Guide

島田荘司の〈奇想理論〉では、「冒頭で提示される幻想的または詩美的な謎を論理的に解体する」ミステリを称揚している。本作はその実践作で、密室を含む謎は論理的に解体され、クライマックスの探偵と犯人の対話では、「当て推量だけで話しているわけではない」、「あなたの推理」、「消去法だな」、「見事な推理」、「讃歎すべき推理力」、「邪推などではない、(略)確固たる証拠にもとづいた、完全な推理」といった言葉が交わされる。——しかし、本作はそこでは終わらない。謎が論理的に解体された〝後〟で、幻想が浮かび上がってくるのだ。そして、今度はファリードが、アリーから聞いたその幻想を解体しようとして、ついに、アリーがこの物語を彼に語った理由を悟るのだった。

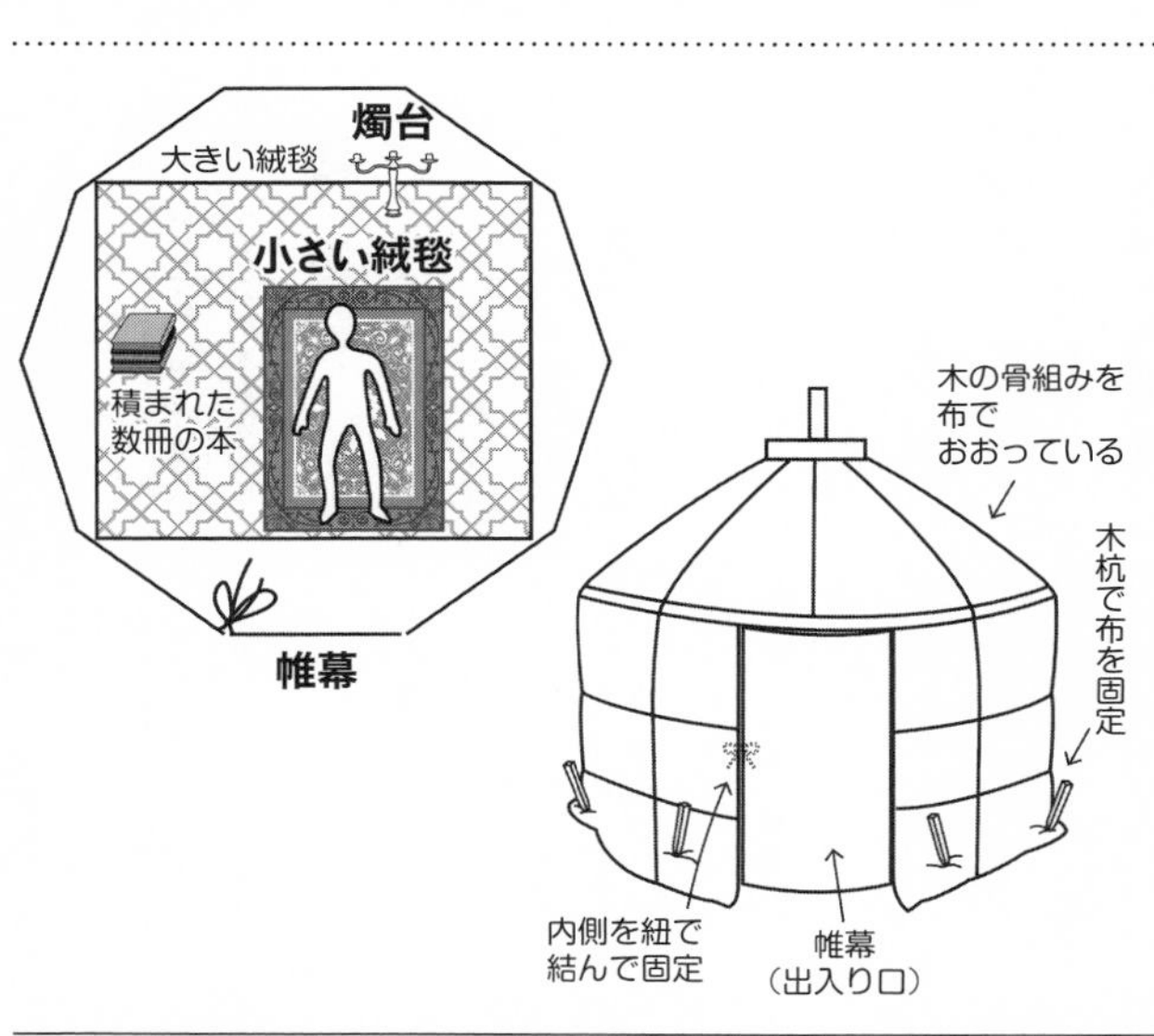

世界は密室でできている。

舞城王太郎

発刊＝二〇〇二年／書籍＝講談社文庫 他

Story

〝僕〟の親友ルンババは、十二歳の時に姉を失った。彼女は父親に閉じ込められた密室から脱出しようとして死んだのだ。

中学三年生の修学旅行。僕とルンババは井上椿・榎姉妹と知り合ったことがきっかけで、密室殺人に巻き込まれる。椿と不倫している男とその家族がそれぞれ密室で死んでいたのだ。

高校三年。名探偵ルンババのもとに事件が持ち込まれる。四つの建物での同時密室殺人、そして、密室に閉じ込められているわけでもないのに餓死した男の事件だった。

Situation

〔餓死死体の事件〕原っぱの中央に、一部屋だけの建物が四つ並んでいる。若い男の死体があったのは、その四つの建物の中央。不思議なことに、閉じ込められているわけでもなく、拘束されているわけでもないのに餓死していた。しかも、空腹のあまり、地面に生えている草を食べたらしい。なぜ被害者はその場から離れようとしなかったのか？

現場を見たルンババは、「第五の密室が存在した」と語る。四つの密閉された建物以外に密室はあるのだろうか？

Standard-Guide

本作は「密室」をテーマにメフィスト賞受賞作家が新作を書き下ろすという企画の一作。「THE WORLD IS MADE OUT OF CLOSED ROOMS」という副題が示すように、作者は密室を「鍵がかかった部屋（Locked Room）」ではなく、「閉じた部屋」だと考えている。例えば、「国内／国外」が存在するには、国境線が閉じていなければならない。つまり、世界のさまざまな構成要素は、閉じた枠に囲まれることにより、内と外に分割され、存在できる——これが作者の言いたいことだろう。従って、本作の事件はどれも、密室殺人であると同時に、この〝枠〟をめぐる殺人でもある。その中から、ロナルド・A・ノックスの傑作短篇「密室の行者」へのオマージュである餓死事件を紹介する。

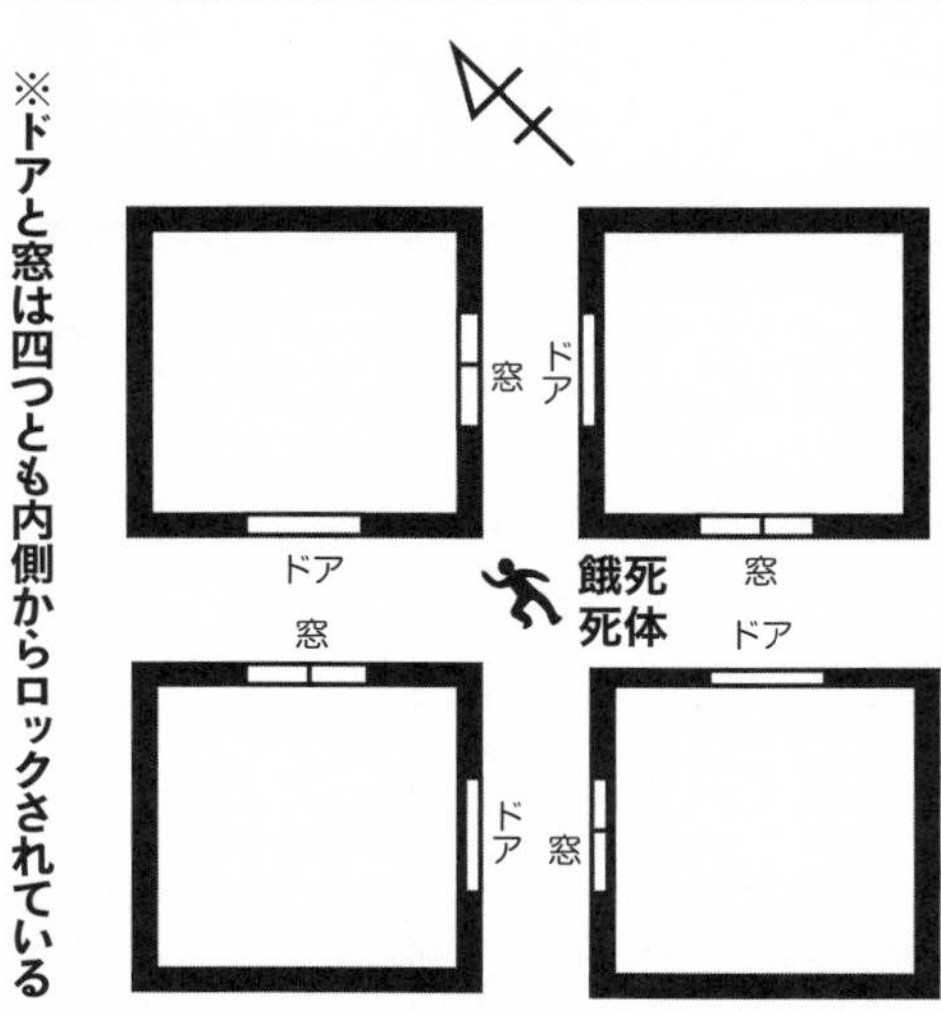

※ドアと窓は四つとも内側からロックされている

硝子のハンマー

貴志祐介

発刊＝二〇〇四年／書籍＝角川文庫 他

Story

高層ビルの最上階にある介護サービス会社の社長室。そこで社長が撲殺された。廊下からの出入りは監視カメラがチェックしているため、警察は隣室から出入りできる専務を疑う。その専務の弁護を引き受けた青砥純子は、防犯コンサルタント（実は泥棒）の榎本径に調査を依頼する。外部の者は社長室どころかフロアにさえ入ることができない最新のセキュリティを誇るハイテク・ビルの密室を破ることができるのか？そして、犯行現場にあった介護ロボットは、密室トリックに使われたのだろうか？

Situation

社長室の窓ははめ殺し。廊下とのドアは監視カメラで常時見張られていて、犯行時には人の出入りは無し。犯行時に隣室のドアから出入りできたのは専務だけだが、榎本は「専務以外の人物にも犯行は可能だったこと」を証明しなければならない。

また、犯行現場にあった介護ロボットは、試作品のため、市販のラジコン用コントローラーでも操縦できてしまう。だが、セーフティ・プログラムのため、被害者にとって危険な行為は、何一つできないのだ……。

Standard-Guide

作者の貴志祐介は、有栖川有栖との対談（『密室ミステリの迷宮』収録）の中で、「それ（ハイテクを使った密室トリック）がミステリとして面白いかというと、ちょっと疑問です」と語っている。おそらく、ハイテク利用のトリックは、「知識のある人は簡単にトリックを見抜け、知識のない人はトリックに納得しない」という欠点を持つからだろう。

しかし、作者は本作ではその欠点を見事に克服した。トリックの使い方や間違った推理の使い方、そして倒叙形式の使い方が巧みなので、「知識のある人でも簡単にはトリックを見抜けず、知識のない人でもトリックに納得する」作品になっている。そしてその面白さは、日本推理作家協会賞を受賞するほどだったのだ。

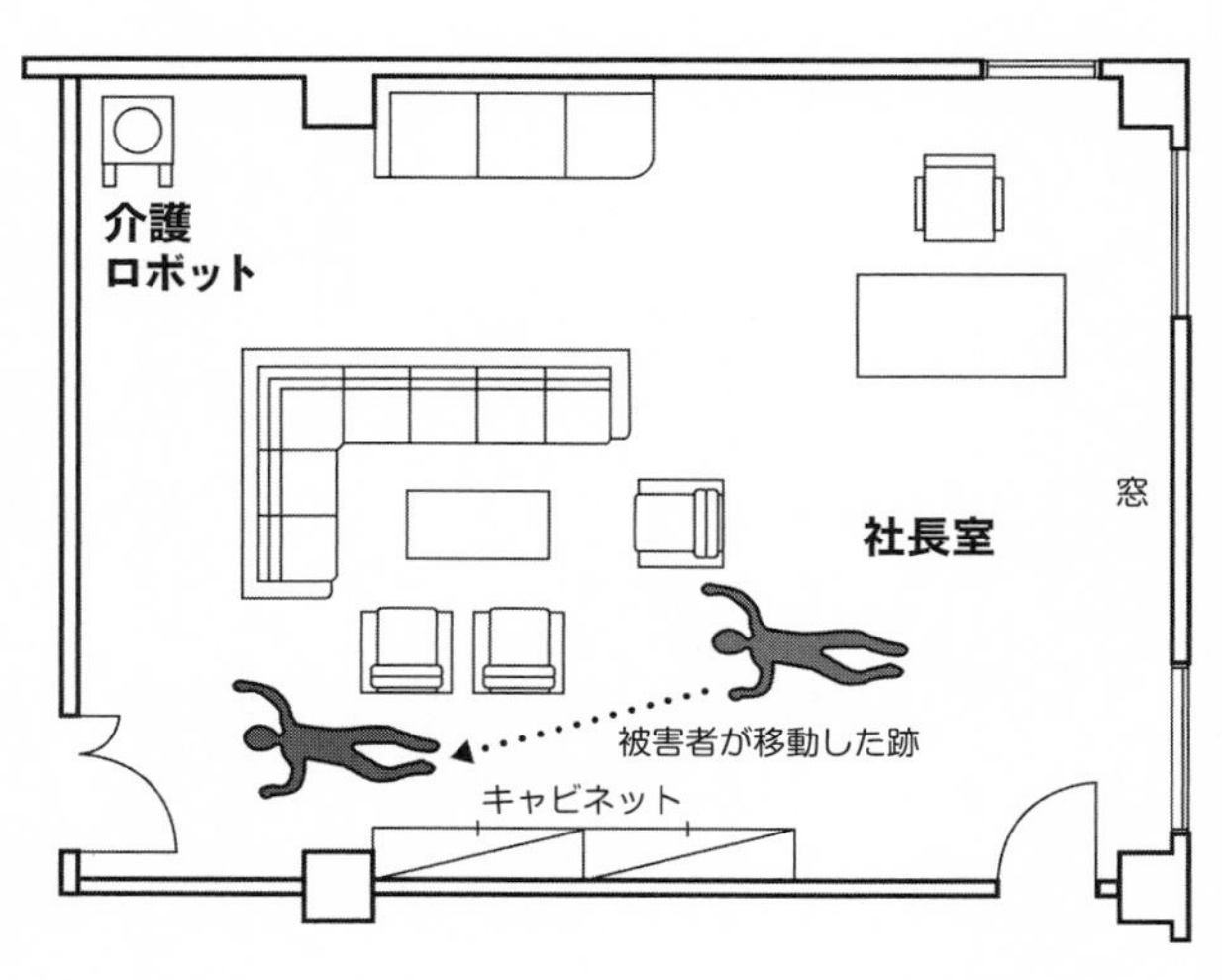

密室キングダム

柄刀一

発刊＝二〇〇七年／書籍＝光文社文庫 他

Story

天才マジシャン・吝一郎が復活公演の最中に殺害される。犯行現場は自宅の舞台部屋。死体は密閉された棺に入り、その棺はすべてのドアが内側から施錠された部屋に置かれ、その部屋の周囲は記者たちに監視されていた。この三重密室の謎に加え、舞台部屋のものがすべて左右逆になっていた謎や、すべての物からガラスが外されていた謎もある。これらの謎に吝の弟子の南美希風が挑むが、犯人の悪魔的、いや、魔術的な奸計に翻弄されてしまう。しかも、さらに四つの密室殺人が続くのだった。

Situation

三重密室の内、棺はマジック用なので底部から出入りが可能。ドアの施錠に関しては、美希風が——現場に残されていた灰や煤から——自動で施錠するトリックを思いつく。スライド錠とワゴンをオイルを塗った麻紐でつなぎ、ワゴンをゆっくり動かしてからドアを出て閉める。すると、麻紐で引かれたバーがスライドして施錠され、麻紐はロウソクの火で燃えてしまう、という方法。だが、記者たちの監視による密室だけは解くことができない。犯人はどんなトリックで監視の目を逃れたのだろうか？

Standard-Guide

作者によると、千八百枚の本作には、高校卒業頃に書いた七百枚の原型作品があり、高木彬光（たかぎあきみつ）に送ったことがあるらしい。そのせいか、本作からは、高木彬光の影響が感じられる。全体は『刺青殺人事件』＋『人形はなぜ殺される』で、『刺青』の「刺青（いれずみ）以外はそっくりな双子」という設定や、神津恭介（かみづきょうすけ）の「あなたがたは、完全に心理の密室へ追い込まれた」という台詞も、変形して本作に取り込まれている。

しかし、密室の扱いを比較すると、高木とは正反対と言える。高木がJ・D・カー風だとすれば、柄刀はエラリー・クイーン風だからだ。作者は、袋小路に入ってしまったカー風の密室をクイーン風に変えることにより、密室の復権を目指したのではないだろうか。

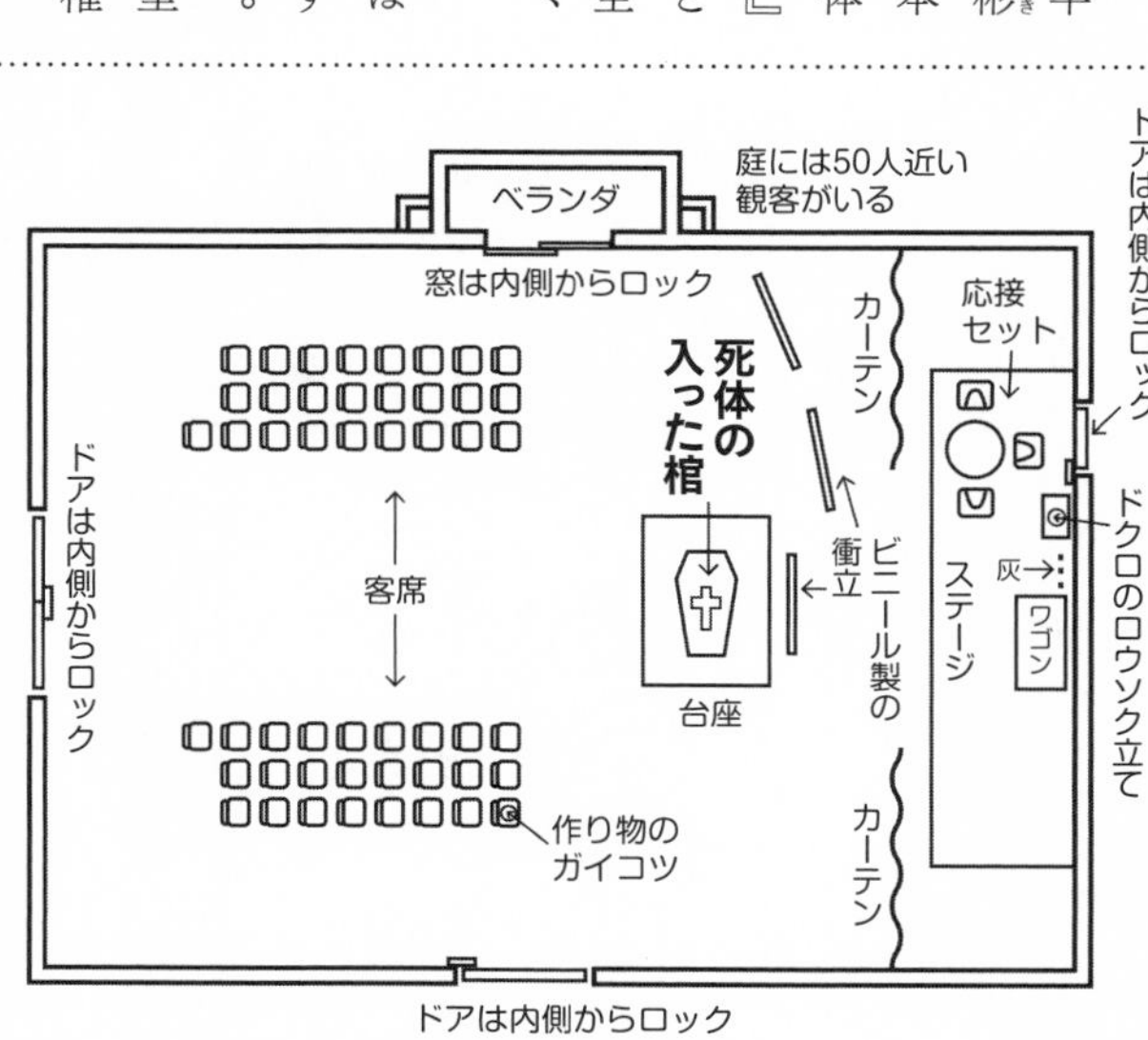

少年と少女の密室

大山誠一郎

発表＝二〇一一年／書籍＝『密室蒐集家』（文春文庫）他所収

Story

刑事の柏木は、愚連隊にからまれている少年・鬼頭真澄と少女・篠山薫を助ける。その二ヶ月後、篠山家の隣の空き家で闇煙草の取り引きが行われるという情報をつかんだ警察は、柏木を含めた四人の捜査員で出入りを監視。その際、篠山家と空き家は塀を越えて移動できるため、篠山家も監視対象に含めることにする。

ところが、その監視の間に篠山家で薫と鬼頭真澄が殺されてしまう。しかも、柏木たちの証言によると、犯行の前後に両家に出入りした者は、この二人の他にはいなかったのだ。

Situation

午後一時に柏木だけが正門の見張りを開始。二時に少女（篠山薫）が帰宅。二時半に三人の捜査員も見張りを開始。三時二十五分に少年（鬼頭真澄）が訪問。五時に裏口から入った売人が逮捕される。この時、篠山家を見てみると、薫と真澄が同じナイフで刺されて死んでいた。

これは完璧な不可能状況と言える。篠山薫だけならば、二時から二時半の間に、犯人が監視されていない裏口から入って殺害することは可能。だが、薫は三時に叔母と電話で話しているので、それはあり得ないのだ。

Standard-Guide

本作を収めた『密室蒐集家』は、《本格ミステリ大賞》を受賞したことからわかるように、傑作揃いの短篇集。私の評価も高い。では、私はどこを高く評価したのだろうか？　それは、優れた密室トリックと優れた犯人当てが連携している（「両立」ではない）点。

通常の密室ミステリは、トリックがわかると自動的に犯人も特定できる場合が多い。例えば、時間差トリックなら最初に死体（実はまだ生きている）に近づいた人が犯人、といった理由で。もちろん、誰にでも可能な密室トリックもあり、その場合は、探偵は別の手がかりを基に犯人を特定する必要がある。

ところが、このシリーズの短篇は、どちらのタイプでもなく、連携しているのだ。

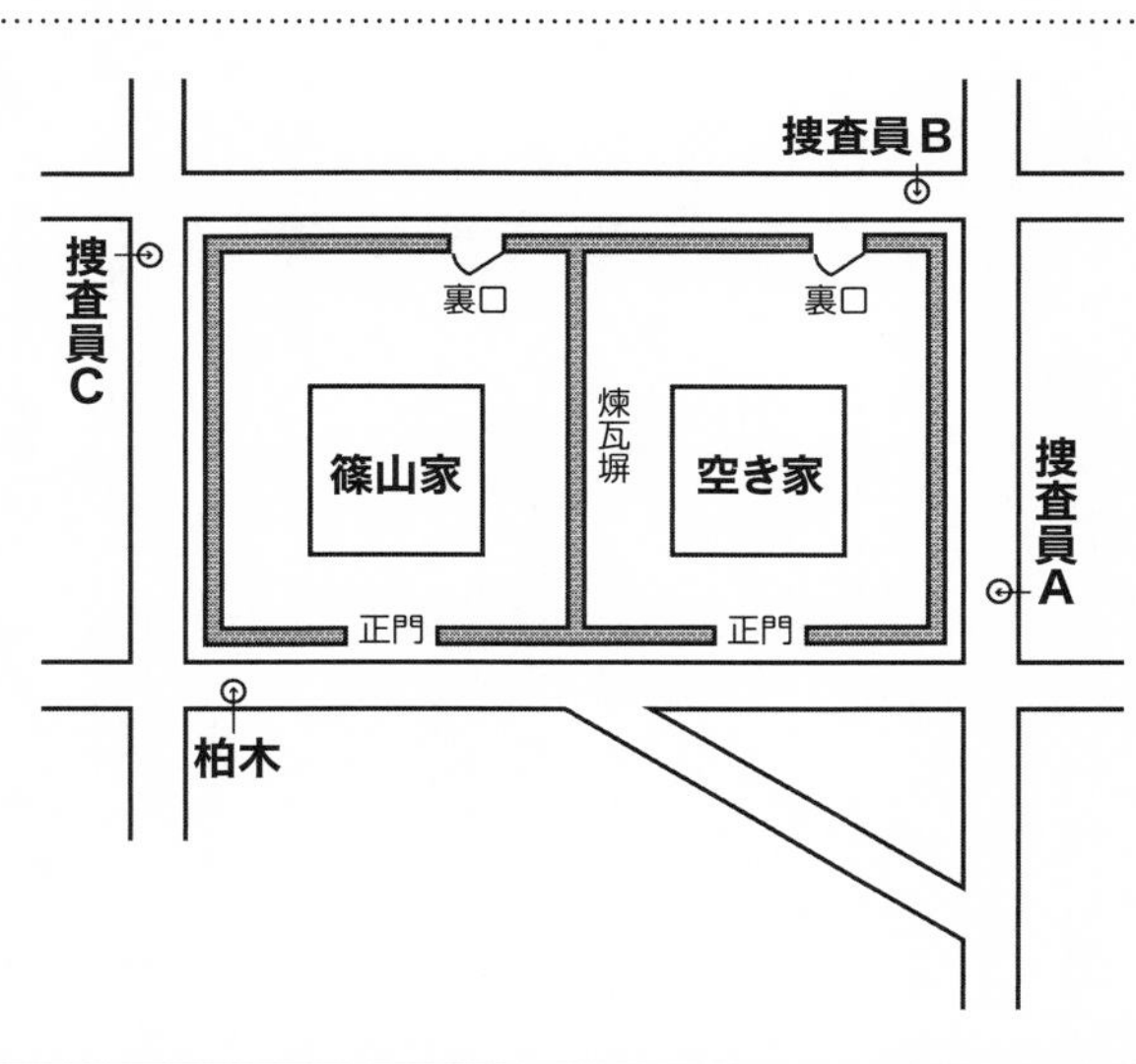

スチームオペラ

蒸気都市探偵譚　芦辺拓

発刊＝二〇一二年／書籍＝創元推理文庫 他

Story

電気ではなく蒸気を動力とするパラレルワールドの地球。そこでは電力は存在せず、蒸気がすべての物を動かしていた。この世界の少女エマは、謎の少年ユージンとの出会いをきっかけに、名探偵ムーリエの助手となる。その彼女が取り組むのは、ホテルの密室で物理学者が頭部を粉砕された事件、そして、宙を飛ぶナイフが空中で方向を変えて被害者を襲ったとしか思えない事件。さらに、彼女が助手になる前に起こった二つの不可能犯罪の謎もあった。そしてもちろん、ユージンの謎も……。

Situation

〔ホテルの密室殺人〕犯行現場はホテルの七階。ベッドで寝ていた被害者は、頭部を砕かれて殺害された。凶器の金属塊（隕鉄）は縦横高さがそれぞれ五十〜六十センチほどで、かなりの重さがある。

ドアは内側から鍵と閂がかけられ、鍵は被害者のポケットの中。窓はすべて内側から掛け金が下りていた。しかも、この部屋に入るには隣室の前を通る必要があるのに、そこの宿泊客は、犯行前後は〝祭祀のためにドアを開けていたが、誰も通らなかった〟と証言したのだ。

Standard-Guide

異世界を舞台にしてその世界でしか成立しないトリックやロジックを描く〈異世界本格〉には、もちろん、密室ものもある。そこでは異世界ならではの密室トリックが披露されているが、私見では、最初の成功例は小森健太朗の『ローウェル城の密室』で、最大の成功例は本作だろう。

本作の〈異世界〉は、蒸気を動力としている世界。SF小説にはこういった設定の〈スチームパンク〉というジャンルがあるが、日本なら、宮崎駿のアニメ『天空の城ラピュタ』や麻宮騎亜の漫画『快傑蒸気探偵団』がおなじみだろう。だが、作者はこの「おなじみの」世界を利用して、他の異世界本格とはレベルが違う、前代未聞の密室トリックを披露してくれるのだ。

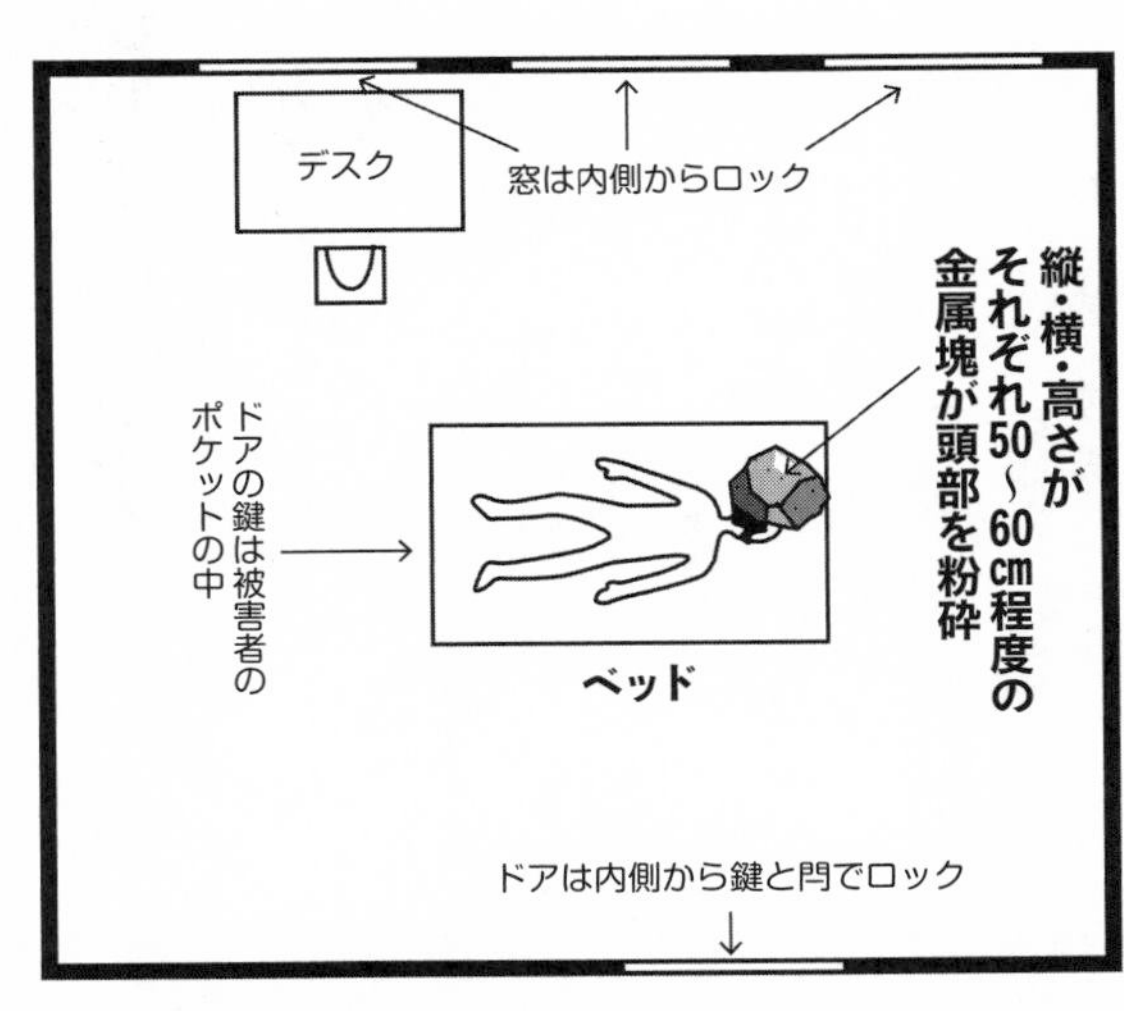

体育館の殺人

青崎有吾（あおさきゆうご）

発刊＝二〇一二年／書籍＝創元推理文庫 他

Situation

死体はステージ上だが、幕が下りているのでアリーナからは見えない。上手のドアは内側から施錠（せじょう）。下手のドアは開いていたが、そこから外に出るドアは演劇部が開けるまで施錠されていた。しかも、外には生徒がいて、窓からもドアからも誰も出入りしなかったと証言。二階には放送室があるが、そこから外に出ることはできない。他のドアを通ると練習している生徒に気づかれてしまう。しかも、雨が降っていたので、屋根のある渡り廊下（ろうか）に出るドア以外を利用すると濡（ぬ）れてしまうのだ。

Story

風ヶ丘（かざがおか）高校の旧体育館で、放送部部長が殺される。現場は体育館なので数名が出入りしていたが、犯行が可能だったのは、女子卓球部部長しかいなかった。事件を捜査する刑事の妹にして卓球部員の袴田柚乃（はかまだゆの）は、部長の疑いを晴らすため、なぜか学内に住んでいる天才――だがアニメオタクの駄目人間――裏染天馬（うらぞめてんま）に捜査を依頼する。手がかりと言えば、現場に残されていた持ち主不明の黒い傘（かさ）しかないこの状況で、天馬は密室の謎を解き、犯人を突きとめることができるのだろうか？

Standard-Guide

「〇〇のクイーン」と呼ばれる作家は、「読者への挑戦」、「フェアプレイ」、「論理的な推理」といったものを目指している。だが、青崎有吾の裏染天馬シリーズが目指すのは、さらにクイーンに寄せた作風。他の作家が目指すのが「クイーン風の推理」だとすれば、青崎は「クイーンの個々の作品風の推理」となる。具体的に言うと、シリーズの二作目『水族館の殺人』は『フランス白粉の秘密』。四作目『図書館の殺人』も『フランス白粉』が入っているが、メインは『スペイン岬の秘密』。では、〝現場に残された傘から推理する〟本作は、と言うと、〝現場に残された靴から推理する〟『オランダ靴の秘密』――ではなく、〝現場から消えた帽子から推理する〟『ローマ帽子の秘密』なのだ。

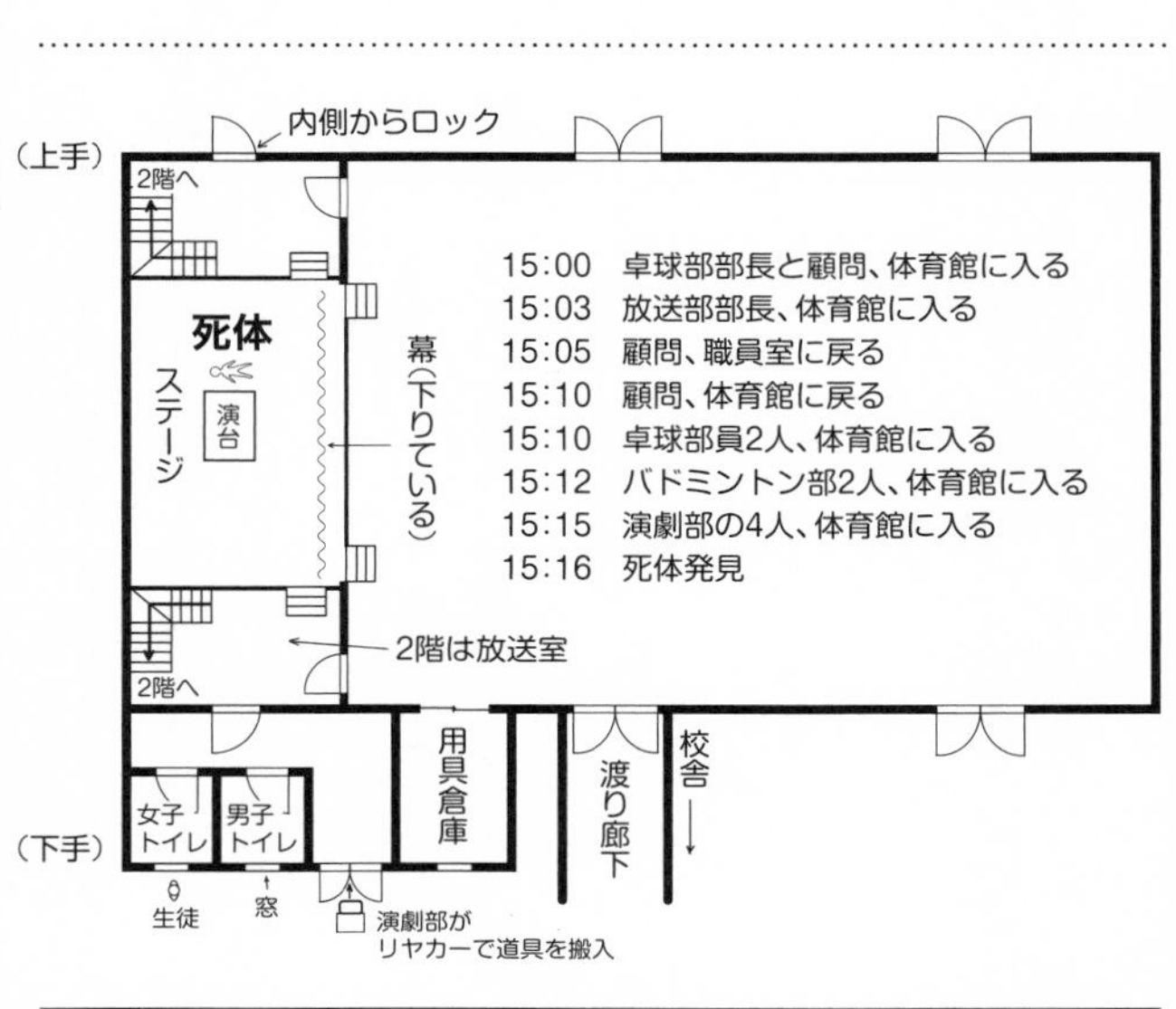

聖女の毒杯

その可能性はすでに考えた　井上真偽

発刊＝二〇一六年／書籍＝講談社文庫 他

Story

聖女〈カズミ様〉の伝説が伝わる里の旧家で行われた結婚式の最中、砒素による毒殺事件が発生。不思議なことに、同じ盃で酒を回し呑みしたのに、砒素を飲んだ者と飲んでいなかった者がいたのだ。さらに、盃の酒をなめた犬まで死んでいる。この「毒を盛られた者と盛られなかった者が交互に出る」飛び石殺人に、名探偵・上苙丞が挑む。彼は、すべての毒殺トリックの可能性を考えてからそれを否定し、〈カズミ様〉による祟り、すなわち「奇蹟」であることを証明できるのだろうか？

Situation

酒の入った盃は、花婿→花嫁→花婿の父→花婿の母→花婿の上の妹→花婿の下の妹→花嫁の父→花嫁の伯母、の順に回され、呑まなかった者はいない。花婿の下の妹が呑んだ後、犬が乱入して盃をなめてしまうが、盃の交換などせずに花嫁の父はかまわず呑む。死んだのは花婿、花婿の父、花嫁の父で、すべて男だったが、犬も死んでいて、こちらはメスだった。この毒殺時の不可能状況に加え、ほとんどの容疑者が、毒を入手する機会も、それを盛る機会もなかったのだ……。

本作を密室もの——厳密には〈不可能犯罪もの〉——として見た場合、先例のない状況が用いられている。それは、「同じ盃で同じ酒を呑んだ八人（＋一匹）の内、飛び飛びに三人（＋一匹）だけが毒死する」という設定。一人だけならいくらでも先行作品があるし、最初の三人だけ、あるいは最後の三人だけが毒死したならば、やはりトリックはいくらでも先例がある。しかし、飛び飛びとなると、少なくとも有名な先例は思いつかない。しかも、乱入した犬が、さらに不可能性を強めている。この犬は数ヶ月前に拾われたので、乱入して酒をなめることは、誰も予想できなかったのだ。

だが作者は、この不可能状況に、複数の解決を提示してみせる——なんと九通りも。

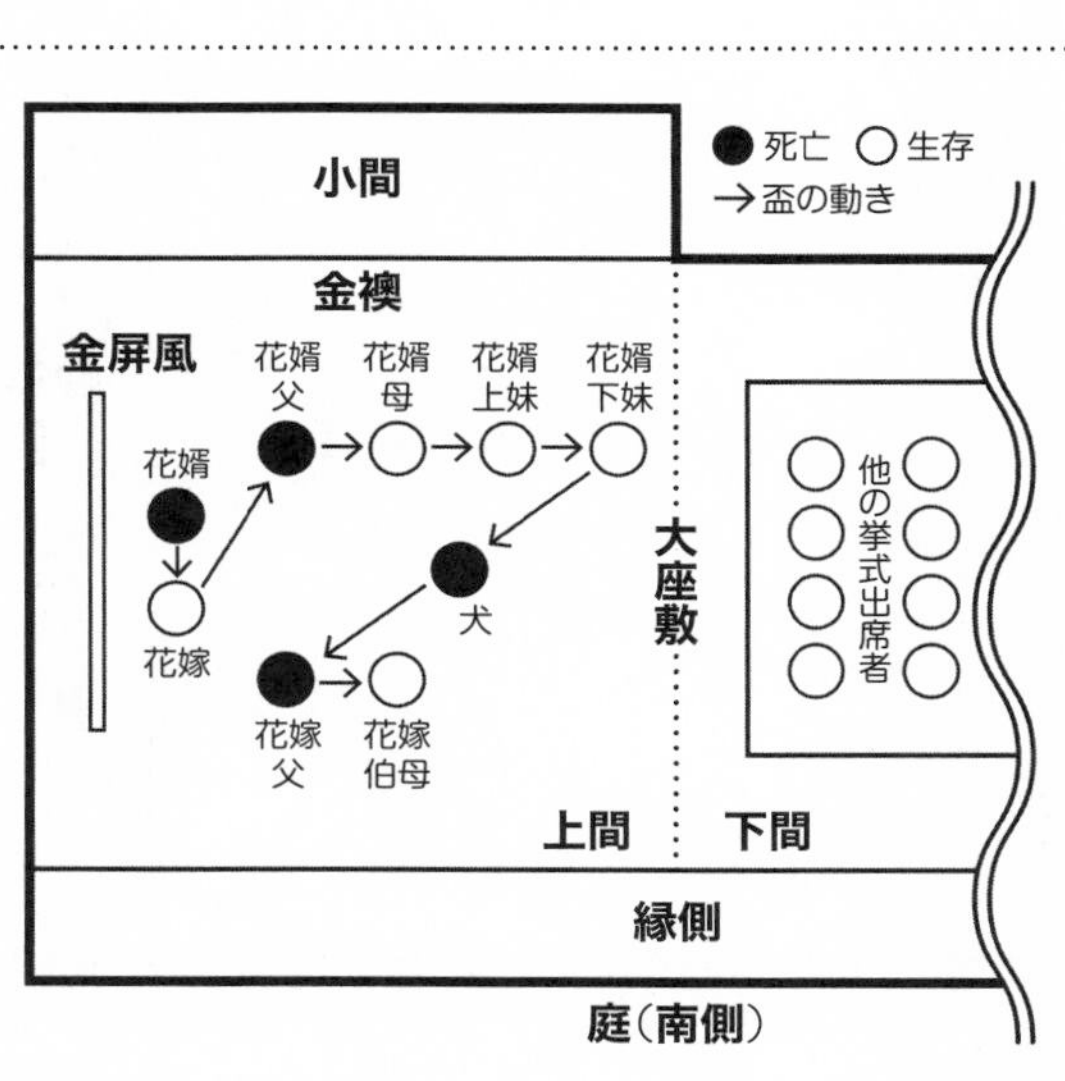

巨大幽霊マンモス事件

二階堂黎人

発刊＝二〇一七年／書籍＝講談社文庫 他

Story

名探偵・二階堂蘭子が所属する〈殺人芸術会〉。その月例会で、シュペア老人が、自身が関わった事件を描いた小説を取り出す。

小説の舞台はロシア革命後のシベリア。任務を帯びて〈死の谷〉に向かう商隊を、次々に怪事件が襲う。巨大なマンモスの群れが出現し、バイカル湖には幽霊マンモスが棲む。さらに、商隊をつけ狙う〈追跡者〉によって、一人、また一人と仲間が殺されていく。不可解なことに、〈追跡者〉は、雪上に足跡を残さず襲撃を成功させるのだった……。

Situation

〔〈赤い館〉の殺人〕　被害者は三人の少女で、六歳の結合双生児とその姉。三人の死体は礼拝堂で見つかった。姉は首を切断されていたが、その首は館にあった。犯行現場や降雪の状態から考えて、犯人は館で三人を殺害した後、姉の首だけ残して死体を礼拝堂に運び込んだらしい。だが、雪の上には、館から礼拝堂に向かう足跡しかなかった。犯人はどうやって礼拝堂から立ち去ったのだろうか？　礼拝堂で首を切断した犯人が後ろ向きに歩いて館に戻るという手は、犯行時刻の点からあり得ないのだが……。

Standard-Guide

トリックの観点からミステリ作家を見ると、豪腕タイプと技巧派タイプに分けることができる。前者の代表が高木彬光、後者の代表が鮎川哲也だと言えば、イメージがつかめるだろう。そして、高木を継ぐ作家の筆頭が、島田荘司と二階堂黎人になる。

その作者の豪腕ぶりが遺憾なく発揮されているのが本作。二つの〈足跡のない殺人〉の不可能状況には隙がないように見え、読者がトリックを見抜くのはかなり難しい。咆吼して進む二頭の巨大マンモスも、湖の中から舟を襲う幽霊マンモスも、実際に目撃されたもの。商隊を襲う〈追跡者〉も、人間とは思えないほどの神出鬼没ぶりを見せる。それなのに作者は、最後には豪腕で読者をねじ伏せてしまうのだ。

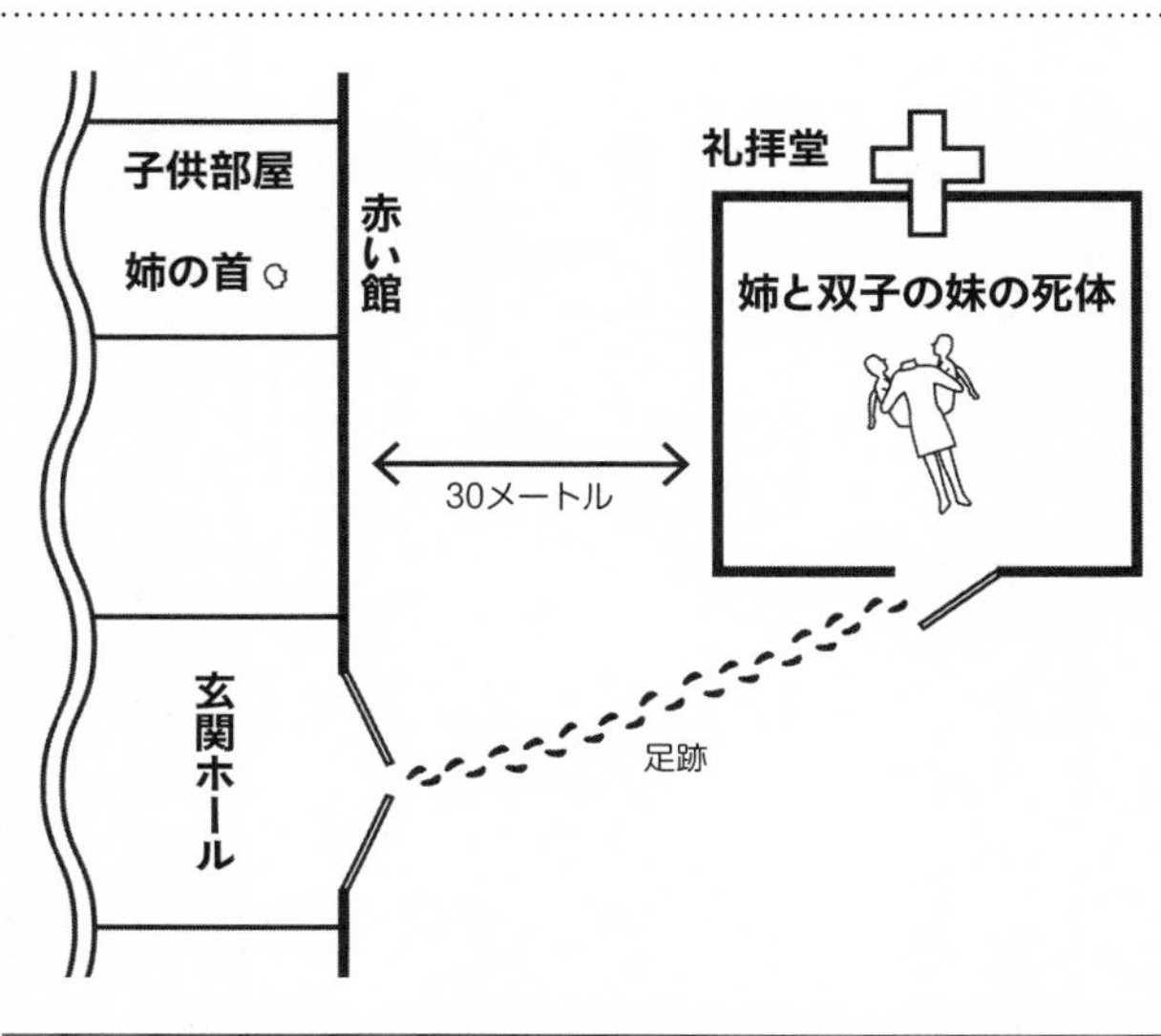

マツリカ・マトリョシカ

相沢沙呼(あいざわさこ)

発刊＝二〇一七年／書籍＝角川文庫 他

Story

柴山祐希(しばやまゆうき)の通う高校の第一美術準備室のドアは、「開かずの扉」と呼ばれている。ここで二年前に女子生徒が密室状況で襲われてから、誰も出入りすることはなかったからだ。

ところが今、窓のカーテンが開いているのが見つかった。誰かが準備室に入ったのだ。学校の許可を得て開かずの扉を開けると、中に横たわっていたのは――女子の制服を着たトルソー。しかも、準備室は、柴山が犯人でなければ完全な密室だった。疑われた柴山は、〈廃墟(はいきょ)の魔女〉マツリカに助けを求める――。

Situation

〔現代の密室〕扉の鍵(かぎ)は職員室にあるが、テスト準備期間中なので生徒は入れないし、教師でも無断で持ち出すことはできない。準備室と美術室の間の内扉は、戸棚でふさがれていて一センチしか開かない。ベランダに出る窓は内側から施錠(せじょう)。ただし、施錠は柴山しか確認していないので、彼が犯人なら犯行（？）は可能。

トルソーが着ていた制服は前日の放課後に盗まれたものだと持ち主が確認。胸ポケットにあった自転車の鍵も、持ち主が登校時に入れたものだと確認された。

本作が属する〈日常の謎〉ものは、密室とは相性が悪い。というのも、このタイプのミステリには、通常、殺人が出て来ないからだ。殺人事件ならば、警察が乗り出し、密室状況を徹底的に調べ、死体を調べ、人の出入りを調べ、関係者の証言を集めて裏を取ることになる。そして、ここまでやるからこそ、強固な不可能状況が生まれるのだ。

一方、〈日常の謎〉では鑑識の出番もないし、関係者は正直に話す義務もない。おかげで、不可能性が弱くなってしまうというわけ。

だが、作者はそんなことは百も承知で、〈日常の謎〉で密室に挑み、作中人物にこう言わせる――「人が死んでいないからこそ利用できるトリックの類いがある」と。

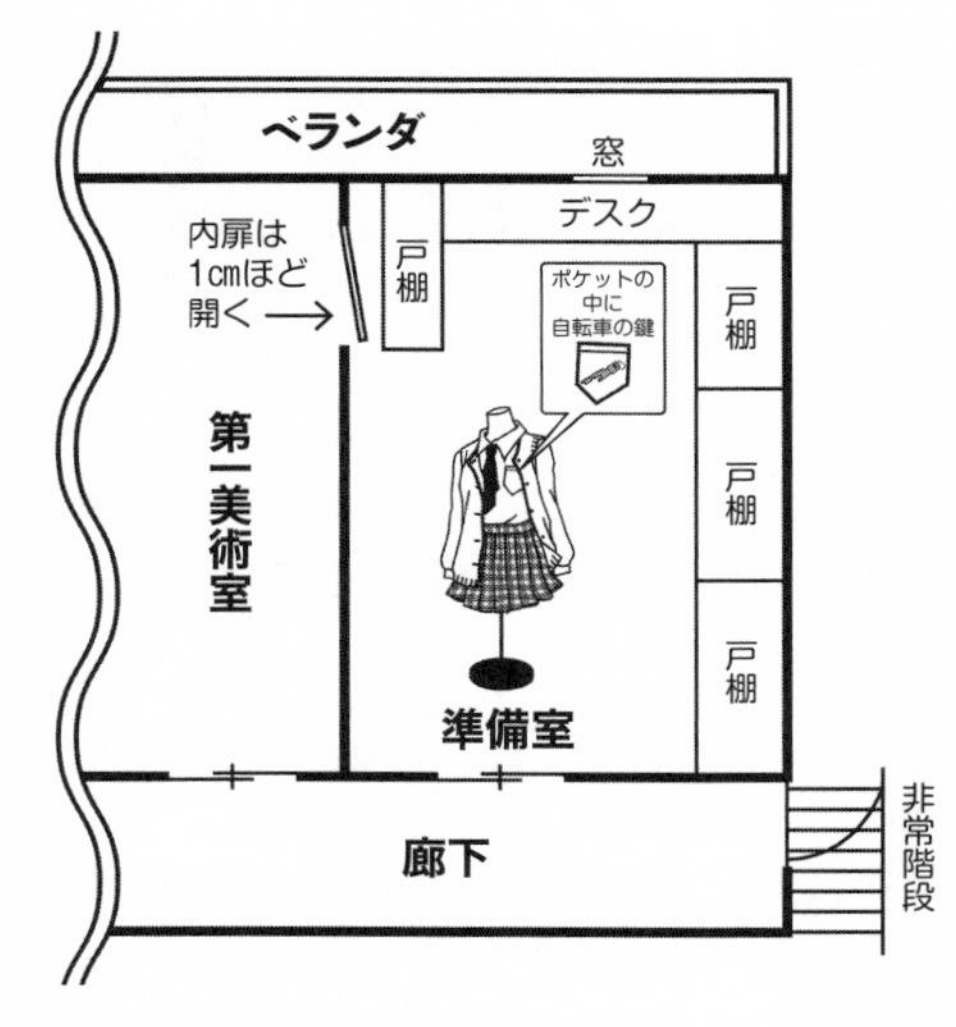

屍人荘の殺人

今村昌弘

発刊＝二〇一七年／書籍＝創元推理文庫 他

Story

大学ミステリ愛好会の葉村譲と会長の明智恭介は、有名な探偵少女・剣崎比留子と共に映研の夏合宿に参加する。だが、彼らの泊まったペンションは、集団発生した〇〇〇に囲まれ、荘内に籠城する羽目になる。そして、荘内で次々と起こる殺人。不可解なことに、死体は〇〇〇に襲われたようにしか見えなかった。知能のない〇〇〇が、密室とも言うべき荘内に入り込み、殺害後に姿を消すということはあり得ない。だが、人間の仕業ということも、あり得ないのだ……。

Situation

〔第一の殺人〕被害者・進藤は自室で絶命。死体の無数の噛み傷や室内の大量の血痕などから、〇〇〇の仕業に見える。だが、〇〇〇は被害者の部屋どころか荘内に入ることさえできない。ドアは閉めると自動的にロックされるタイプなので、人間ならば被害者の部屋に出入りできる。その代わり、人間では死体に無数の噛み傷をつけることはできない。比留子が言うように、「（人間には）密室が突破できるが、彼を殺せない。逆に（〇〇〇には）彼を殺せるが密室を突破できない」密室殺人なのだ。

Standard-Guide

まず、右の文中の「○○○」だが、これは、差別語などではなく、この作品の紹介時には趣向を伏せるようにという出版社からの要望があるため。

この作品はさまざまな魅力を持っているが、本書で注目したいのは、本格ミステリとして高い評価を得たという点。理由としては、やはり、「○○○によるクローズド・サークルという設定」と、「○○○を利用した巧妙な密室トリック」の二つだろう。今回は触れなかったが、第二のエレベーター内での密室殺人も、実に巧妙に○○○を利用している。

ただし、作者の卓越した本格ミステリのセンスが発揮されているのは〈トリック〉だけではない。〈推理〉に関しても冴えているのだ。

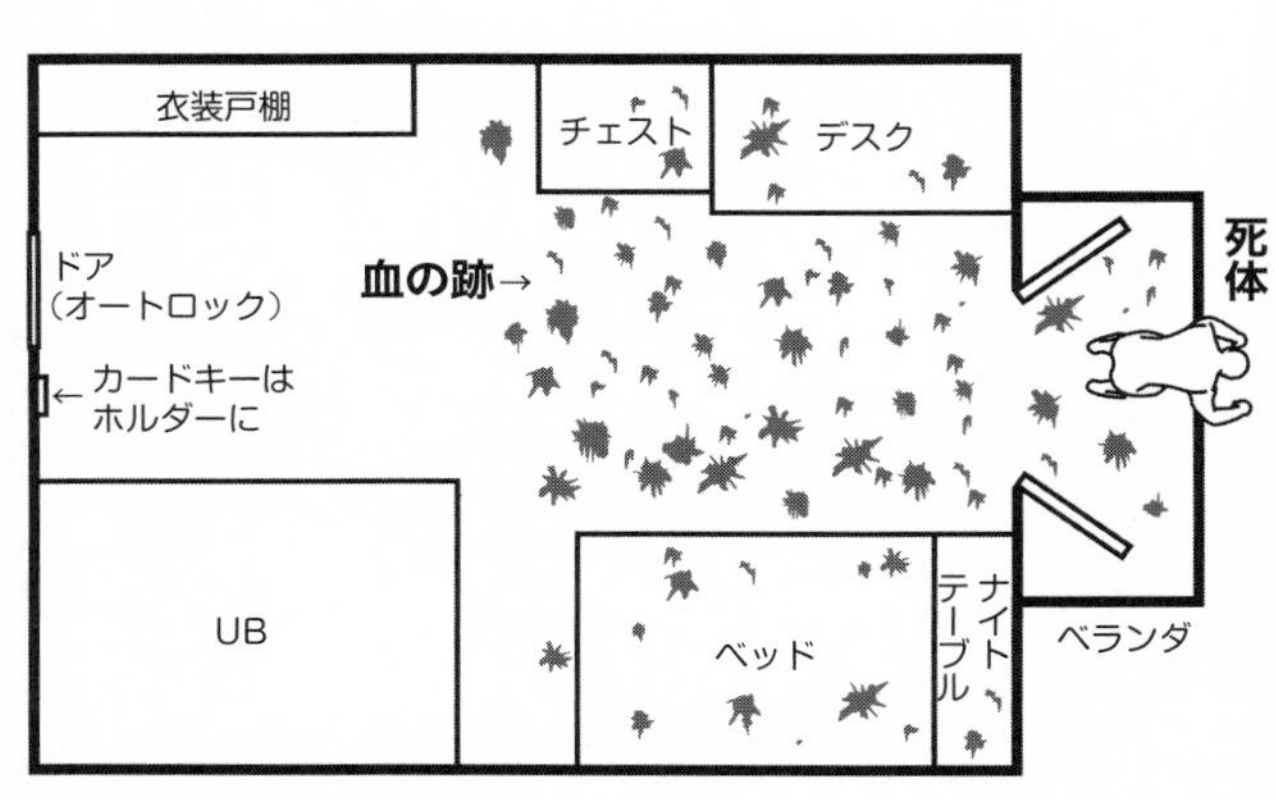

黒牢城

米澤穂信

発刊＝二〇二一年／書籍＝KADOKAWA

Story

本能寺の変（一五八二年）より四年前の天正六年の冬。荒木村重は、織田信長に叛旗を翻して有岡城に立て籠もり、使者として訪れた黒田官兵衛を土牢に閉じ込める。だが、外からの織田軍の攻撃だけでなく、城内でも次々に怪事件が発生。人の仕業とは思えない不可解な状況下で起こる事件に部下や民は動揺し、心は村重から離れていく。このままでは有岡城は持ちこたえることができない。事件を解決するために、村重は官兵衛のいる牢に足を運び、その知恵を借りようとする……。

Situation

〔第一章〕被害者は屋敷の奥の納戸に幽閉中の十一歳の少年。未明に戸を開けて廊下に出たところを正面から矢で射殺されたらしい。だが、矢はどこにも見つからなかった。納戸の前に五間（一間＝百八十二センチ）ほど広がる庭には雪が積もっていたが、足跡はなく、紐をつけた矢を回収した跡もない。また、庭と城の漆喰塀の間は警固の者が巡回していたが、誰も見かけなかったと語る。唯一の手がかりは、庭の中央にある春日灯籠の火袋（火を燃やすところ）に残されていた血痕だった。

Standard-Guide

本作が山田風太郎の『明治断頭台』などを意識していることは、作者自身が語っている。もっとも、作者の言葉がなくても、それは明らかだろう。風太郎の、歴史上の人物や出来事を架空の物語に組み込む手法や、連作形式の最後の一篇で時代とそこに生きる人々の思いを浮かび上がらせる手法を、本作はしっかり踏襲している。また、『明治断頭台』や『妖異金瓶梅』などの、「読者が世界観に慣れる前の最初の事件に密室ものを持って来る」手法も踏襲。

だったら、本作ではなく『明治断頭台』を選べば良いじゃないか、という意見が出るかもしれない。そして、その答えは、「密室ミステリとして見た場合、本作には『明治断頭台』などにはない魅力があるから」となる。

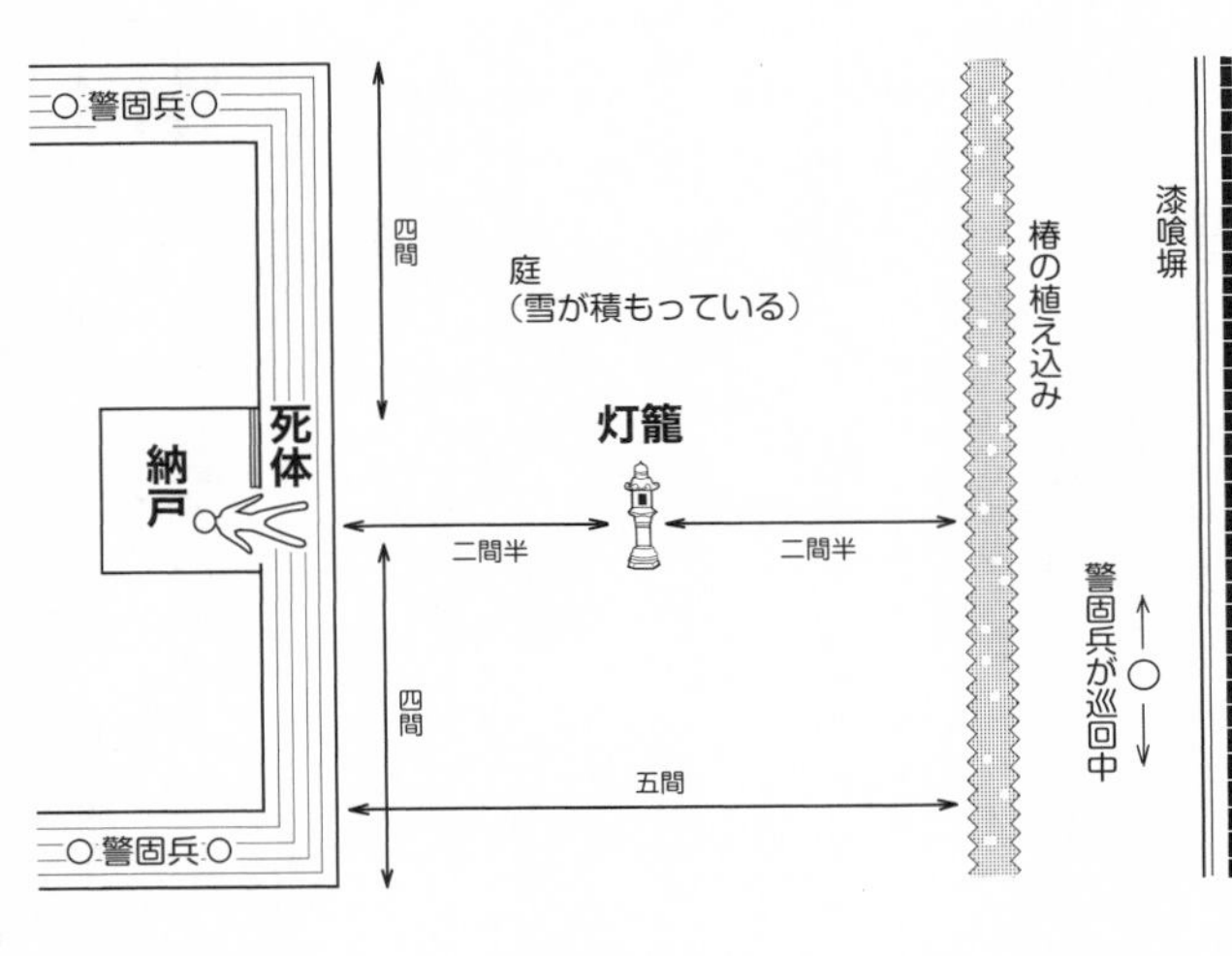

月灯館殺人事件

北山猛邦

発刊＝二〇二二年／書籍＝星海社FICTIONS

Story

〝本格ミステリの神〟と呼ばれる作家・天神人の「月灯館」に集まった六人の作家。彼らと天神の七人は、何者かに〈本格ミステリ作家における七つの大罪〉――傲慢・怠惰・無知・濫造・盗作・強欲・嫉妬――を犯したと告発され、次々と殺されていく。現場はすべて密室で、しかも、過去に発表されたミステリのトリックがそのまま使われているように見える。

　招かれた作家の一人・弧木は、天神の隠し子・ノアと組んで事件の謎に挑むが、被害者と密室の数は次々に増えていくのだった。

Situation

〔第二の密室殺人〕犯行現場は図書室で、一部が重なるように床に並べられた本が五芒星を描いている。その五つの頂点には被害者の頭部、両腕、両足が置かれ、中心には胴体が置かれていた。

　出入り口はドアと三つの窓。ドアは内側から閂が、窓もすべて内側からクレセント錠がかかっていた。ドアにも窓にも紐を通すことができる隙間はない。また、地下室への扉は血まみれの胴体がふさいでいる上に、開けてみても犯人がそこに逃げ込んだ痕跡はなかった。

Standard-Guide

本書の帯には「これはすべての本格ミステリを終わらせるための本格ミステリ」と書かれている。作中人物の大部分は本格ミステリ作家であり、プロットは、彼らが怠惰（新作を書かない）、無知（古典を読まない）、濫造、盗作といった罪で殺されていくというもの。作中では、探偵小説を本格ミステリへと進化させたと自負する天神が、本格ミステリの本質について語る。そして、ここで言う「本格ミステリ」とは、密室もののような、トリックを中心にした作風のものを指しているらしい。実際、作中で提示される大きな謎は、四つの密室殺人しかない。

つまり本作は、このガイドの掉尾（ちょうび）を飾るのにふさわしいと言える。果たして、すべての密室ミステリは、終わってしまうのだろうか？

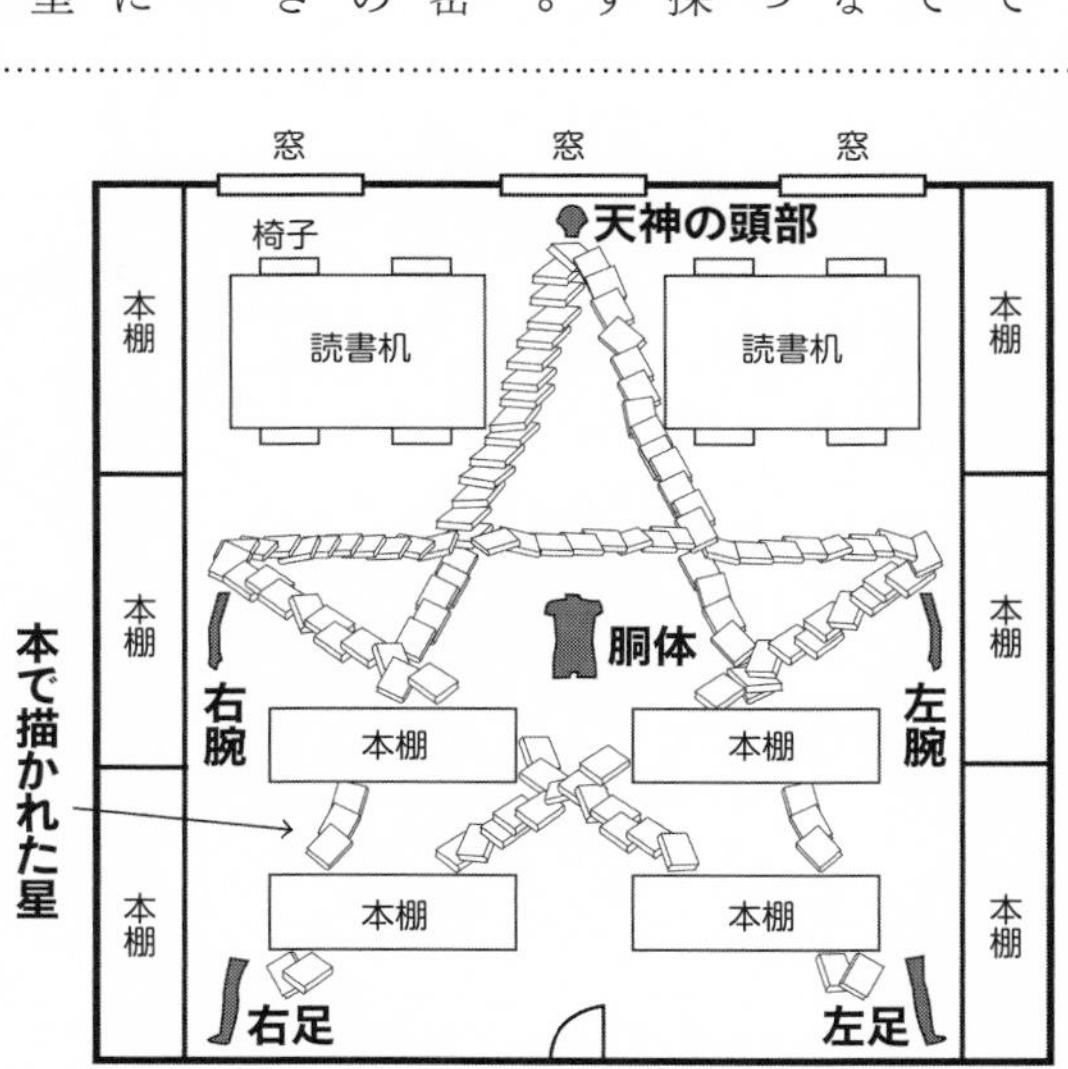

コラム

コラム1 HOW

密室はどう作られる？

密室トリックの分類

J・D・カーが一九三五年に『三つの棺』の「密室講義」の章で行った密室トリックの分類は、密室ミステリに革命をもたらした。このコラムでは、その革命の歴史を見ていこう。

ミステリの評価基準はいろいろあるが、「トリックの独創性」は、かなり重要だと見なされている。面白いミステリでもトリックに先例があると評価が下がり、退屈な作品でも先例がなければ評価はアップ。〈ノックスの十戒〉も〈ヴァン・ダインの二十則〉も、先例がいくつもあるトリックの使用は禁止。ヴァン・ダインは、『ケンネル殺人事件』の中で、エドガー・ウォーレスが考案したトリックを流用したことを認めている。――これが黄金時代の作者と読者の姿勢なのだ。作者は先例のないトリックの案出に力を注ぎ、読者は先例のないトリックを高く評価する。そして、この姿勢を保つには、双方がトリックを格納した脳内データベース（DB）を持っているこ

Column

とが必須となる。また、このトリックDBは、「ドア＝閂、シリンダー錠、掛け金」、「時間差＝前、後」という風に分類されている方が、先例のチェックがやりやすい。

もちろんカーも、他作家の密室ミステリを読むたびにトリックを抜き出して、脳内のDBに登録している。つまり、カーの密室講義は、自身が持つ密室トリックDBを読者に公開したものに他ならない。だから、原理別ではないし、作例中心で網羅性がないし、他作家が考案したトリックのネタバラシがある。

では、なぜカーが自身のDBを公開したかというと、この当時、貧弱なDBしか持っていない読者が増えてきたからだろう。アメリカのヴァン・ダイン、E・クイーン、E・S・ガードナー、それにイギリスのA・クリスティなどの作品が次々と一般書の部門でベストセラーになったために、〝にわか〟ミステリ・ファンが増えてきたのだ。カーは『黄色い部屋』も『ビッグ・ボウの殺人』も意識して書いているのに、読者は最近のベストセラーしか読んでいない。このギャップを埋めるために、講義をしたわけである。

だが、この講義によって、他の作者も、自分たちがDBを持っていることを自覚するようになった。執筆の際に無意識にやっていたDBとの照合が、意識的になされるようになったのだ。このため、新たな密室ミステリを書こうとする作家は、分類に新たな項目を加えるべく頭を絞ることになった。そこで今度は、そのDB更新の流れを見ていこう。なお、比較のため、大分類をA〜、中分類を①〜で統一したことをお断りしておく。

驚くべきことに、密室分類の第一号はカーではなく日本人だった。『三つの棺』の一年前、《サンデー毎日》一九三四年十一月増刊号に掲載された**八重座螢四**「鴉殺人事件の真相」がその作品（《幻影城》一九七七年十二月号に再録あり）。この作品では、探偵役が密室を解き明かす際に、まず、密室を作る八つの方法を挙げている。

①博士（被害者）が自殺亦は過失死の場合。
②犯人が猿、蛇の如き小動物を室内に忍ばせこんだ場合。
③犯人が合鍵使用の場合。
④犯人が室外から書斎の扉の内側の鍵を閉めた場合。
⑤博士が室外で犯人に一撃され、室内に入って扉に鍵をかけ絶命した場合。
⑥室内に立っていた氷柱が倒れて博士の頭に当り、後に解けて蒸発してしまった場合。
⑦犯人が室内にいて、気がつかれぬ場合。
⑧博士が一撃された時、犯人が室内にいない場合。

続いて、七つを消去して残った一つを真相だとしている。作中の事件（殴殺）に特化しているので分類とは言い難いかもしれないが、評価に値すると思う。⑦などはカーの分類に漏れたトリックではないか。

そのJ・D・カーが『三つの棺』（一九三五年）で行った分類は、以下の通り。

A 殺人者が室内にいなかった場合

①殺人ではないが、偶然が重なって生じた事態が、あたかも殺人のように見えるもの。
②殺人だが、犠牲者が自殺に追いやられるか、何らかの偶発事故で死ぬもの。
③殺人であり、あらかじめ部屋に持ち込まれ、無害に見える家具の中にひそかに隠されていた機械装置で殺されるもの。
④自殺だが、殺人のように見せかけるもの。
⑤殺人で、めくらましとなりすましから謎を生み出すもの（生きていると見せかけてすでに死んでいる）。

⑥殺人で、犯行時に部屋の外にいた誰かがやったにもかかわらず、中にいたものがやったはずだと思われるもの。

⑦殺人で、第⑤項と全く逆の効果を用いるもの（死んでいると見せかけて実は生きている）。

B殺人者が室内にいて、ドアの鍵を内側からかけたように見せかける場合

①まだ錠の中に入っている鍵に細工する（鍵に糸を結び付けるなど）。

②鍵やスライド錠はいじらずに、たんにドアの蝶番をはずす。

③スライド錠に細工する（ボルトに糸を結び付けるなど）。

④掛け金に細工する（氷の塊を掛け金の下に入れておき、氷が解けた時に掛け金が下りる仕組み）。

⑤単純だが効果的な錯覚を使う（外から施錠し糸を使って鍵を中に戻すなど）。

前人未踏の試みなのでやむを得ないが、もう少し細分化してほしかった。「A殺人者が室内にいなかった」は、さらに「A❶被害者も室内にいなかった」と「A❷被害者は室内にいた」に分け、「B殺人者が室内にいた」は、さらに「B❶犯人は室外に出てから密室を作成した」と「B❷犯人は密室内にとどまった」に分けたら、網羅性が高まったと思う。

なお、カーの分類には、「密室状況を裏づける証人が誤認した」という項目が抜けている。この項目に属する傑作で、「証人が鏡に映った自分の姿を犯人だと誤認する」チェスタートンの短篇は講義の中で題名が挙げられているのだが……。もちろん、『三つの棺』を読んだ人はその理由がわかると思う。この講義は、本篇で使われているトリックのヒントとミスリードの役割も持っているのだ。カーのこちらの試みについては、**蒼井上鷹**「解けない密室などない！【理論編】」（二〇一九年／『殺しのコツ、教えます』収録）で詳しく考察しているので、御一読を勧めたい。

なお、**ポール・アルテ**『死まで139歩』（一九七四年）と**マイケル・スレイド**『髑髏島の惨劇』（一九九四年）、それに**天袮涼**『空想探偵と密室メイカー』（二〇一一年）では、作中人物がカーの分類を使って密室に挑むが、新たな項目の追加はない。

クレイトン・ロースンの『帽子から飛び出した死』（一九三八年）では、カーの分類「**A**殺人者が室内にいなかった」と「**B**殺人者が室内にいた（が何らかの方法で抜け出した）」を紹介した後に、「**C**殺人者は犯行後も室内にいて、死体発見後に抜け出した」を加えている。このトリックの肝は犯人が隠れる場所だが、作中では「ドアの陰」と「ソファの下」しか挙げていないので、江戸川乱歩に「子供だまし」と言われてしまう。だが、その後、さまざまな隠れ場所を用いた作品がいくつも書かれ——家具や調度品、保護色、心理的な盲点、それに脳の認知機能を利用したものまで書かれ——無視できない原理になった。さらに、ロースンが考えていなかった「犯人は命を捨てて密室から自身の肉体を消滅させる」という応用例まで生み出されている。

なお、**デレック・スミス**の『悪魔を呼び起こせ』（一九五三年）では、このロースンの分類の方が用いられているが、新たな項目の追加はない。

アントニイ・バウチャーがH・H・ホームズの名義で出した『密室の魔術師』（一九四〇年）では、新たな分類が提示されている。

A部屋が閉ざされる前に犯行が行われたもの。
B部屋が閉ざされている間に犯行が行われたもの。
C部屋の密室が破られてから犯行が行われたもの。

この分類は、カーのように作例から抽出した分類ではなく、網羅的になっている——部屋が密室になる前、最中、後なので。バウチャーは評論家でもあるので、こういう発想ができたのだろう。しかし、この分類は「犯行が行われた場所＝密室状況の部屋」という前提の下でしか成り立たない。例えば、被害者の部屋が監視されている間に別の場所で殺し、監視が解除されてから死体を持ち込んだ場合、分類上は**B**なのだろうか？

また、前出の「密室状況を裏づける証人が誤認した」場合も、この分類には当てはまらない。前も最中も後も、密室状況ではないのだから。

〝密室分類＝密室トリックDBの開示〟という私の考えを証明する本が一九七九年に出た。**ロバート・エイディ**の『Locked Room Murders』には一二八〇の密室ミステリの密室状況とその解決がリストアップされ、まさにデータベース。本稿ではこの本に出て来る〝密室を解明する二十の方法〟を紹介しよう（拙訳）。一九九一年の増補版は二〇一九例に増えているが、この部分は変更なし。

①事故。②自殺。③遠隔操作——毒薬、ガス、あるいは自らの手で死ぬように仕向ける。④機械、あるいはその他の装置。⑤動物。⑥外からの作用を内部作用に見せかける。——例・窓ごしに短剣を銃で撃ち込む。⑦被害者は殺された後もまだ生きているように見せかけられた。⑧被害者は死んでいるように見せかけられた後で殺された。——例・最初に部屋に入った人物による殺人。⑨被害者は室外で傷を負い、室内で死亡した。⑩ペンチや糸などを用いて室外から鍵や閂や掛け金などを操作する。⑪ドアや窓の蝶番を外して、元に戻す。⑫窓ガラスを取り外して、元に戻す。⑬アクロバティックな体術。⑭ドアは外から施錠されたり、くさびで開かないようにされている。再入室時に、鍵を室内に置いたり、閂をかける。⑮ドアは外から施錠されている。再入室よりも前に、鍵を室内に戻す。

Column

⑯その他の方法で、ドアや窓などに細工をする。⑰隠し通路やスライドする壁板など。⑱出入り口が破られた時点で、殺人者はまだ室内にいた。⑲殺人が行われている間、衆人環視の下にいたというアリバイ工作（訳注「犯人が犯行現場に近づけないので不可能状況」という意味だと思われる）。⑳他人に変装しての細工。

これは、千以上の作例のトリックを、単に似たもの同士でまとめただけで、系統立ってはいない。エイディは作家ではないので、漏れを探したり、変形したりする必要がないからだろう。

戦後の日本で最初に密室を分類したのは、おそらく**高木彬光**（たかぎあきみつ）。その『能面殺人事件』（一九五〇年）では、以下の三つに分類されている。

A時間の差異による密室殺人（重傷を負った被害者が部屋に入って施錠してから絶命、等）

B機械的な密室殺人（密室の中の機械装置で殺害、機械仕掛けで密室を生成、等）

C心理的衝撃による殺人（幽霊の恐怖などを利用した殺人、等）

かなり雑な分類だが、これには理由がある。まずCは、『能面』には〝鬼女に呪われた一族〟が登場するため。そしてAとBは、高木の考える密室トリックは「機械的か機械的ではないか」が重要になっているため。例えば、『随筆 探偵小説』に収められたエッセイ（初出は一九五〇年）において、高木は「私は決して機械的密室を軽蔑するわけではないが、普通の場合、それはアクセッサリなり、刺身のワサビ程度の役目しか果たしていない」とまで言っている。

さらに高木は、このエッセイの中で、カーの分類を紹介してから、新たな分類として、密室の外で殺した被害者を密室内に運び込む「逆密室トリック」

を追加。もちろん、このトリックを用いた自作のPRもしている。

木々高太郎の中絶作『美の悲劇』（一九五三年連載）にも密室分類が登場する。

A犯行後も犯人は密室内に留まっていて、死体発見時に脱出。
B密室の外から内側の鍵を施錠。
C抜け穴。
D密室の外からの殺人（短剣を銃で発射、動物を利用、等）。
E犯人が密室で殺したのではない（重傷を負った被害者が室内に入って施錠した後に絶命、密室内に殺人装置を仕掛ける、他殺に見せかけた自殺、等）。

典型的な〝作例抽出型分類〟だが、カーの密室講義を知らずに考えた（ように見える）点が興味深い。また、作中の探偵小説マニアが「トリックの王様ともいう可きものが、この密室殺人というやつ」と言うと、マニアではない友人が、密室トリックに対して「ニュートン以前だよ」、「一つも近代力学、現代物理学はない」と皮肉る点も興味深い。〈20世紀本格〉かな？

江戸川乱歩の「類別トリック集成」（初出一九五三年／『続・幻影城』収録。以下の分類は『探偵小説の「謎」』より）は、作例抽出型では最も優れた分類と言える。文中には各項目ごとの作例数が出ている上に、一部は作家名や作品名も記されているので、検証もやりやすい。なお、Dはタイプが異なるのでここでは対象外とする。

A犯行時、犯人が室内にいなかったもの
①室内の機械的な装置によるもの。②室外よりの遠隔殺人（窓または隙間を通しての室外からの殺人）。③自殺ではなくて、被害者自らの手で死に至ら

しめるトリック。④密室内で他殺を装う自殺。⑤自殺を装う他殺。⑥密室における人間以外の犯人。

B犯行時、犯人が室内にいたもの

①ドア、窓または屋根に施すメカニズム。②実際より後に犯行があったと見せかける。③実際より前に犯行があったと見せかける。④最も簡単な密室トリック（ドアの背後に隠れる）。⑤汽車と船の密室。

C犯行時、被害者が室内にいなかったもの（死体を運び込んで密室にする、瀕死の被害者が部屋に入って密室にする）

D密室脱出トリック（脱出不可能と思われる窓から曲芸で脱出する、刑務所などからの脱獄）

この分類の欠点は、AとCを別項目にしたこと。以下の方が分類上は適切だろう。

A犯行時、犯人が室内にいなかったもの
A❶犯行時、被害者が室内にいたもの
A❷犯行時、被害者が室内にいなかったもの

また、「犯行時」の定義が、「殺害時刻」なのか、「殺害推定時刻」なのかわからないのも欠点。そして、こういった欠点を解消したのが、天城一（あまぎはじめ）の分類となる。

その**天城一**の分類は、一九六一年に「密室作法」として発表（一九八〇年に改訂されたが、分類自体は同じ）。多くの人から「最高の密室分類」と評されているこの分類は、現在は改訂版が『天城一の密室犯罪学教程』に収録。

まず、時間Tについて、R＝実際の犯行時刻、S＝推定犯行時刻、Q＝被害者絶命時刻、と定義。「このQとSがRと一致しないことが、しばしば手品の種になる」として、密室殺人の定義を「T＝Sにおいて、監視、隔絶その他有効と〝みなされる〟手段によって、原点O（密室）に、犯人の威力が及び得ないと〝みなされる〟状況にありながら、なお被害者が死に至る状況をいう」としている。さらに、「二つの〝みなす〟が手品の種」と言って、以下の分類を行う。なお、①～⑨が通番になっているのは原文に従ったため。

A不完全密室（一つ目の〝みなす〟が偽）
A①〝抜け穴〟が存在する場合
A②〝機械密室〟
B完全密室（どちらの〝みなす〟も真なので犯人の威力が密室内の被害者には及ばない）
B③事故または自殺
B④〝内出血〟犯罪
C純密室（二つ目の〝みなす〟が偽）
CⅠ時間的偽り（R＝Sではない）
C⑤時間差密室（＋）R∧S
C⑥時間差密室（－）R∨S
CⅡ空間的偽り
C⑦逆密室（＋）死体を運び込む
C⑧逆密室（－）死体を運び出す
？（どちらの〝みなす〟も真だが犯人の威力が密室内の被害者に及ぶ）
C⑨超純密室

※引用者註：分類名だけ載せたので誤解を招く点がある。例えば、「B④〝内出血〟犯罪」は、「被害者のみ密室に出入りした」タイプであり、内出血犯罪は代表例として挙げているに過ぎない。

この分類でおかしいのは、「**C**⑨超純密室」の扱いだろう。犯人の威力が密室内の被害者に及ぶならば、「どちらの〝みなす〟も真」とは言えない。おそらく、自作「高天原の犯罪」を〝超純密室〟と命名して特別扱いしたかったのだろうが、分類上は欠点になってしまった。

もう一つの欠点は、「犯行後も犯人は密室内に留まっている」というトリックの扱い。「犯行後に犯人は密室を脱出したと〝みなされる〟」が偽なので、天城の分類から外れている。実は、天城には「犯行後も犯人は密室内に留まっているが、鏡を使って第一発見者の目を逃れる」というトリックの作品がある。天城分類だと、このトリックは「どちらの〝みなす〟も真だが犯人の威力が密室内の被害者に及ぶ」なので、「C⑨超純密室」になり、「高天原の犯罪」と同格になってしまっているのだ。

我孫子武丸が『8の殺人』（一九八九年）で提示した分類は、「乱歩は三つに分類していますが、僕は四つに分けてみました」というもの。

A犯人は確かに中に入って被害者を殺し、出た（時間差や鍵の細工、等）。

B他殺のように見えるがそうではない。

C犯人は確かに中に入って被害者を殺したが出なかった。

D犯人は中に入らずに殺した（遠隔操作や被害者が外にいた）。

シンプルだが、「犯人がいない＝B」、「犯人がいる／密室に入っていない＝D」、「犯人がいる／密室に入った／犯行後に出た＝A」、「犯人がいる／密室に入った／犯行後に出ていない＝C」と、網羅性を持っていることは評価できる。

作中の殺人は、〝カーの分類にないトリック〟だと探偵役は言い、それは間違いではない。ただし、カーの見落としではなく、『三つの棺』という作品の中では触れることができないトリックだったのだ。おそらく我孫子は、わかって言っているのだろう。

依井貴裕『記念樹』（一九九〇年）の分類は、以下の通り。

A抜け穴密室（開いた箇所のある密室）

①犯人が近距離から殺したと思われる場合。
②心理的に盲点となっている抜け穴。
③人間には使用不可能な抜け穴。

B 監視密室（出入り口が監視された密室）
①死亡時刻をずらす。
②被害者自身に変装する。

C 完全密室（物理的に閉ざされた密室）
①犯人が錠を閉めた（内側から施錠した場合／外側から施錠した場合）。
②被害者が錠を閉めた。

密室が完全かどうかによる分類は既にあるが、「誰が施錠したか」という観点からの分類はユニーク。この分類だと、「内出血密室」と「他殺に見せかけた自殺」が同じ項目に分類されるわけである。また、監視による密室を独立させたのも分類上は適切と言える。わからないのが**A**①。開口部ごしに殺して近距離からの攻撃に見せかけるトリックらしいが、開口部があるなら、そこから侵入して実際に近距離から殺せるのでは？　仮に、人間が出入りできない開口部なら、**A**③に含まれるのでは？

山口雅也の『13人目の探偵士』（一九九三年）は、乱歩の三つの分類を踏襲しているが、考察にあたり、密室殺人の構成要素を〈被害者〉、〈犯人〉、〈部屋〉の三要素とし、副次的に〈兇器〉を加えている。その上で、「ほとんどの密室事件は、犯人、被害者、そして副次的には兇器、――の三要素が、殺人のあった時点で〈部屋〉とどう関わっていたかで、そのタイプが決まってくる」としている。興味深い指摘だが、よく似た天城一の密室の定義と比べると、〈時間〉の要素が抜けているため、「殺人のあった時点」の定義があいまいになっている。

二階堂黎人の『悪霊の館』（一九九四年）では、乱歩の分類が不充分であることを指摘し、三つの観点から分類している。

Ⅰ密室の構成方法による分類

A鍵の施錠に関する方法等で密室を構成するもの。

B殺人手段に関する方法等で密室を構成するもの。

C犯人及び被害者の部屋の出入りで密室を構成するもの。

Ⅱ密室の性質による分類

A犯人が独力で密室を構成できる場合。

B機械や動物の手を借りて密室を構成する場合。

C共犯者や被害者自身の手を要して密室を構成する場合。

D被害者の自殺や偶然が密室を構成する場合。

Ⅲ密室の形式による分類

A心理的な錯覚による密室。

B機械的な作為による密室。

C物理的な偽装による密室。

詳細な分類はⅠだけだが、いかにも密室ものの作者らしい巧い基準になっている。欠点は、複数の項目に含まれる作例が出てしまうこと。例えば、**B**に属する「他殺を装う自殺」トリックは、**A**の「被害者自ら施錠したもの」にも属してしまう。

小森健太朗(こもりけんたろう)の『ローウェル城の密室』(一九九五年)の分類は以下の三項目。

A完全な密室……人も兇器も密室の境界を渡っていない。

B不完全な密室……人あるいは兇器が密室の境界を渡っている。

C錯覚によって密室が構成される。

この分類で興味深いのは、〝錯覚利用〟が大項目に格上げされている点。これにより、**A**&**B**と**C**の分類基準が違うので——二階堂分類と同様に——両方の項目に含まれる作例が出るという問題が生じてしまう。小森も二〇〇〇年に発表した評論「密室講義の系譜」の時点では、この問題を自覚していたらしい。私見だが、Ⓒを「密室の完全性を判断する根拠に錯覚がある場合」とすれば、三つがきれいに分かれるのではないだろうか。例えば、ドアを見張っている場合、変装などで見張りを欺くトリックはⒷ、見張りに別のドアを監視させるトリックはⒸというわけである。

柄刀一の「時の結ぶ密室」（二〇〇〇年／『密室殺人大百科 下』収録）の分類は、〝トリック〟ではなく〝トリックの性質〟に関して。二階堂分類のⅢと同じ発想だが、チャートを利用しているのが面白い。島田荘司の〝本格探偵小説のチャート〟にヒントを得たのだろうか？

形式は、縦軸を〈人工性―偶然性〉、横軸を〈心理性―機械性〉として、そこに作例を配置している。このため、例えば、〈人工性〉と〈機械性〉が共に高い作例が多いことがわかる。

さらに、チャートに〈時間軸〉を加えて、三次元にする案も提示している。時間軸の上位にある作品として挙げているのは、折原一と森博嗣の作品。おそらく、下位にあるのは氷を使ったトリックだろう。私が上位に作例を追加するとしたら、ヴィンセント・コーニア、キャサリン・エアード、岡田鯱彦、島田荘司、柄刀一、市川憂人、小島正樹といったところか。動植物の成長を利用する作品が多い（人間も動物）が、地球の自転を利用した作品もある。

有栖川有栖のエッセイ「密室トリックの創り方」（二〇〇三年／『本格ミステリの王国』収録）では、「注意しておきたいのは、こういった『密室講義』の目的は、たいてい『作中のトリックの見破り方』を検証する場面で登場する、ということ。それは読み物としてミステリファンを面白がらせ、作家志望者のトリック創りのヒントになるのだけれど、私は視点を変えて、『トリックの創り方』の側から分類をし直してみたい」と前置きしてから、〝密室の謎〟を以下の七つに分けている。

①犯人がどうやって室外から室内の施錠ができたのかが謎。②犯人がどうやって室外から室内の被害者を攻撃できたかが謎（思いがけない空間から思いがけない凶器で殺害する等）。③犯人がどうやって現場を監視していた者の目を欺けたかが謎（鍵や門がかかっていなくても、その部屋が信頼すべき人物やビデオカメラの監視下にあれば密室と認定されるため）。④自殺や事故の痕跡がどうやって消えたかが謎（氷の短剣で自殺して他殺に偽装する等）。⑤密室が破られた時、犯人が室内のどこにどうやって隠れていたかが謎（最も素朴な解答はドアの陰）。⑥犯人が足跡などの痕跡をどうやって偽装したかが謎（偶然が不思議な痕跡を作ってしまう場合もある）。⑦本当の犯行時間と見かけ上の犯行時間がどうしてずれたかが謎（アリバイ工作のために犯行時刻を実際より遅く偽装したところ、その時間帯に現場が密室状態になった等）。

分類の狙いは二階堂分類Ⅰと同じだが、作家の資質の違いにより、かなり異なる分類になっている点が興味深い。

深水黎一郎（ふかみれいいちろう）の『エコール・ド・パリ殺人事件』（二〇〇八年）の分類は以下の通り。

A犯行時、被害者も犯人も室内にいた場合

A❶犯人は部屋の中に入り、犯行を行い外に出た。

A❷犯人は中に入り、犯行発覚時にも中にいた。

B犯行時、被害者のみが室内におり、犯人は室内にいない場合

C犯行時、犯人も被害者も室内にいない場合

C❶犯行時、犯人も被害者も室内におらず、被害者が施錠した場合。

C❷犯行時、犯人も被害者も室内におらず、犯人が施錠した場合。

乱歩の分類を微妙に変えているのに気づいただろうか？　実は、これが作者のトリック。本作のトリックは乱歩分類には含まれるが、深水分類では含まれなくなるのだ。

三津田信三の『密室の如き籠るもの』（二〇〇九年）の分類は以下の通り。

A犯行時、室内に被害者だけがおり、犯人はいなかったもの。

B犯行時、室内に犯人と被害者がいたもの。

C犯行時、室内に犯人も被害者もいなかったもの。

これも乱歩の分類を微妙に変えているのに気づいただろうか？　この変更により、四番目の分類Dが生まれ、それが真相だったのだ。

鴨崎暖炉の『密室黄金時代の殺人』（二〇二二年）は、「密室殺人の裁判ではトリックを解明しないと被告を有罪にできない」というパラレルワールドでの物語。法務省が「密室状況を構築するためのトリック等の分類」を行った結果、「密室トリックは大きく分けると、たった十五種類しか存在しないということになっ」て、その十五種類は以下の通り。

①施錠に使った鍵を扉の下などの隙間から室内に戻す。②扉の内側にある鍵のツマミを何らかの方法によって回す。③隠し通路から脱出する。④蝶番を外して取り外した扉を後から取り付ける。⑤被害者が自ら鍵をかけた。⑥犯人が部屋の中に隠れていた。⑦密室状態でない部屋を密室だと勘違

いしていた。⑧実際に密室であった場所と死体発見現場が別。⑨合鍵を使う。⑩死体発見時のどさくさに紛れて鍵を室内に入れる。⑪室内に残された鍵はダミーで後から本物の鍵とすり替える。⑫早業殺人。⑬部屋が密室状態になる前に既に被害者は死んでいた。⑭密室の中にいる被害者を部屋の外側からの攻撃によって殺す。⑮密室の中にいる被害者を部屋の内側からの攻撃によって殺す。

とてもお役所が作ったとは思えない分類。お役所なら、例えば④はこう書くだろう。

④扉、窓、その他の出入り可能な開口部を遮る物体を外し、犯行後に再び取り付ける（例・蝶番を外して扉を外す）。

他にもチェーンロックやカードキーや生体認証やパスワードによる密室が無視されているとか、いくらでも文句はつけられる。——が、作者は最初から網羅性や完全性は気にしていないのだろう。これまで取り上げた分類者のように、過去の分類を研究してよりよいものを新たに作ろうという気概が感じられないからだ。つまり、本作における密室分類は〝ギミック〟——この場合は雰囲気作りの道具——に過ぎない。既に一部の作品では、〈読者への挑戦〉は、〝フェアプレイ宣言〟から〝ギミック〟に変わっているが、本作では、〈密室分類〉がそうなっているわけである。

最後は、**飯城勇三**の分類を。ここまで他人の分類にあれこれ言ってきた以上、私自身の分類も記しておくべきだろう。私の分類は、天城分類に以下の三つの改訂を加えたものになる。

❶「🅲⑨超純密室」の特別扱いをやめ、「証人誤認密室」として🅰の「不完全密室」に入れる。

❷「犯行後も犯人は密室内に留まっている」というトリックを「隠れ蓑密室」と名付け、Ａに追加する。これは私が一九九四年にEQⅢ名義で発表した案で、天城一が面白がって、『天城一の密室犯罪学教程』の自作解説で触れてくれた。

❸小森分類で挙げた「密室の完全性を判断する根拠に錯覚がある場合」をＤとして新たな項目を立てる。

　このＤを追加することによって、叙述や特殊設定を利用した密室トリックを含めることができる。例えば、念力の存在する設定下では、まず、「念力でできること／できないこと」が明示されてから、「この密室は念力では作れない」ことがわかり、密室状況が生じる。そして、解決が「念力でできること」だけでなされていればＣ、「念力でできること／できないこと」に関して錯覚があった場合はＤに分類されるわけである。さらに、監視システムや認証システムそのものに細工をするトリックも、Ｄに含めることができる。

　ミステリ作家は常に先例を意識しているが、Ｊ・Ｄ・カー以前は、自分が過去に読んだ本を参照するだけだった。しかし、カーが密室トリックのＤＢ化を行い、共有できるようにしたために、読書量が乏しい作家も読者も、豊富なＤＢを持つことができるようになった（カーター・ディクスンの『ユダの窓』は未読だがトリックは知っている読者がどれだけ多いことか）。これにより、本稿で取り上げた〝密室講義を組み込んだ密室ミステリ〟というサブジャンルが生まれ、密室ミステリは驚異的な成長を遂げることになった。もちろん、作中に密室講義が出て来なくても、作者がトリック分類を意識していることは言うまでもない。

　たった一度の講義が、密室ミステリの繁栄を生み出したのだ。

コラム2 WHY

密室はなぜ作られる?

密室作成動機の分類

このコラムでは、犯人が密室を作成する動機の分類を紹介しよう。密室トリックの分類に比べて項目名だけではわかりにくいので補足したものもある。また、項目番号は①〜に統一した。

密室の作成動機の分類も、一般には**J・D・カー**が第一号とされている。作品はカーター・ディクスン名義で一九三四年に出た『白い僧院の殺人』。ここでカーは以下の①〜③の動機を挙げ、さらに、一九三七年の『孔雀の羽根』では、④を追加している。

①自殺に見せかけるため。
②幽霊などの超自然による殺人に見せかけるため。
③犯人は密室にする気はなかったがアクシデントが生じて密室状況が生まれた(予期せぬ降雪など)。
④犯人が不可能性で法的に守られようとしたため(検察は被告が犯行可能であることを証明しないと有罪にできない)。

Column

まず②は、現在ではあり得ない動機だと感じる人が多いと思う。だが、英米でも戦前の地方などでは、警察関係者も含めて、幽霊を信じていたらしい。

注目すべきは④で、この動機が、**鴨崎暖炉**の『密室黄金時代の殺人』（二〇二二年）に結びつくことになる。密室状況を「犯人は現場に近づくことができなかった」と解釈すれば、裁判ではアリバイと同等の扱いになる、というわけ。こちらの作品では、〝密室の完全性が証明されれば裁判で被告を有罪にはできない〟という法律が存在している。

ただし、現実問題として考えると、アリバイと密室は同等ではない。無実の容疑者ならば、犯行時刻に自分がどこにいたか知っているので、アリバイの証明は可能だろう。しかし、例えば、「第一発見者は窓が内側から施錠されていたと証言したが、これは偽証でも記憶違いでもない」というのは、誰が、どうすれば証明できるのだろうか？　無実の容疑者には不可能だし、警察はそんな証明に労力は割かないに決まっている。一方、犯人の立場からすると、警察が見抜けないトリックを案出するだけでは不充分で、〝自分が案出したトリック以外のどんなトリックでも作ることができない不可能状況〟を案出する必要がある。そんなことに頭を使うくらいだったら、後出の高木彬光分類の「アリバイを作るための密室」を考えた方が良いではないか。もちろん、世の中には「俺の考えた密室は完璧なので、検察は起訴に持ち込めないに違いない」と考える犯人がいてもおかしくないし、「実際に使われた密室トリックを特定するまでは起訴しない」と考える検察関係者がいてもおかしくない。だが、法制化をするならば、「検察は実際に使われた密室トリックを特定する必要はなく、密室を作り出す方法が一つでも存在することを証明すれば起訴できる」という条文にしないとおかしいのではないだろうか？　仮に、検察が考えたトリックが実際に使われたトリックと異なっていたとしても、犯人以外にはそれを指摘できないのだから。

カーの分類に挑んだのは、またしても**高木彬光**。彼の分類（初出一九五〇年／『随筆 探偵小説』収録）は、以下の五項目からなる。

①自殺と見せかけようとする場合。
②犯罪に怪奇な超自然的な色彩を帯びさせようとする場合。
③予期せぬ密室。
④アリバイを作るための密室。
⑤犯罪の場の決定。

①〜③はカーの流用。④はカーの④と似ているが、同じではない。カーの④は「誰が犯人でも密室状況」を作る動機だが、高木は「犯人にとってのみ密室状況」を作る動機だからだ。カーの場合は起訴されないため、高木の場合はそもそも自分が疑われないいため、というわけである。高木は作例としてヴァン・ダイン作品を挙げているが、クイーンの初期長篇や、カーのいくつかの長篇の方が作例にふさわしいだろう。

⑤は、警察や探偵に、「密室内に死体があればそこが犯行現場だ」と思わせるため。かなり不自然な動機だが、これは、高木がある長篇で、坂口安吾に「犯人が密室にする必然性がない」という意味の批判をされ、その長篇の改稿時に追加した動機だからだろう（安吾との応酬は、実際にはもっと複雑な経緯があるので、興味のある人は、刊行予定の拙著『本格ミステリの構造解析』を読んでほしい）。

麻耶雄嵩の『翼ある闇』（一九九一年）での分類は以下の七つ。

①自殺に偽装するため。
②特定の人物を疑わせるため（唯一部屋の鍵を持っている

者、もしくは『ユダの窓』のようにそのとき一緒に室内にいた者が犯人と目されるようにするため）。

③犯罪の立証を妨げるため。

④全くの偶然であり犯人に密室構成の意図はなかった。

⑤密室には何ら意味も必然性もなく、ただ犯人の虚栄心を満足させるために作成した。

⑥職業的義務感による場合（犯人がディクスン・カーや小栗虫太郎などであった場合。職人気質が災いして、つい密室を作ってしまった）。

⑦この場にふさわしい状況づくり（密室を得意とする名探偵をおびき出すため等）。

麻耶の①と③と④は、それぞれカーの分類の①と④と③に対応。カーの②をカットしたのは、現在の警察は幽霊など信じていないからだろう。麻耶が代わりに追加した②は、カーが『ユダの窓』などの実作では使っているが、分類には入れていなかった動機。おそらくカーは、『孔雀の羽根』の執筆時点では、まだ『ユダの窓』のプロットができていなかったのだろう（深読みをすると、「密室を作成した動機」ではなく、「密室に隙を作った動機」なので外したとも考えられるが……）。⑤は江戸川乱歩の通俗ものなどに親しんだ日本人なら納得できるが、ジェフリー・ディーヴァーがデビューしていない一九三七年当時のカーには思いも寄らない動機。日本ではさらに、「密室トリックを案出するレギュラー犯罪者＋それを実行する事件関係者」という分業まで生まれている。前者の動機は⑤、後者の動機は③だろう。⑥は「密室ものを書くのが好きな人なら密室殺人をやってもおかしくない」という——ウィリアム・ブリテンの「ジョン・ディクスン・カーを読んだ男」みたいな——ギャグだが、これをギャグに終わらせない作品を笠井潔が書いている（後述）。⑦は本ガイドの第二部を読んだ人なら理解できると思う。また、例として挙げられている「名探偵のおびき出し」は——密室に限定しなければ――クイーンや高木彬光に作例がある。

二階堂黎人（にかいどうれいと）の『悪霊の館』（一九九四年）では、コラム1で紹介した密室分類と併せて動機の分類も行っている。『孔雀の羽根』ではなく、『白い僧院の殺人』から三つの大分類を引用しているのだが――

①自殺に偽装するため。
②鍵を持っていた特定の人物を疑わせるため。
③犯罪の立証を妨げるため。

と、内容が異なっている。見てわかると思うが、これはカーではなく麻耶の分類（文言もほぼ同じ）。この作品の事件発生年には『翼ある闇』は未刊行なので、作中人物は言及できなかったのだろう。まあ、あとがきか参考資料では触れておくべきだったとは思うが。

この分類は、犯人が〝意図的に〟密室を作成した理由の分類なので、麻耶の④はカット。さらに二階堂は、四つ目を追加しているが、これは麻耶の⑦と重なり合う。

④密室自体が欺瞞の構成の一端を担う要素だったため。

他に注目すべきは、分類から除いた「密室を作って見せびらかしたいとかいったような、犯人の狂った虚栄心みたいな」動機（麻耶の⑤と同じ）。作者は後続の長篇では〈魔王ラビリンス〉のような劇場型犯罪者を登場させ、狂った虚栄心による密室殺人を行わせているからだ。どうやら、『悪霊の館』の執筆時点では、この設定を自分が使うことになるとは想定していなかったらしい。

大山誠一郎（おおやませいいちろう）の「理由（わけ）ありの密室」（二〇一二年／『密室蒐集家』収録）では、九つの動機が挙げられている。

①自殺か事故死に見せかけるため。
②その密室に出入り可能だった人間、あるいはその密室に被害者とともにいた人間に嫌疑をかけるため。
③密室を作ることによって、犯罪の立証を妨げるため。
④被害者の死体発見を遅らせるため。
⑤密室現場が犯行現場だと思わせるため。
⑥密室トリックを思いついたので試してみたかったというもの（自己顕示欲や虚栄心に基づくもの）。
⑦真の密室であることを隠すため。
⑧密室の作成に伴うある行為こそが、犯人の真の目的だったというもの。
⑨密室蒐集家（本短篇集の探偵役）を呼び寄せるという理由。

この分類もまた、麻耶分類を参照したと思われる。

ただし、犯人が〝意図的に〟密室を作成した理由の分類なので、やはり、麻耶の④はカットされている。①〜③は同じで、⑥は麻耶分類の⑤。そして、⑤は麻耶ではなく高木分類の⑤、⑨は麻耶分類の⑦と重なるが、④⑤⑦⑧⑨は麻耶分類の⑦を細分化したとも言える。

この中で興味深いのは⑦。「被害者は密室内で自殺（真の密室）。自殺では保険金が下りない等の理由で、遺族が他殺に見せかけようとする。ただし、第三者が現場が密室だったことを証言してしまったので、このままでは他殺に見せかけることができない。そこで、殺人者が密室トリックを使った痕跡（こんせき）を残して、他殺説が成立するようにする」といった例が挙げられている。こういった真偽のねじれた構図はクイーン作品などに先例があるが、密室では思い浮かばない。柄刀一（つかとうはじめ）の『密室キングダム』と深水黎一郎（ふかみれいいちろう）の『エコール・ド・パリ殺人事件』が近いかな。

もう一つ、⑧も興味深い。「犯行現場に残してしまった手がかりをカモフラージュするために見立ての工作を行う」という動機は珍しくないが、これを密室に応用したのは大山誠一郎が第一号ではないだろうか。

西尾維新(にしおいしん)の「掟上今日子の密室講義」(二〇一五年/『掟上今日子の挑戦状』収録)での分類は、以下の六つ。

①「事件を隠蔽するための密室」。出入り不可能な密室の中に、死体を閉じ込めてしまえば、まず事件が発覚しない。パターン違いとして、死体を自分の手の届かないように隠そうとした現実逃避の密室。

②「たまたま成立した密室」。犯人が意図したわけではなく、偶然の要素が重なることによって、事件現場が密室「みたい」に見えてしまったというケース。

③「自殺に見せかけるための密室」。

④「密室のための密室」。密室を作ってみたかったから密室を作ったという、愉快犯的な犯行。

⑤「不可能犯罪の密室」。誰にも犯行が不可能な状況を作り出すことによって、事件そのものの迷宮入りをもくろむ。

⑥「その他の密室」。①〜⑤に当てはまらない密室。異世界の密室と言ってもいいような密室。

⑥は網羅性(もうらせい)を持たせるための項目なので、実質は五つ。その中の②〜⑤は他の分類と同じなので、注目すべきは①となる。大山分類の④よりも、もっと長く、半永久的に隠すらしい。ありそうな動機ではあるが、内側からトリックを使って鍵をかけると隠蔽できるが、外から鍵をかけてその鍵を隠すと隠蔽できないのは、どんな場合なのだろうか?

コラム1で紹介したカーの密室講義を行っているのはフェル博士。これに対して、『孔雀の羽根』の密室作成動機の分類は、もう一人の名探偵、H・M卿が行っている。なぜカーは、講師を交代したのだろうか？　答えは、密室講義を読めばわかる。この中でフェル博士は、「われわれは探偵小説の作中人物である」と宣言して、〝作中の密室トリックは作中人物ではなく作者が考えたもの〟という前提で分類を行っている。だとしたら、作中人物が密室を作成した動機の考察は意味がない。無理にやろうとすると、「密室ものを描きたい作者が、作中人物に密室トリックを使わせるために、どんな動機を用意したか」という不格好な考察になってしまう。カーはこの問題を避けるために、自分が探偵小説の作中人物であるとは思っていないH・M卿に講師を任せたわけである。カーは、トリックの考察は作外レベル、動機の考察は作中レベル、と、きちんと使い分けていることがよくわかる。

ところが、「作者が密室ミステリを書く動機」の方を考察し、その考察を「作中人物が密室を作成する動機」に当てはめるという離れ業をなしとげた作品が存在する。それが、**笠井潔**の『哲学者の密室』（一九九二年）に他ならない。

笠井の〈大量死理論〉は、第一次世界大戦後に本格ミステリが栄えたのは、〝大量破壊兵器などによって失われた「個人の尊厳ある死」を、犯人の狡猾なトリックと探偵の緻密な推理という二重の光輪によって復権させるためだった〟というもの。つまり、『哲学者の密室』では、作中の犯人も、〝個人の尊厳ある死〟のために、密室を作成しているのだ。前述の麻耶分類の⑥は、「密室ものを書くのが好きな人なら密室殺人をやってもおかしくない」という考えだが、笠井は「作者が『個人の尊厳ある死』のために密室ものを書くなら、作中人物が『個人の尊厳ある死』のために密室殺人を犯してもおかしくない」と言っているわけである。

これは、ここまで紹介してきた密室作成の動機とは次元が異なっている。他の動機は犯人が自覚しているが、こちらは自覚しているとは限らないからだ。「犯人が自覚していない動機」を推理で解明するのが難しいことは言うまでもない（本格ミステリでの成功例は、クイーンの『十日間の不思議』くらいしかないのでは？）。ところが、笠井は作中犯人に〝ハイデガー哲学に挑む者〟という設定を与えて動機を自覚させ、やはり〝ハイデガー哲学に挑む者〟である作中探偵・矢吹駆に動機を推理させることに成功したのだ。

　笠井潔以外でこの難題に挑んだのが**芦辺拓**で、作品は二〇〇四年の『紅楼夢の殺人』。〝戦争〟という設定を使わずに、〝個人の尊厳ある死〟が失われた世界を作り出し、その世界での密室殺人を描くことに成功している（ただし、密室作成の動機ではあるが、犯人の動機とは……モゴモゴ）。また、**天祢涼**の『空想探偵と密室メイカー』（二〇一一年）も、笠井理論をかなり俗っぽくアレンジしたかのような密室作成の動機を描いている――が、どこまで意識しているかはわからない。

　J・D・カーにとって、密室作成の動機はそれなりの口実を用意しておくだけで充分だった。というのも、「犯人は密室を作るつもりはなかったが、予期せぬ降雪があったので密室になった」という理由に対して、「雪が降る可能性が少しでもある日を実行日にすべきではない」とか、「雪が降ったら計画は中止するか練り直すべきだ」とか、「雪に影響されない別の（偽の）犯人脱出ルートを用意しておくべきだ」といった批判をする評論家や読者がいなかったからだ。

　だが、日本は違う。高木彬光のある長篇に対して坂口安吾が「犯人が密室にする必然性がない」という意味の批判をして、鮎川哲也は「赤い密室」の中で名探偵に「いってみれば作者が密室トリックを思いついたから、それを誇りたいために密室小説を書くのが大部分さ」と皮肉を言わせ、都筑道夫は『黄色い部屋はいかに改装されたか？』の中で、必然性のないトリック小説を「昨日の本格」と評している。

このため、日本の本格ミステリ作家は、密室作成の動機を強く意識せざるを得なくなった。いや、それだけではない。「犯人には密室を作る意図はなかった」という消極的な動機から一歩進み、「犯人の計画には密室が必要だった」という積極的な動機を案出するようになったのだ。本稿で紹介した分類で日本作家が追加したものは、ほとんどが、この〝積極的な動機〟になっていることがわかると思う。そしてまた、本書のベスト50の国内作品のガイドを読めば、〝積極的な動機〟がいくつも出て来ることもわかると思う。

「日本の本格ミステリのレベルは世界一」と言われることが多いが、この「密室作成の動機」への日本作家のさまざまな取り組みは、その言葉の正しさを証明しているように見える。

コラム3 WHAT

密室ミステリ・NEXT50

次点50作

ここでは「ベスト50」ではなく「ベスト100」を選んだ場合に追加される作品を紹介します。やはり、「トリックを明かして考察したい魅力を持つ作品」を選びました。

［略称］HM文＝ハヤカワ・ミステリ文庫／ポケミス＝ハヤカワ・ポケット・ミステリ

海外篇NEXT20

1 コナン・ドイル「くちびるのねじれた男」
（1891、『シャーロック・ホームズの冒険』所収・訳書多数）

――「まだらの紐」をトリックを明かして考察するのはいかがなものかと思ってこちらに。

2 イズレイル・ザングウィル『ビッグ・ボウの殺人』
（1891、HM文 他）

――作者が序文で語るフェアプレイや密室に対する矜持と、本文でのその実践の見事さ。

Column

3 **ガストン・ルルー『黒衣夫人の香り』**（1909、HM文 他）

——プロットに無理がある『黄色い部屋』よりも、「密室の中の余分な肉体」に挑んだ本作を。

4 **G・K・チェスタートン「見えない男」**（1911、『ブラウン神父の童心』創元推理文庫 他所収）

——拙著『本格ミステリ戯作三昧』で六ページにわたって考察したので次点に。

5 **ロナルド・A・ノックス「密室の行者」**（1925、新版『世界推理短編傑作集4』創元推理文庫 他所収）

——提示される謎は「なぜ食べ物があるのに餓死したか」であって、「密室」ではないのだが……。

6 **ロジャー・スカーレット『エンジェル家の殺人』**（1932、創元推理文庫 他）

——エレベーターという動く部屋を利用した秀逸な密室トリック。

7 **C・デイリー・キング「〈第四の拷問〉」**（1934、『タラント氏の事件簿』創元推理文庫 他所収）

——「オカルト現象を合理的に解明する」タイプの傑作。高木彬光も鮎川哲也もジュニア物でパクっている。

8 **マックス・アフォード『闇と静謐』**（1937、論創社）

——「犯行が不可能な空間」を——（以下、この本の大山誠一郎の解説を参照）。

9 **ルーパート・ペニー『警官の証言』**（1938、論創社）

——密室トリックと叙述（「叙述トリック」ではない）の巧妙な連携。

10 **クレイグ・ライス「胸が張り裂ける」**（1943、『マローン殺し』創元推理文庫 他所収）

——密室マニアが思いつかないような自然な密室トリックとそのヒントの巧さ。

11 **ヘイク・タルボット『魔の淵』**（1944、ポケミス）

——「商取引のための降霊会」等の手の込んだ口実で戦前の密室ものの作風を復活。

⑫トマス・フラナガン
「玉を懐いて罪あり（北イタリア物語）」

（1949、『アデスタを吹く冷たい風』HM文 他所収）

――不可能犯罪をただ解決するだけでは不充分。もっと大事なことは……という話。

⑬レイモンド・チャンドラー
「ビンゴ教授の嗅ぎ薬」

（1951、『トラブル・イズ・マイ・ビジネス』HM文 他所収）

――評論「むだのない殺しの美学（簡単な殺人法）」の実践篇。

⑭ホルヘ・ルイス・ボルヘス
「アベンハカン・エル・ボハリー、おのが迷宮に死す。」

（1951、『アレフ』岩波文庫 他所収）

――作中人物曰く「ザングウィルの密室を思い出すといい」。

⑮アイザック・アシモフ『はだかの太陽』
（1957、ハヤカワ文庫SF 他）

――人との接触がない異世界設定と三原則を組み込まれたロボットという特殊設定の合体。

⑯ジャック・リッチー「クライム・マシン」
（1961、『クライム・マシン』河出文庫 他所収）

――まさか、密室トリックをこんなことに使うなんて……。

⑰アーサー・ポージス「悪魔はきっと来る」
（1963、『八一三号車室にて』論創社 他所収）

――「足跡」に対する読者の思い込みを逆手にとった、〝アメリカの鷲尾三郎〟による作品。

⑱ウィリアム・ブリテン
「ジョン・ディクスン・カーを読んだ男」

（1965、『ジョン・ディクスン・カーを読んだ男』論創社 他所収）

――密室トリックの案出がすべてとなり、それ以外を捨ててしまった作家と読者へのレクイエム。

⑲スティーヴン・バー「最後で最高の密室」
（1965、『天外消失』ポケミス 他所収）

――「それをやったらおしまいよ」トリックだが、柄刀一や山口芳宏が終わりにしなかった。

20 ドナルド・E・ウェストレイク「鍵のかかったドア」
（1977、『殺人はお好き？』ハヤカワ・ノヴェルズ所収）

――才人による密室もののパロディ。〈隠れ蓑密室〉（コラム1参照）の傑作。

国内篇NEXT30

1 江戸川乱歩「屋根裏の散歩者」
（1925、収録書多数）

――倒叙で密室ミステリをやっているが、そう思っていない読者がけっこういるので。

2 小栗虫太郎「聖アレキセイ寺院の惨劇」
（1933、『法水麟太郎全短篇』河出文庫 他所収）

――初読の際（中学生）に自分で図を描いて、ようやく理解できた時の感動が忘れられずに。

3 海野十三「点眼器殺人事件」
（1934、『獏鸚』創元推理文庫 他所収）

――バカミスと言う勿れ。医学的にはあり得るらしいし、よく似たアイデアを用いた海外短篇もある。

4 大坪砂男「立春大吉」
（1949、『立春大吉』創元推理文庫 他所収）

――日本の傑作密室ミステリ長篇にヒントを与えたと思われる傑作密室ミステリ短篇。

5 島久平『硝子の家』
（1950、『本格推理マガジン 硝子の家』光文社文庫 他）

――現在ではメインの密室トリックよりも、サブの衆人環視下での転落トリックの方が上かな。

6 山田風太郎「帰去来殺人事件」
（1951、『帰去来殺人事件』河出文庫 他所収）

――途方もない不可能状況（狭義の密室ではない）を実現可能なトリック（奇想ではない）で成立。

Column

7 加田伶太郎（福永武彦）**「完全犯罪」**

（1956、『完全犯罪 加田伶太郎全集』創元推理文庫 他所収）

――考察したい点は多々あるが、都筑道夫と法月綸太郎の名解説にそれを言われてしまった。

8 笹沢左保『霧に溶ける』

（1960、祥伝社文庫 他）

――個々のトリックよりも、それと連携する犯人と被害者の構図がすばらしい。

9 土屋隆夫「密室学入門」

（1961、『粋理学入門 判事よ自らを裁け』創元推理文庫 他所収）

――作中人物曰く「推理小説の歴史の中で、密室作品と呼び得るものは、一つも存在しなかった」。

10 星新一「女性アレルギー」

（1961、『エヌ氏の遊園地』新潮文庫 他所収）

――この作品、シンプルでスマートすぎて気づきにくいが、良くできた密室ものになっている。

11 西村京太郎『名探偵に乾杯』

（1976、講談社文庫 他）

――他作家の名探偵の顔を立てつつ、自前の名探偵を巧く使って、密室にひねりを加えている。

12 連城三紀彦「ある東京の扉」

（1978、『変調二人羽織』光文社文庫 他所収）

――作中人物曰く「東京という名の巨大な密室」。

13 竹本健治『匣の中の失楽』（1978、講談社文庫 他）

――残念ながら、『虚無への供物』には及ばず次点に。

14 島田荘司『斜め屋敷の犯罪』

（1982、講談社文庫 他）

――「密室トリックのためにそこまでやるか」という言葉は、普通は作者に向けられるのだが……。

15 折原一「やくざな密室」

（1988、『七つの棺 密室殺人が多すぎる』創元推理文庫 他所収）

――クイーンの『帝王死す』を偶然と必然で実に巧みにアレンジ。

16 山田正紀『人喰いの時代』

（1988、角川春樹事務所 他）

——連作の最後の一作で、これまでの不可能犯罪を……という趣向の成功作。

17 倉知淳『星降り山荘の殺人』（1996、講談社文庫 他）

——密室トリックを、謎を生み出すためではなく、消去法推理のひねりのために用いている。

18 小林泰三『密室・殺人』（1998、創元推理文庫 他）

——基本アイデアが似ている他作家の作品をベスト50に入れたので次点に。

19 霞流一『首断ち六地蔵』（2002、光文社文庫 他）

——単なる「密室の物量作戦」かと思っていたら、最後の一篇で……。

20 瀬名秀明「モノー博士の島」（2005、『第九の日』光文社文庫 他所収）

——ミステリではおなじみの〈操り〉を、あるハイテクと組み合わせた21世紀不可能犯罪。

21 歌野晶午『密室殺人ゲーム王手飛車取り』（2007、講談社文庫 他）

——犯人がメリットがなく効率も悪いトリックを用いる理由に新たな境地を開いた。

22 深水黎一郎『エコール・ド・パリ殺人事件 レザルティスト・モウディ』（2008、講談社文庫 他）

——エコール・ド・パリの名画の数々がからむ密室作成動機のねじれっぷりがすごい。

23 山口雅也「だらしない男の密室」（2009、『キッド・ピストルズの醜態』光文社文庫 他所収）

——密室の謎に見事な解決を示した後に、それをさらにひっくり返す巧妙なプロット。

24 三津田信三「密室（ひめむろ）の如き籠るもの」（2009、『密室の如き籠るもの』講談社文庫 他所収）

——事件関係者が誰も聞きたがらない密室講義を探偵役が懸命に語って解決に結びつける手際に。

25 小島正樹『扼殺のロンド』（2010、双葉文庫 他）
——最初の不可能状況は、「やりすぎコージー」が（今のところ）最もやりすぎたトリック。

26 白井智之『おやすみ人面瘡』（2016、角川文庫 他）
——手垢にまみれた古典的密室トリックを特殊設定で見事に再生。

27 飯城勇三「世界最短の密室」（2017、『本格ミステリ戯作三昧』南雲堂 所収）
——二行の密室ミステリを短篇に仕立てた手腕を評価してほしい。

28 鳥飼否宇「隠蔽人類の衝撃と失踪」（2017、『隠蔽人類』光文社文庫 他所収）
——DNA認証による不可能状況を、特殊設定を用いて鮮やかに解決。

29 阿津川辰海「透明人間は密室に潜む」（2017、『透明人間は密室に潜む』光文社文庫 他所収）
——「密室＋透明人間」というのは誰でも思いつくが、それを部分倒叙（半倒叙）で描くとは……。

30 蒼井上鷹「解けない密室などない！【理論編】」（2019、『殺しのコツ、教えます』双葉文庫 所収）
——小説形式だが、密室ミステリ・ファン必読の〈評論〉。

こちらはあとがきですが、巻末に置くと、読もうとした人が第二部の未読作を見てしまう可能性があるので、この位置に置きました。

さて、本書の第二部を少しでも読んでくれた人は、これまでとは違う「新しい景色」が見えなかったでしょうか？　密室トリック自体のユニークさ、密室トリックを成立させるための仕掛けの数々、複数の密室トリックの連携、密室トリックを解明する推理、密室トリックを用いる理由、そして、密室を語る理由……。優れたミステリ作家が生み出した優れた趣向の数々がみなさんに伝わったならば、本書の目的は達成できたということになります。

なお、本書の考察は作品単位なので、俯瞰（ふかん）的な視点が欠けているという不満を抱く人もいるかもしれません。そういう人には、間もなく南雲堂から刊行される予定の拙著『本格ミステリの構造解析』をお薦めします。こちらの本が《理論編》、本書が《作例編》と言えますので。

　ではここで、お世話になった方々に感謝の言葉を。

　まず、ガイドの見取り図を描いてくれた、ささきゆか氏（海外全作品と『体育館の殺人』と『黒牢城』）と西園寺いづみ氏（それ以外の全作）に感謝を。二人とも私の指定通りに描いてくれたので、作品との不整合等は、すべて私に責任があります。ただし、第一部の見取り図は、ネタバラシにならないように、あえて嘘を書いている場合もあることをご了承ください。

　また、貴重な資料をいただいた下村三夫氏と町田暁雄氏と山前譲氏、貴重なアドバイスをいただいた大川正人氏、さらに、その両方をいただいた浜田知明氏に感謝します。

　そして、『エラリー・クイーン完全ガイド』に続いて本書の編集を担当してくれた丸茂智晴氏には最大の感謝を。今回は企画を決める段階から、さまざまなアドバイスをいただいたので、その貢献は計り知れません。

　最後はもちろん、本書で――ガイドだけではなくコラムも含めて――取り上げた作品の作者たちに感謝を。「密室ミステリに未来はない」という意見は戦前からありますが、あなた方は、それが間違いであることを証明してくれました。

※ネタバラシ要注意！

第二部　密室ミステリ・ベスト50

解決篇

- 第一部で取り上げた作品を、真相やトリックを明かした上で考察しています。未読作は避けてお読みください。
- ネタバラシの拡散防止のため、以降のページをウェブサイトやSNSなどインターネット上に露出することを固く禁じます。ご協力をお願いいたします。

海外篇ベスト20

1

モルグ街の殺人

エドガー・アラン・ポー

SOLUTION

裏の部屋の窓は釘付けされて開かないように見えたが、実は、スプリング錠でロックされていた。寝台のそばの窓は釘が中で折れているため、ロックを外せば開くのだ。

殺人犯は飼い主の元から逃げたオランウータンで、建物の避雷針をよじ登り、開いた鎧戸につかまって窓から入った。そして、殺人を犯した後は、逆にたどって脱出したのだ。窓はオランウータンが閉めた（と書いてあるが、自然に閉まった可能性も示唆している）ため、自動的にロックされたのだった。

SPECIAL-GUIDE

都筑道夫は『黄色い部屋はいかに改装されたか？』の中で、〝異常な殺人の物語は「モルグ街の殺人」以前にもあったので、ポーの狙いは事件を論理的に解決する物語を書くことだった〟という意味のことを述べている。従って、本作は「密室ミステリ第一号」ではなく、「密室の謎を論理的に解明するミステリの第一号」として評価しなければならない。つまり、名探偵が謎を論理的に解明する姿を描くのが作者の目的であって、読者に「あなたはこの謎を論理的に解明できますか？」と挑戦しているわけではないのだ（それにはエラリー・クイーンの登場を待たねばならない）。

ところが、ポー以降の作家は、本作の「オランウータンが殺人者」という〝意外な真相〟の方だけを重視してしまう。そして、作者が用意した〝意外な真相〟を読者が当てる、という作風が主流になってしまったのだ。本作に対する「読者にデータが提示されていない」という的外れな批判は、こういった、ポーの狙いを理解していない人々によってなされてきた。

ここで、デュパンの論理的推理を見てみると、現在でも通用するレベルであることに気づくと思う。秘密の通路、二つのドア、煙突、表の部屋の窓、と次々に脱出ルートを消去して、裏の部屋の二つの窓に絞り込む。そして、一方の窓で釘を抜いても開かないことからスプリング錠でロックされていることを発見。脱出ルートはもう一方の窓であり、そちらの釘には何か違いがあると考えて調べ、釘が折れているのを発見——と、理詰めで押しまくっている。

一方、トリックの原理は、人間の思い込みを利用した巧妙なもの。「窓が開かない」かつ「窓枠に釘が打ち込まれている」ならば「窓が開かないのは釘のせい」だと、誰でも考えてしまうに違いない。この錯覚を利用した後続のトリックとしては、「ドアに楔を嚙まして開かないようにする」とか、「ドアの隙間を凍らせて開かないようにする」と、いくつもあるので、汎用性のある、優れたトリックと言える。

なお、本作を〈動物を利用した密室トリック〉と見なしている人がけっこういるが、これは間違い。蛇や鳥を利用した密室ミステリでは、蛇や鳥でなければ出入りできないルートを使っているのだが、本作の密室トリックはそうではない。オランウータンでなくても、身の軽い人ならば可能な方法なのだ。

2

奇岩城

モーリス・ルブラン

SOLUTION

ルパンは強盗のために礼拝堂の合鍵を用意していて、そこに逃げ込もうとしたが、重傷のため動けなくなる。追ってきたレイモンドに見つかると、ルパンは「ダヴァルは自分の部下であり、伯爵が（正当防衛で）殺した」と告げ、彼女はそれを信じる。しかも、心優しいレイモンドは、ルパンを礼拝堂に運び込み、合鍵で外から鍵をかけ、不可能状況を作り上げてしまう。さらに、ルパンの手当てや彼の部下との連絡、そして、イジドールたちの捜査の妨害までやってしまうのだった。

SPECIAL-GUIDE

本作の密室トリックは、「犯人（ルパン）の共犯者ではない人物がルパンをかばって不可能状況を作る」というもの。作者は本作を書く際に、G・ルルーの『黄色い部屋の秘密』を意識したと言われており、それを感じさせるトリックである。ただし、大したトリックではないと感じる人は多いだろうし、シリーズ初期の短篇に先例があると指摘する人も多いだろう。

だが、本作は先例とは無視できない違いがある。その初期短篇では、女性はルパンを助ける決断を下す前に交流があり、恋愛感情を抱いていた。ところが本作では、犯行時が初対面なのだ。つまり、レイモンドは、

- 自分が撃った強盗を追いつめると、
- 強盗に「盗みだけで殺人はしていない。秘書

を殺したのはあなたの伯父だ」と告げられ、

- その言葉を信じて強盗をかくまい、
- 強盗の手当てをしつつ彼の仲間と連絡をとり、
- さらに捜査の妨害もした。

ということになる。これは正直言って、理解に苦しむ。そもそも自分の伯父より初対面の強盗の言葉を信じるというのがおかしいし、信じたなら、病院で適切な治療を受けさせるべきだろう（殺人を犯していなければ罪は軽いので）。ルパンは、レイモンドは伯父から〝幾多のささいな屈辱を受けた〟と語るが、そのデータは見当たらない（しかも「ささい」なのだ）。

ただし、本作だけを見るならば、ルパンが女性を惹きつける魅力の持ち主だと読者は知っているので、問題にはならない。また、現実にも、こういう人物はいるだろう。だが、本格ミステリでは、こういう人物は問題になる。例えば、密室のドアを警官が見張っていた場合、この警官が、逃げ出してきた犯人の女性に一目惚れして偽証したり、逃げ出してきた犯人に買収されて偽証したりする可能性まで、読者は考えなければならないのだろうか？　警官が犯人と知り合いだとか、常日頃から賄賂を受け取っていたという設定なしで、読者は真相にたどり着けるのだろうか？　だから本作のトリックは、密室ミステリの土台を揺るがすものなのだ。

なお、ルパンものの他の注目すべき密室ものとしては、前出の「テレーズとジェルメーヌ」と『二つの微笑を持つ女』。それに次ぐものとして、『怪盗紳士ルパン』の「王妃の首飾り」、『ルパンの告白』の「麦藁の軸」、『八点鐘』の「雪の上の足跡」を挙げておこう。

SOLUTION

シャムでは神である白い象。それを旅行中の公証人に冒瀆(ぼうとく)された男は、白象を使って復讐(ふくしゅう)しようとする。まず、貨物便でフランスに持ち込んだ象の足に吸盤をつけ、《死の穴》で飼う。殺人の時は、吸盤を使って穴から出た象がカフェに入り込み、天井に貼り付く。そこから長い鼻を伸ばして被害者を絞殺(こうさつ)。「手の無い腕を下ろせ」は、シャム人の「鼻を伸ばせ」という命令。咆吼(ほうこう)は象の叫び声。雨は鼻で吸い上げた水を噴出したもの。そして、白い天井や雪が保護色となり、白い象は見えなかったのだ。

SPECIAL-GUIDE

本作はカミらしさ全開の作品。まず、〈動物利用の殺人〉というのは密室ものにおいて由緒あるトリックで、普通は「人間が通ることができないルートを動物が利用した」という形で使われている。これに対して、本作では人間よりはるかに大きい〝象〟が、人間の方が容易に通れるルートを利用。しかも、象を使うなら踏みつぶせば良いものを、わざわざ天井に貼り付かせ鼻で絞殺させている。さらに、象が鼻で水を噴出する場面を描いてフェアプレイを担保。

また、吸盤を利用して壁(かべ)や天井から侵入するトリックも——スパイものや怪盗ものほどではないが——ミステリで使われている。しかし、象の体重を支えるほど強力な吸盤ならば、象は疾走などできないのではないだろうか？　さらに、平らな天井ならともかく、深い穴の内壁を吸盤でよじ登ることができるかは疑わしい。それなのに、「大皿の大きさの丸い足跡」のデータを提示してフェアプレイを実施。

そして、保護色のトリックもミステリではおなじみ。最近の作品にも「黒い服を着た黒人は暗闇では見えない」という手が登場している。しかし、村はずれからサロンの天井まで、まったく見えないというのは……(被害者は二人とも白い服を着ていたのか?)。おそらく、作家のほとんどが、どこかで言い訳を入れるだろう(照明が暗いとか、天井には模様はないとか)。しかし、それをやらないのがカミなのだ。

なお、カミのオルメスものでは、「血まみれの細菌たち」の人間消失トリックが大傑作だが、実現可能なので割愛した。

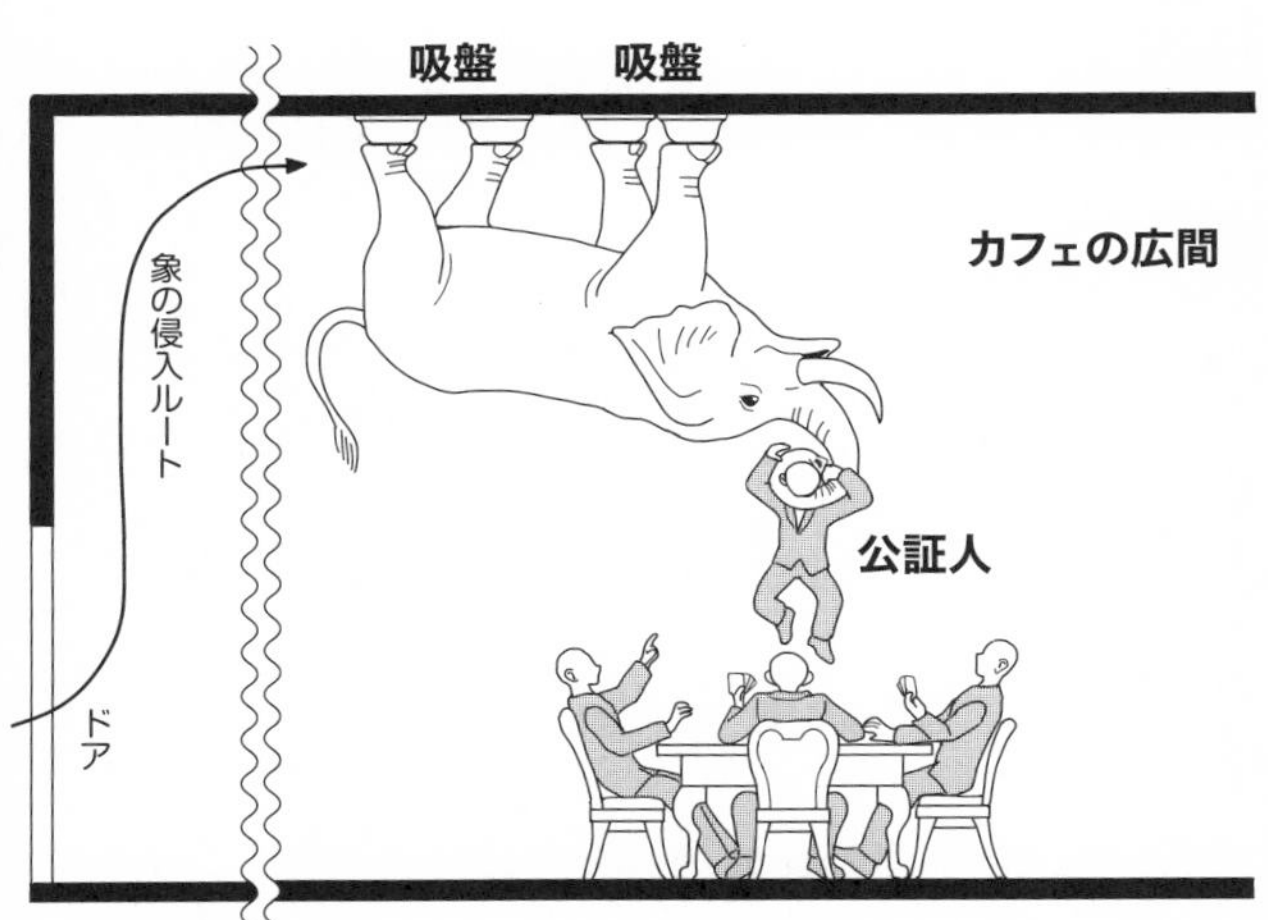

ニッポン樫鳥の謎

エラリー・クイーン

SOLUTION#1

カーレンは自殺であり、それを他殺に見せかける気はなかった。だが、自殺の前に鳥籠から逃がした琉球カケスが——光る物を集めるという習性のために——凶器のハサミをくわえ、窓から飛び出してしまったのだ。

SOLUTION#2

真の犯人はカーレンの婚約者マクルア博士だった。癌の世界的な権威者である博士は、婚約者に末期癌だと思い込ませて自殺に追い込む。そして自分は海外へ出かけ、カーレンが自殺したという連絡を待っていた……。

SPECIAL-GUIDE

密室トリックは、ホームズもの短篇の「凶器を現場から移動して自殺を他殺に見せかける」トリックと、ホームズのライヴァル探偵の短篇の「訓練した鳥を使って貴重品を盗む」トリックの組み合わせ。ミステリ・マニアなら感心はしないだろう。

ただし、〝推理〟の観点からは、感心するに違いない。いくつもの手がかりから被害者が自殺したことを突きとめる推理も、投石などから琉球カケスの動きをトレースする推理も、どちらも実にすばらしい。

しかし、もっとすばらしいのは、このトリックが〝意外な犯人〟を生み出している点。読者は、「カーレンが殺された」と思っている限りは、国外にいた博士を疑うことはできない。いわば、〈物理的に犯行不可能な犯人〉。もちろん、自殺だと判明しても、やはり博士を疑う読者はいない――自殺なので。

　ここで、第四章を見てみよう。船上で「カーレンが殺害された」と聞いた博士は、エラリーの前で、まぎれもない驚愕の表情を浮かべる。エラリーは「婚約者が死んだので驚いたのだな」と考えるのだが、そうではなかった。博士は、自殺すると思っていた婚約者が「殺害された」と聞いたので驚いたのだ。そして博士は、こう考える。「カーレンは自殺する前に何者かに殺された」と。つまり、博士は自分が犯人だとはつゆほども思っていない。そのため、エラリーに協力し、必死で真犯人を突きとめようとするのだ。博士のこの反応や言動を読んだ人は、彼を疑うことはできないだろう。いわば、〈心理的に犯行不可能な犯人〉。

　密室トリックではおなじみの「他殺に見える自殺」は、自殺する人が何らかの理由で他殺に見せかけようとする場合が多い。そうでなければ、自殺では保険金が下りない等の理由のため遺族が他殺に見せかける、といった場合だろう。だがクイーンは違う。カーレンは普通に自殺しただけなのに、カケスが予期せぬ行動をとって他殺に見えてしまったのだ。かくして、物理的にも心理的にも犯行不可能な犯人が生まれてしまったという次第。

　エラリーはこの無敵の犯人に対して、密室トリックを逆用した罠をかけ、勝利を収める。そして、こう感じるのだった。――It was too much like playing God to feel entirely comfortable.

5

帽子から飛び出した死

クレイトン・ロースン

SOLUTION#1

［奇術師デュヴァロの推理］犯人は台所のドアから脱出。この時点では閂はかかっていない。続いて布に糸を通して、その糸を鍵孔から外に出す。外から鍵をかけたあと、糸を引いて布を鍵孔に引っ張り込む。犯人は第一発見者として密室に入り、台所の閂をかけ、糸を通した穴が残っている布を穴のない布とすり替える。

SOLUTION#2

［マーリニの推理1］犯人は殺人のあとも部屋にいて、ソファの下に隠れている。発見者がドアを押し開けたあと、ソファの下から這い出して廊下に出る。

［反論］①ソファの下に隠れていた痕跡がない。②発見者が台所のドアの方から入ったら、脱出できなくなる。③犯人は十六時間もソファの下に隠れていたことになるが、そんな長い時間、アリバイのない容疑者はいない。

SOLUTION#3

［マーリニの推理2］犯人はデュヴァロで、自分が説明した方法で密室を作って現場から立ち去る。そして、タロットに変装して――奇術のショーでタロットはデュヴァロの替え玉をつとめていた――第一発見者のグループに加わって、台所の閂の施錠や布のすり替えを行う。トリックを自分で明かしたのは、この解決を警察に認めてもらえば、第一発見者ではない自分には、完璧なアリバイが生じるからだった。

SPECIAL-GUIDE

本作の密室トリック自体に感心した人は少ないだろう。「台所の閂をかかっているように見せかける」トリックも、「糸を使って布を鍵孔に押し込むトリック」も、陳腐だと言われたら反論できない。

しかし、このトリックを使って読者をミスリードする手際は実にすばらしい。まず、実際に使われた密室トリックを、物語の中盤で、探偵役ではないデュヴァロ（実は犯人）に説明させてしまう。ほとんどの読者は、ハートと同じように、デュヴァロの推理は間違いで、最後はマーリニが「なにかすばらしくて新しい密室抜けの方法を示すだろう」と考えたに違いない。

このアイデアで巧妙なのは、作中レベルでも、デュヴァロにはトリックを明かす理由が――自身のアリバイを確立するという理由が――存在すること。加えて、デュヴァロがトリックを再現する際に、犯人しか知らないことをうっかり口にしてしまう、というのも実に巧い。

また、ソファを利用したトリックは、マーリニが「カーの密室講義に抜けているトリック」だと説明するので、読者はついつい、この方法が使われたのかとミスリードされてしまう。

奇術のトリックは観客に明かされることはないが、密室トリックは読者に明かされる。ロースンは、その〝トリックを明かす部分〟にミスリードを仕込んだのだ。

なお、ロースンは短篇では、わりとストレートに奇術の原理を利用したトリックを見せてくれる。入手容易な「この世の外から」「天外消失」「世に不可能事なし」をお薦めしよう。

ポアロのクリスマス

アガサ・クリスティ

SOLUTION

犯人はサグデン警視。彼は夜八時に訪問した際にシメオンを殺し、固まらないようにクエン酸ナトリウムを加えた動物の血をばらまき、悲鳴を出す風船を仕掛け、家具や調度品を積み重ねてロープをまきつけて、端を窓から出しておく。書斎(しょさい)を出ると、他の者が入らないようにドアを外側から施錠(せじょう)して立ち去る。

夜九時十五分に再訪して窓の外からロープを引いて家具等を崩して音を立て、風船を鳴らす。その風船は警視の立場を利用して回収する予定だったが、他の者に拾われ、命取りになる。

SPECIAL-GUIDE

第一部で述べたように、当初は不可能状況ではなかった。不可能状況が生じるのは、三男の妻ヒルダが証言した時点。彼女は、物音と悲鳴がした時には書斎のドアの前にいて、死体が発見されるまで、誰も書斎から出て来なかった、と証言したのだ。つまり本作は、カーの『三つの棺(ひつぎ)』と同じ、〝密室からの犯人消失〟という不可能犯罪だったというわけ。

だが、このヒルダの証言は、解決篇の途中で——ポアロの推理で追い詰められて——なされている。つまり、解決篇で初めて判明した不可能状況から、音が偽装であることを突きとめる、という推理の流れなのだ。仮に、不可能状況を早々と提示してしまうと、読者が音の偽装トリックに気づく可能性は小さくない。だが、不可能状況ではない場合は、そもそも音が偽装だと疑う必要はないのだ。実に巧妙なプロットだと言えるだろう。

　また、風船を使って悲鳴を偽装するトリックも、馬鹿にする人が多いが、作者の使い方を見るならば、実に巧妙だと言える。まず、孫娘ピラールが「ゴムの小さな束と木でつくられた何か小さなもの」を現場で拾うが、サグデンに取り上げられる（第3部4章）。↓次男の妻マグダリーンがその光景を見ていてポアロに教える（第4部1章）。↓ポアロに問われたサグデンは「ピンク色の小さな三角形のゴムの切れっぱしと小さな木製の釘」を見せる（第4部2章）。↓ピラールがしぼんだ風船を見て、「（殺人現場で）拾ったのも、これとおんなじようなもの」とポアロに語る（第6部2章）。という流れでデータの矛盾が提示され、賢明なる読者はサグデンが犯人だとわかるという次第。

　最後に、クリスティの不可能犯罪物について少々。不可能犯罪には「犯人がA氏だとわかってみると不可能状況」というタイプがある。例えば、「犯人は足に重傷を負って歩けなかった」など。解決篇ではA氏がトリックを用いて不可能を可能にしたことが明かされるので、不可能犯罪物になるわけである。だが、クリスティがこの手を使うと、少なからぬ読者が、歩けないので容疑者から除外したA氏が犯人だったので驚くのだ——「意外な犯人だ」と。

　これを頭に入れてクリスティ作品を読み返すと、あの作品もこの作品も、「犯人がA氏ならば不可能状況」というタイプであることに気づくと思う。

緑のカプセルの謎

ジョン・ディクスン・カー

SOLUTION

犯人はハーディング。マーカスの計画では、ハーディングとエメットが入れ替わり、それに気づかない人の観察力を批判する予定だった。部屋が暗闇(くらやみ)になると、ハーディングはフランス窓から入ってきたエメットと交代。エメットが撮影を始め、ハーディングは透明人間に扮(ふん)してマーカスにカプセルを飲ませるふりをする――予定だったが、本当に毒入りカプセルを飲ませてしまう。それからハーディングは、撮影を終えて部屋をこっそり抜け出したエメットを殴り倒してから、部屋に戻る。

SPECIAL-GUIDE

カーの作品には、「犯人がわかってみると不可能犯罪」という設定が多いが、本作はその中でもトップクラス。何せ、犯行を撮影していたカメラマンが犯人なのだから。しかも、これだけの不可能状況なのに、犯人が自分で考えてやったことは、マーカスに本物の毒を飲ませたことと、エメットを殴り倒したことだけ。あとはすべて、マーカスの計画通りなのだ。

そしてこれが、本作の最大の長所を生み出している。それは、「読者が推理できる不可能犯罪」という点。マーカスは実験終了後にトリックを明かすつもりだったので、手がかりやヒントをいくつもばらまいていた。中でも重要なのは、実験後に教授たちに訊(き)く予定だった質問のリスト。この問いの背後の意図を見抜くことができたら——フェル博士が実際にそうしたように——トリックを見破ることができるのだ。

また、撮影したフィルムに関するトリックもすばらしい。実験の前のリハーサルも撮影しておき、教授たちにはそちらを見せるというトリックだが、リハーサルで透明人間を演じたのはエメットの方。つまり、フィルムもまた、ハーディングが犯行不可能であることを示しているのだ。そして、撮影照明用の電球が早々と切れたことにより、撮影が二回あったのではないかと見抜くフェル博士の推理もまた、お見事。特に、無声のフィルムに映ったマーカスの唇(くちびる)を読むと「あなたが嫌いだ、フェル博士」となる場面は、カー作品史上、最も衝撃的な場面だろう。

なお、ハーディングが毒入りチョコレート・ボンボンをばらまいた理由は、自分が町を訪ねる前に毒殺事件を起こしておけば、マーカス殺しでも疑われにくい、というもの。フェル博士はこの動機のヒントとして、実在の毒殺魔クリスティアナ・エドマンズ——殺したいのは一人だけなのに疑いをそらすために町中に毒入りチョコレート・ボンボンをばらまいた女性——に言及する。ところが、彼女は女なので、第18章の毒殺者講義には出て来ないのだ(ずるいかな?)。

最後にちょっと自画自賛を。第一部の図を見て、〝時計が示す時刻を訊かれて、ハーディングが十二時少し過ぎ、マージョリーが十二時ちょうど、教授が十二時少し前だと答えた理由〟や、〝気づかれずに屋外に出ることがハーディングしかできないこと〟が、ようやく理解できた人が少なくないのではないだろうか。

殺人者なき六つの殺人

ピエール・ボアロー

SOLUTION

仲むつまじく食事をしていたのはシモーヌと愛人のローランで、襲撃者は夫のマルセルの方だった。彼は、妻の浮気を知り、外出するふりをして家に引き返したのだ。マルセルは助けを求める妻を背中から撃つが、ローランとはもみあいになり、逆に自分が撃たれてしまう。ローランは使用人専用階段へ出るドアから逃げ出し、シモーヌが——不倫を隠すために——重傷を負った身で内側から閂(かんぬき)をかける。なんとか食堂に戻ってから倒れ、そこに管理人たちがなだれ込んだ——。

SPECIAL-GUIDE

家で男と女が食事をしていると、銃(じゅう)を持った男が乗り込んで——となると、誰もが「夫婦が強盗に襲われた」と考えるに違いない。しかし、本作では逆。妻とその愛人が食事中に、妻の浮気に気づいた夫が踏み込んできたのだ。自宅でのんびり食事をとるとは、のんきな不倫カップルだが、この関係は三年以上も続いているので、緊張感が薄れてしまったのだろう。いずれにせよ、ほとんどの読者は騙(だま)されたに違いない。

これまで召使い夫婦は不倫を見逃してくれていたが、殺人となれば、警察に話すだろう。そこでローランは、まず召使い夫妻の妻を殺し（時間差＋死体移動トリック）、次に夫を撃ち殺そうとするが即死せず密室に逃げ込まれる。夫は間もなく絶命するが（被害者密室トリック）、それを知らないローランは毒を飲む――シモーヌの娘の父親が自分であることを知られぬよう、自分も被害者だと見せかけて。だが、ブリュネルの発見が早かったために助かり、密室状況が生まれる（他殺に見せかけた自殺トリック）。そこに、マルセルから浮気調査を依頼されていた私立探偵リュパアルが登場し、ローランを強請る。ブリュネルたちはリュパアルを見張っていたが、ローランはその見張りに加わり、隙を見て殺す（監視者＝犯人トリック）。だが、シモーヌが死に、絶望したローランは自殺する。そしてブリュネルは、「娘に自分が不倫の子だと知られたくない」というローランの気持ちをくみ、現場から銃を持ち出して密室〝殺人〟に変えてしまう（凶器移動トリック）。

ほとんどのトリックを明かしてしまったが、読者のみなさんは、納得してくれたと思う。こうやって要約すると、既存の密室トリックを組み合わせて、独創的な連続密室殺人を生み出したことがわかるはずである。本作もまた、トリックを明かして考察することによって、初めてその魅力が見えてくる作品なのだ。

なお、ボアローはあざとい叙述トリックが得意なのだが、翻訳のせいで読者に伝わっていない場合がある。本作でも、作者は「使用人専用階段から降りることは、内部から閂が掛かっていたので不可能である」と宣言しているが、実際は、ローランは使用人専用階段から逃げたので、アンフェアだと思うかもしれない。だが、これは翻訳のミス。原文では「犯人が階段に出た後で外から内側の閂をかけることは不可能」と言っているだけなので、フェアなのだ。

密室の魔術師

ナイン・タイムズ・ナインの呪い

アントニイ・バウチャー

SOLUTION

犯人はもっと早い時刻に殺人を実行。死体に黄色い紙で作った衣と頭巾をかぶせ、デスクに立てた棒にもたれかかるようにして、〝黄衣の人物〟を作り上げる。黄衣には針金を結びつけ、反対側は暖炉(だんろ)の奥の穴から外に出しておく。さらに、針金には紐(ひも)も結びつけ、紐の反対側は、死体を支える棒に結びつけておく。

この姿が目撃されると、外の針金を引く。すると、支えを失った死体は床に倒れ、黄衣と紐は暖炉に引き込まれて焼失。棒は残るが、暖炉に木の棒があっても不自然ではない。

SPECIAL-GUIDE

E・D・ホックが一九八一年に『密室大集合』というアンソロジーを編む際に、十七人の作家や評論家に声をかけ、密室長篇ベスト10を選んだことがある。本作はそこで九位にランクインしているが、どこが評価されたのだろうか? 初訳時に都筑道夫(つづきみちお)が寄せたコメントには、「高級な本格ファンをよろこばすだろうことは、疑いありません」という文があるのだが、おそらく、「高級な本格ファン」とは、トリック分類に新たな項目を加える作品を評価するようなファンのことだろう。本作では実際に、J・D・カーの密室講義の分類に修正を加えているし、犯行に使われたトリックも面白い。原理的には「犯人は現場を立ち去ったのに、まだいるように見せかけるトリック」だが、偽犯人に被害者の死体を使うというのが秀逸。仮に、読者がこのトリックに気づいたとしても、「黄衣と頭巾を短時間で処分できるはずがない」と考えてしまうに違いない。「犯人は密室を作る気はなかったが、たまたまチャペルに証人がいたために密室になってしまった」という理由づけも巧妙だと言える。

もっとも、トリック分類を知らない一般読者が感心するかどうかは疑わしい。本作はJ・D・カーに捧げられているが、カーの密室講義を知っている人しか楽しめない、いわば「マニアのための密室」だと言える。

なお、尼僧（にそう）探偵ウルスラもの第二弾の『死体置き場行きロケット』の密室トリックも、密室分類の大きな弱点を突いたもの。従って、マニアなら楽しめるが、それ以外の人には、本書のようなガイドが必要だろう。

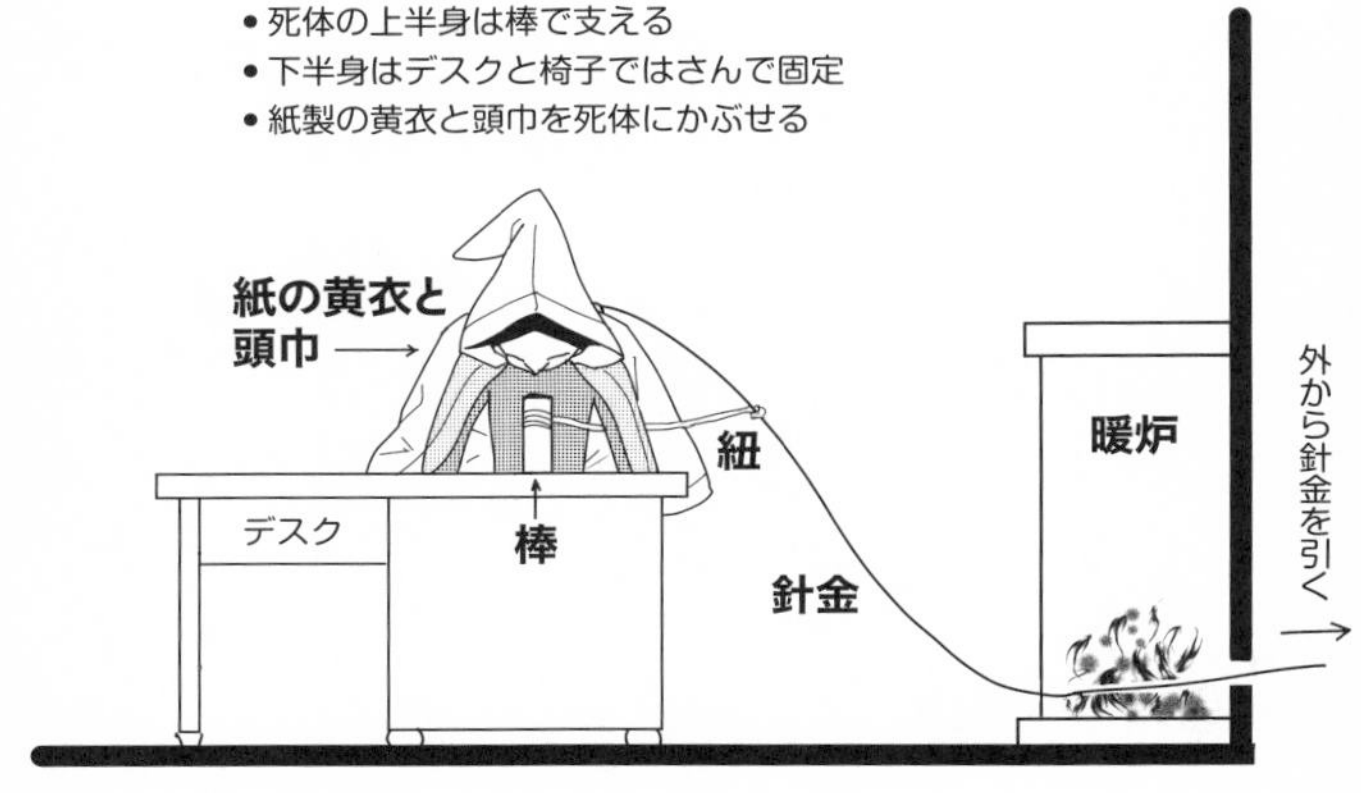

皇帝のキノコの秘密

ジェイムズ・ヤッフェ

SOLUTION#1

アグリッピナは侍医だけでなく毒味役も買収していた。彼はクラウディウスがキノコ料理を食べてから苦しむ演技をする。遅効性の毒を盛られたと思い込んだクラウディウスは、キノコ料理を吐き出そうとして、侍医が鳥の羽根を喉(のど)に差し込むのを許し、毒殺されてしまう。

SOLUTION#2

ドーンは二千年前の謎を解いた後、教授に向かって、自分に謎を解かせようとした理由を問う。癇癪(かんしゃく)持ちで心気症の妻に抑圧されていた教授が、彼女を殺そうと考えたのではないか？だが、あいにくと、献身的な看護師が、食事の〝味見〟までしている。そこで、過去の事件から殺害方法のヒントを得ようとしたのではないか？そして、教授はそれを認める——。

SPECIAL-GUIDE

「不可能状況を生み出した毒味役の存在こそが、用心深いクラウディウスの毒殺を可能にした」というアイデアはお見事。だが、本作で最も巧妙なのは、作品の外を利用したミスリードに他ならない。歴代のローマ皇帝を描いたタキトゥスの古典的名著『年代記』には、「当時の記録によると、毒物の媒体(ばいたい)となったものは、美味このうえないキノコ料理だったという……」という一文があるのだ。この文は本作の冒頭に引用されているので、ほとんどの読者が「毒はキノコ料理に盛られていた」と思い込んだに違いない。

だが、冷静に考えると、これは鑑識結果でも何でもない。ただ単に、「クラウディウスはキノコ料理を食べた後に死んだ」と言っているだけに過ぎないのだ。

そして、ドーンの〝もう一つの答え〟もすばらしい。教授はドーンに二千年前の事件の説明をする際に、自分の殺人計画に応用できるように、史実を脚色している。言い換えると、史実を密室ミステリに仕立てるのは作者の狙いだが、同時に、教授の狙いでもあるのだ。さらに、事件の説明の合間に、教授の妻や看護師のデータを挟み込む手際も鮮（あざ）やかと言える。

密室ものはアマチュアでも書きやすいためか、日本の《宝石》誌やアメリカの《ＥＱＭＭ》誌の投稿作品には、トリックが面白いアマチュアの密室ミステリが珍しくない。《ＥＱＭＭ》なら、レナード・トンプスンの「酔いどれ弁護士」や、トマス・フラナガンの「玉を懐いて罪あり（北イタリア物語）」などは、今でも容易に読むことができる。

ヤッフェもそういったアマチュアの一人で、一九四三年に「不可能犯罪課」で《ＥＱＭＭ》デビュー。その後もドーンものを書き続け、本作は一九四五年発表の五作目。発表順に読むと、単なる密室トリック小説が、優れた密室ミステリに進化していく姿が見えてくると思う。本作しか読んでいない人は、ぜひ、『不可能犯罪課の事件簿』で、他の短篇も読んでほしい。この短篇集では《ＥＱＭＭ》掲載時に添えられたクイーンのコメントも訳しているので、密室トリックの先例の有無や、必然性や現実性の問題について、深い楽しみ方ができると思う。

見えないドア

マージェリー・アリンガム

SOLUTION

マートンは玄関から堂々と入ってフェンダーソンを殺害したが、バウザーはそれをチェッティだと思い込む――ほとんど目が見えなかったからだ。

年齢と共に視力が落ちてきたバウザーは、仕事を続けたい一心で、それを隠して声で会員を特定していた。そしてマートンは、自身が会員だった時に既にそのバウザーのごまかしに気づいていた。だから彼は、脱獄（だつごく）すると、足が不自由なチェッティの足音を真似てバウザーの前を通り抜け、殺人を犯したのだった。

SPECIAL-GUIDE

Ｅ・Ｄ・ホックは、クイーンの短篇の最高傑作に『犯罪カレンダー』の一篇「クリスマスと人形」を選び、その理由として、「難攻不落の不可能犯罪が、単純で簡単な説明によって解決される」からだと述べている。つまりホックは、〝密室トリックは単純で簡単な方が良い〟と言いたいのだ。「オッカムの剃刀」かな？

本作もまた、真相は――わかってみれば――単純にして簡単。バウザーは犯人をかばって嘘をついたのではない。目の前を通ったのがチェッティだと本気で思っていたのだ。

この原理自体は、「ボーダーライン事件」と似ているので、そちらを選ぶべきだと思う人もいるに違いない。では、本作のどこがよりエレガントなのか、説明しよう。

本格ミステリとしては、データの提示。「ボーダー」は真相を示すデータがほとんどないのだが、本作はいくつも存在する。中でもエレガントなのは、マートンがバウザーに関して、「クラブの会員と職員のどちらが先に〝おはよう〟の挨拶（あいさつ）をすべきか」と苦情を申し立てたというデータ。挨拶は普通は職員が先なので、マートンの苦情は、バウザーが挨拶を会員より後にしていることを示している。つまり、バウザーは相手の声を聞いた後でないと挨拶ができないのだ。ここで読者は、バウザーの目が見えず、さらにマートンがそれに気づいているというデータを手に入れることができるわけである。

　物語としてエレガントなのは、ラストシーン。バウザーの目が見えないことになぜ気づいたか、と警視に問われたキャンピオンは、自分がバウザーに刑事の一人と間違えられたことを話し、〝どこから見ても紳士の装いをしている自分を刑事と間違えるなんて、バウザーは視力に問題があるんじゃないか〟と考えたと説明するのだ。まさにエレガント！　残念ながら、このデータは問題篇に出て来ないのだが……。

　ところで、本作をE・クイーン編アンソロジー『ミニ・ミステリ傑作選』で読んだ人は少なくないと思う。実は、クイーンは本作を収録する際、キャンピオン登場シーンで、彼に「エレガントな」という形容詞を加えたのだ。おそらく、キャンピオンになじみのないアメリカの読者が多いためだと思われる。これは日本も同じなので、結果的に、邦訳の読者もクイーンの加筆でオチがわかりやすくなったことに感謝しなければならないだろう。

フレドリック・ブラウン

SOLUTION

月は明るいが、低かったので、厩舎の側には建物の長い影が伸びていた。このため、私立探偵が実際に監視できるのは、木立ちから影までの百メートルほどだった。では、犯人はこの距離を、どうやって監視の目を逃れて移動したのか？　答えは、「馬に化けて」。犯人は二人組で、かつてはボードビルで馬を演じていた（一人が前足、もう一人が後ろ足）。その時の扮装を使って探偵の目を欺いたのだ。屋敷では馬を飼っていたので、私立探偵たちは、夜、草地で馬を見ても、怪しいとは思わなかった。

SPECIAL-GUIDE

まず、E・クイーンが本作を《EQMM》に掲載した際に添えたコメントを紹介しよう。「〝不可能〟犯罪です。カルロス・ペリーが刺された時、家には他には誰もおらず、出入りが可能な人もいなかったことが証明されているのです……が、フェアプレイにのっとり、警告しておきましょう。『一目瞭然だからといって鵜呑みにしてはいけない』と」（飯城訳）。

クイーンは本作を〝不可能犯罪〟ものとして高く評価したらしい。ところが、本作のトリックに関しては、小森收が『短編ミステリの二百年3』の中で、「解決の脱力ぶりは、冗談すれすれでしょう」と語ってもいるのだ。どちらが正しいのだろうか？　私の答えは、「どちらも正しい」。本作は、冗談のようなトリックを巧みな手腕で本格ミステリに仕立て上げた点が、高い評価を得ていると考えられるからだ。

　最も巧いのは、屋上からの監視という点。本物の馬と偽物の馬の最も大きな違いは脚の形なのだが、上から見ると、この違いがわからなくなってしまうのだ。

　次に巧いのは、二人の私立探偵は都会育ちで馬のことは何も知らないという点。厩舎の世話係がスミスに〝馬に関して探偵たちにでたらめを教えたら信じてしまった〟と話す場面は、読者にとってフェアな手がかりになっている。

　手がかりといえば、犯人コンビの名が「ウェイドとウィーラー」というのもそうかもしれない。Wadeには「草をかきわけて進む」、Wheelerには「馬車の後馬」という意味があるので。

　また、本作の設定を〈見えない人〉トリックの変形だと考えると、実に興味深い。このトリックの基本形は、「監視者は『怪しい人は通らなかった』と証言するが、怪しくない人なら通った」というもの。具体的には、郵便配達人や車掌や警官や子供が該当する。だが本作は、そもそも人間は誰一人通っていない（と監視者は思っている）のだ。トリック分類の観点からは、かなり面白いトリックだと言える。

　最後に、前述の『死にいたる火星人の扉』について少々。この作品の事件は「火星人に殺されると怯える娘が密室内で原因不明の死を遂げる」という不可能犯罪で、「火星人」を「幽霊」に変えたら、まんまカー。まぎれもない本格ミステリなのにサスペンス小説扱いされることが多いので、ここで推しておく。

ジェゼベルの死

クリスチアナ・ブランド

SOLUTION

犯人はジョニイの兄で白騎士のブライアン。彼はあらかじめ訓練した馬に空の甲冑を乗せて舞台に立たせ、自身はバルコニーに登ってイゼベルを殺害。落ちてきたイゼベルに驚いた白馬はアーチから塔の裏手の控室に飛び込み、ブライアンはそこで空の甲冑と入れ替わる。

だが、コックリルやジョージが、〝白騎士は面頬を上げていたので目が見えた〟と証言。だったら、甲冑は空ではなかったのか？　そう、兜だけは空ではなかった。兜には、アールの切断された首が入っていたのだ。

SPECIAL-GUIDE

本作では、犯人以外も不自然な行動をとっているが、それにはきちんと理由がある。例えば、イゼベルより前に殺されたアールの代わりに赤騎士を演じた人物。イベントの責任者エドガーは、アールがドタキャンしたと思い込み、自らが赤騎士に扮することにしたが、殺人が起こったためにそれを言えなくなってしまったのだ。物語の終盤、さまざまな怪しい動きをしていた容疑者たちが次々と自白し、それが次々と否定されていくシーンは、まさに圧巻のひと言。しかも、その中でブライアンの容疑も——コックリルの「目が見えた」という証言で——否定されるというのもお見事。ブライアンがジョニイの兄であることを示す伏線も、なかなか巧妙だと言える。

だが、読者のほとんどは、死体の首を利用したアリバイ・トリックしか印象に残っていないだろう。それほど、このトリックはインパクトが大きい。手を切断して指紋の偽装に使ったり、足を切断して足跡の偽装に使ったり、というトリックとは次元が違うように感じるのだ。

ところで、ミステリ・ファンが「首の切断」と聞くと、真っ先に思いつくのは、身元の誤認トリックだろう。だが、アールの身元確認に間違いはない。

次に思いつくのは、頭部に犯人を示す証拠（特殊な凶器の跡など）が残った場合。だが、アールの頭部にはそんな痕跡はなかった。

途方に暮れた読者が突きつけられるのは、「目撃者に青い目を見せるため」という理由。アールは、ブライアンと同じ青い目を持っていたために、首を断られたのだ。

さらに犯人は、首を斬った理由に気づかれないよう、その首をパーペチュアに送りつける。読者と捜査陣に「郵送しやすいように首だけにしたのか」と思わせるためである。

何よりも悪魔的なのは、犯行直後にブライアンがコックリルたちと話した時、彼が小脇に抱えた兜には、まだアールの首が入っていたこと。もちろん、舞台上に首を隠す場所はないので、兜に入れたままにしておくのが一番安全だと言えないこともないが……。ある意味では、J・D・カーの有名短篇よりも恐ろしい。

この悪魔に魅せられた人は、「ジェミニイ・クリケット事件」をどうぞ。メインの殺人ではなく、サブの殺人の方で被害者が殺された理由に寒気がするに違いない。

くたばれ健康法！

アラン・グリーン

SOLUTION

マーリンは窓に足を向けて床に仰向けに寝そべり、上げた両足のつま先を頭の上の床につける体操（ストレッチ？）をやっていた。この体勢の時に向かいの建物の屋上から撃たれたため、中庭から撃たれたように見えたのだ。パジャマの上着はまくれ上がっていた（床に垂れていた）ので、射入口はできなかった。撃たれたマーリンの両足が半回転して床に下りると、勢いでスリッパが脱げ、窓から飛び出して宙を舞う。屋上を転がった空薬莢は、雨水の排水孔を通ってプールに落ちた。

SPECIAL-GUIDE

本作のトリックを、子供向けのミステリ・クイズ本などで読んだ人は少なくないと思う。つまり、子供にも楽しめる、シンプルで面白いトリックだと言える。「被害者の姿勢によって弾丸の入射角が変わり、容疑者も変わる」というアイデアは、クイーンの初期長篇にもあるが、それを密室ものに応用したのが巧い。さらに、被害者を健康法の教祖にして、日常的に珍妙な姿勢を取ることを読者に不自然だと感じさせないようにしたのもお見事。

このシンプルな真相を読者に見抜かれないためのミスリードも巧い。空薬莢がプールで見つかっただけではなく、プールで銃を撃った時の閃光も目撃されているのだ。真相は、というと、屋上で銃を撃った時の閃光がプールの水に反射したというもの（ずるいかな？）。

さらに、アクロバティックな推理がすばらしい。パジャマに孔がない理由には盲点を突かれたし、空を飛ぶスリッパという〝幻想的な光景〟は島田荘司の奇想理論の先駆と言える（誉めすぎかな？）。それ以外にも、「死体のパジャマのズボンは膝までたくし上がっていた」という手がかりもあり、警部が体操に付き合って被害者と同じ姿勢を取る場面もありで、フェアプレイぶりには文句のつけようがない。特に、犯行時刻には屋上にいた唯一の人物として完璧なアリバイを持っていた弁護士が、トリックが解明された瞬間に犯人だと特定されるどんでん返しはお見事。

なお、もう一作の邦訳『道化者の死』も密室ものだが、期待してはいけない。

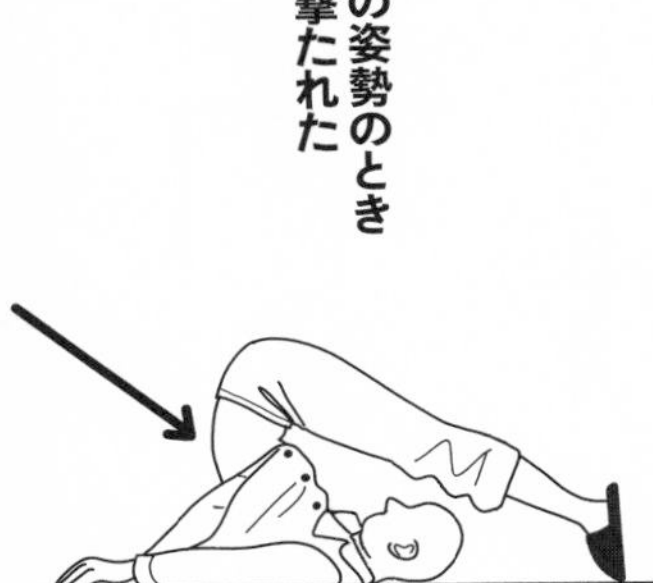

〈引立て役倶楽部(クラブ)〉の不快な事件

W・ハイデンフェルト

SOLUTION

犯人はコテージの中で殺人を犯したのではなく、殺人の後で、死体のまわりにコテージを建てたのだ。このコテージは、あらかじめ加工した建材を用意して組み立てるだけの〈プレハブ工法〉で建てたものだった。書斎(しょさい)のドアを内側から施錠(せじょう)した後、屋根のない上部から外に出て、屋根をかぶせて完成させたのだ。

普通なら、自分たちの敷地内に昨日まではなかった家が建っていたら気づくはず。だが、低脳（と犯人に言われている）揃いの〈引立て役倶楽部〉の会員は気づかなかったのだ。

SPECIAL-GUIDE

バリイ・ペロウンの「穴のあいた記憶」（一九四五年）、ロバート・アーサーの「51番目の密室」（一九五一年）、スティーヴン・バーの「最後で最高の密室」（一九六五年）、ウィリアム・ブリテンの「ジョン・ディクスン・カーを読んだ男」（一九六五年）といった密室パロディの傑作を差し置いて本作を選んだ理由の一つは、乱歩が嬉々として紹介したのも当然と言える意外性満点の密室トリック。ただし、私は、〈引立て役倶楽部〉というアイデアが、トリックを成立させるためのものだった点の方を高く評価したい。他にも、「殺害現場はそのコテージ以外の場所であったはずがない——と同時に、そのコテージであったはずもない」という絶妙のヒントや、寒い季節でもないのに暖炉(だんろ)で火が燃やされた理由（生活感を出すため）も巧い。「書斎や食堂には埃があったが、使われていない部屋には埃がなかった」という手がかりも見事。

　また、この密室状況に対して、会員たちが猿犯人説や太陽犯人説を持ち出す場面は笑えるし、担当のパーカー警部（ピーター卿の義弟）がJ・D・カーの『三つの棺』を取り出し、「密室講義」で言及されているトリックを次々に事件に当てはめていく姿も楽しい。もちろん、どのトリックも当てはまらないわけだが。

　加えて本作は、密室トリック以外もすばらしい。何と、被害者はイギリスに逃亡して来たヒトラーで、犯人はモリアーティ教授なのだ！ベルリン陥落の時にソ連が主張した「ヒトラーは生き延びて西側諸国に保護されている」という説が事実だったという設定らしい。連合軍最高司令部が、この計画に気づきそうな名探偵たちをインドに追い払うために開催したのが、《第一回世界名探偵会議》だったのだ。

　しかし、憂国のモリアーティがこの計画に気づいてヒトラーを殺害。国際問題を避けるために、「犠牲者の正体より殺害の手段に関心が集まるような状況」、すなわち密室状況を作り上げた――節穴の目を持つ〈引立て役倶楽部〉の会員を利用して。もちろん、単に死体を燃やすか海に沈めても目的は達成できるが、数学者であると同時に芸術家でもあるモリアーティは、「不可能を可能にしたに等しい偉業」を成し遂げる方を選んだのだ。

　最後に、法月綸太郎がこの作品の前日譚「引き立て役倶楽部の陰謀」（『ノックス・マシン』収録）を書いていることを添えておこう。

長い墜落

エドワード・D・ホック

SOLUTION

最初に飛び降り自殺をしようとしたのはウィリアム・T・ノックスだった。そのノックスの姿を見て動転したマーガレットは、彼と不倫関係にあったために、愛称の「ビリー」で呼んでしまう。それを聞いた警備部長が彼を社長だと勘違いしたのに気づいたノックスは、自殺を中止。ドアの陰に隠れ、警備部長が飛び込んで来た後に姿をあらわす。マーガレットに会議室に入ったのは社長だと偽証するように指示してから、遅れて帰社した社長を気絶させ、二十一階の破れた窓から投げ落とした。

SPECIAL-GUIDE

ホックの密室ものには、「パラシュートで飛び降りた人が地上に降りた時には絞殺されていた」とか、「有蓋橋に入っていった馬車が反対側から出て来なかった」といった魅力的な不可能状況がいくつも登場している。本作の「三時間四十五分かかった墜落」という謎は、その中でも最上位に属するだろう。ただし、密室ミステリのファンならば、「最初の飛び降りは芝居だな」と見抜いてしまう可能性は高い——のだが、巧妙なプロットがその可能性を低くしてしまう。最も巧妙なのは、マーガレットの「やめて、ビリー！」という叫びに対して、警備部長に「わたしは彼女の顔を見たんです。世界一の女優でも、ああいう演技はできないでしょう」と断言させていること。そして、解決篇でも、彼女の叫びは本心からのものだったとわかる。――ただし、彼女が呼びかけた「ビリー」は、社長のビリー・カームではなく、重役のウィリアム（愛称「ビリー」）・T・ノックスだったというわけ。このミスリードが効いているから、読者は「ドアの陰に隠れる」という陳腐なトリックを見破ることができなくなってしまう。ノックスならドアの陰から姿をあらわして今来たふりができるが、社長にはできないからだ。

そして、このトリックを見破る推理もすばらしい。社長専用エレベーターが二十一階に止まっていなかったことから、上がって来た人物は社長ではないと推理。マーガレットは社長を「ビリー」とは呼ばないことも、これを裏付けている。ノックスの名が「ウィリアム」であることや悩みを抱えていることも、彼のオフィスは窓の二階下に突出部があるので飛び降り自殺には不向きであることも、きちんと問題篇に提示してある。また、「ノックスは合併が成功すると株で大損をするので自殺を図る→社長を殺しても疑われない機会を得たので計画を変更→社長の死で合併をご破算にしようとした」という思考の流れに関するヒントも、読者にきちんと提示されている。

本作の魅力はアメリカでも受け入れられたらしく、H・S・サンテッスン編『密室殺人傑作選』など、いくつものアンソロジーに収録。さらに、ロック・ハドソン主演のTVシリーズ『署長マクミラン』の一エピソードでも使われている。脚本を読むと、墜落時間が三時間三十分で、マーガレットが社長を普段から「ビリー」と呼んでいる以外は、原作に忠実だった。

魔術師が多すぎる

ランドル・ギャレット

SOLUTION

犯人はドアの外からジェームズに手紙が届いたと伝え、ドアの下から手紙を押し込む。ジェームズが手紙を取ろうとドアの前でかがみこんだ瞬間、細身の剣を鍵孔(かぎあな)から差し込んで刺殺。ジェームズは即死は免(まぬか)れたが、シーンが来た時に助けを求めて大声を出したために絶命する。

なぜ犯人は、ドアの狭い鍵孔を通して被害者に致命傷を与えることができたのか? それは、犯人は予知の魔術を使えたからだった。この能力により、数秒後の相手の位置を予知して剣を突き立てることができたのだ。

SPECIAL-GUIDE

異世界密室ものの先駆として、アイザック・アシモフのSFミステリ『はだかの太陽』(一九五七年)ではなく本作を選んだ理由は、不可能状況の違い。アシモフの不可能状況が異世界独自のものであるのに対して、本作は普通の密室で、トリックの解明に異世界設定がからんでいる。現在の日本の異世界本格は本作に近い、と考えたわけである。実際、本作の密室トリックは、異世界設定を用いていないJ・D・カー作品の原理を応用しているのだ。

基本原理はカーの有名長篇で、作者もそれを隠すことなく、ダーシー卿(きょう)に犯行現場のドアを法廷に持ち込ませてトリックの説明をさせている。しかも、鍵孔を調べると血痕(けっこん)が見つかるという手がかりもカー長篇の応用。そして、手紙を使って被害者を誘導するトリックもまた、カーの短篇の応用。ただし、単なる応用に留まらず、「被害者の血が半分だけかかった手紙を回収したため、床には半円状の血痕が残る」というすばらしい手がかりも生み出している。もちろん、被害者が即死しないために不可能状況が強固になるのも、カーのお家芸。

では、異世界設定を導入しなくても良いかというと、そうではない。畔上道雄（あぜがみみちお）が『推理小説を科学する』（一九八三年）で批判したように、カーの長篇には、「小さな穴から被害者の心臓を狙うのは困難」だという問題があるからだ。本作では犯人を予知能力者にすることによって、この問題を解決したわけである。なお、「予知より透視の方が都合がいいのでは？」という疑問を持った人のために補足すると、舞台のホテルでは、プライバシーの保護のため、透視を封じる結界を張っていたのだ。しかも、この結界は予知能力は防ぐことはできないというデータも、きちんと提示してある。

さらに、犯人が予知能力の持ち主だというデータの出し方も巧い。物語の中盤には犯人と魔術師による——カーが大好きな——チャンバラ場面があり、ここで、「魔術師が剣を消して攻撃してくるのを犯人が予知能力でかわす」という《少年ジャンプ》みたいな攻防が描かれているのだ。

ダーシー卿も、魔術に関しては助手のシーンに頼りつつも、〝妙なところがないのが妙だ〟とホームズみたいなことを言ったりと、名探偵らしさを忘れていない。本作はまぎれもなく、異世界本格の傑作なのだ。

ジョン・スラデック

SOLUTION

元軍人は、かつての宿敵である元ナチスの砲兵将校をサーカス団で発見。彼がサーカスの楽屋裏で「実に残酷な動物解剖」を行っていることを知った元軍人は、告発しようとする。だが、それに気づいた元ナチス将校は、元軍人を絞殺。サーカスの人間大砲を使って、砂地の外から窓を狙って死体を発射し、ソファの上に撃ち込んだのだった。

だが、このトリックもまた、ワースが今読んでいる『密室』の状況には当てはまらなかった。ワースは本を最初から読み直す……。

SPECIAL-GUIDE

この第二部で語りたいことは、まず、人間大砲のトリック。海外の人よりも、日本の読者、特に島田荘司デビュー以降の読者の方が楽しめるに違いない。なぜならば、現在の日本のミステリでは、死体が空を飛ぶのは珍しくない——私の知る限り、十作は超えていると思う——からだ。特に、天城一の短篇は、本作とほとんど同じトリックを真面目に扱っている。

そして、バカバカしいと切り捨てずにトリックを見てみると、決して悪くはない。死体を密室内に運び込むのはカー作品などにあるが、本作では犯人は窓に近づくことができないという設定だからだ。特に、死体がソファの上にあったのが、トリックに気づきにくくしている。紹介文では省略したが、召使いは被害者が外出したのは見ているが、帰宅したのは見ていないというデータも、きちんと提示しているのだ。

次に語りたいことは、作中作『密室』のトリック。（以下、引用文は拙訳）ワースは「作者は一ページではドアはロックされていると言ったのに、三ページではほっきりそうではないと言っているじゃないか！」と気づき、「読者はドアのロックについては作者の言葉がすべて」だと気づく。つまり、作者は密室ではないのに密室だと嘘を書いたのだ。いわゆる〝信用できない語り手〟トリック。ただし、海外の読者はともかく、現在の日本の読者は感心しないに違いない。なぜならば、日本には、このトリックの上位互換作品がいくつもあるからだ。

最後に語りたいのは、ラストについて。ワースは、作中作『密室』の作者が事件を小説化する際に売れ行きアップのために脚色して密室殺人に仕立てた、と見抜く。だが、そこでわれわれが読んでいる「密室」の作者が登場。ワースは翌朝、密室の中で死んでいるのを発見され、「かくして、私の長篇探偵小説、もうひとつの〈フェントン・ワース・ミステリー〉が幕を開ける」と語る。つまり、この短篇は、「フェントン・ワース殺しの謎（ミステリー）」を描いた長篇の冒頭だったのだ。いや、初出の雑誌版の読者は、連載第一回だと思った可能性も無視できない。そしてこの〝作者が作中に入り込む〟手法も、現在の日本の読者なら、竹本健治（たけもとけんじ）の作品などでおなじみだろう。

スラデックは、一九七二年の時点で、日本のミステリに一九八〇年代以降に登場する手法を、本作でいくつも用いていたのだ。

スタンリイ・エリン

SOLUTION

ピートは服装倒錯者（いわゆる女装マニア）だった。自宅で女装して快楽にふけっている時に、予定より早く訪ねて来た息子のニックにその姿を見られてしまう。愛する息子に自分の性癖を知られて錯乱したピートは、ニックを撃ち殺し、浴室で自殺をする。そう、死にゆくピートが見た浴室の死体は、鏡に映った自分の身体だったのだ。そして、ニックの訪問が早まった理由は、家政婦が残したメモに記してあった。「NO SCHOOL, SO NIC COME 1 O'CLOCK（学校が休みでニックは一時に来る）」。

SPECIAL-GUIDE

密室ミステリとして見た場合、「浴室にいる女＝鏡に映った女装したピート」という鏡トリックになる。目撃者が鏡に映った自分の姿を犯人だと勘違いするG・K・チェスタートンの短篇や、女性が鏡に映った自分の姿を幽霊だと勘違いするJ・D・カーの長篇を思い出すミステリ・ファンが多いだろう……とは思えない。本作の巧妙な叙述が、読者をこの真相から遠ざけてしまうからだ。

叙述の仕掛けを見た場合、「信用できない語り手」トリックとなる。視点人物の異常性のため、嘘をついていないのに叙述で読者を欺いてしまうというトリックは、島田荘司、綾辻行人、折原一、京極夏彦、西澤保彦といった作家が用いているが、本作はこれらの先駆。その巧妙な使い方を、「ヴィヴィアン・パパゾーア」という女について見てみよう。彼女は実在の女性で、ピートの父の愛人。ピートは少年時代に彼女と十分間だけ会って強い印象を受け、性の妄想相手になった。作中に出て来るピートと彼女のセックス場面はこの妄想であり、現実ではない。また、彼女の名は「ヴィヴィアン・パパゾーア」ではない。「ヴィヴィアン」はピートが少年時代に虜（とりこ）になった『風と共に去りぬ』の主演女優から採ったもので、「パパゾーア」は姉が「父の情婦（パパズ・ホーア）」と呼んだことから。さらに、ピートが女装に目覚めてからは、この名は女装したピートの女としての人格の名前になった。つまり、ピートが「浴室の女はヴィヴィアン・パパゾーアだ」と言うのはアンフェアではない。また、アパートではニックも死んでいるため、「アパートには二人いる」と言うのもアンフェアではない。ピートが女性服の店に行き、女物の下着を買う場面など、巧妙なダブル・ミーニングがいくつもある。そして、不条理に満ちた脳内裁判で行われる条理に満ちた精神分析。その背後にあるユダヤ教。『白雪姫』から採った題名（MIRROR MIRROR ON THE WALL）が伏線にもなっていること……。

以上に電話のメモも加えると、どうも、エリンと言うよりは、エラリー・クイーンみたいである（クイーンは本作の少し前に、似たようなテーマで、やはり犯人が浴室で自殺する作品を書いている）。クイーンの片割れフレデリック・ダネイとエリンの交流を考えると、クイーンが何らかのアドバイスをしたのではないかという楽しい妄想が浮かんできてしまう。

赤い霧

ポール・アルテ

SOLUTION

犯人は十人の少女の一人、コーラ。彼女は奇術ショーで秘密の助手をつとめるため、隙を見て舞台側に入り込み、衝立の陰に隠れる。そして、モースタンが衝立の陰には誰もいないことを示している時は、彼の背中にしがみついていた。カーテンが閉まるとモースタンを刺殺。様子がおかしいので少女たちがカーテンを開けて入ってくると、コーラはその中に紛れ込む。舞台を注視していた九人の少女たちは、一人減ったことに気づかない。教師だけは九年後に気づいたが、そのために殺されてしまう。

SPECIAL-GUIDE

本作は二部構成で、全体の三分の二を占める第一部の終わりでは、この密室の謎は解明されている。つまり、メインの謎ではない。メインの謎は、作者のあとがきによると、「犯人は暗い裏庭で姿を消す魔法、袋小路の奥で消え去る魔術を使ったのでしょうか?」となる。

まず、「裏庭からの消失」は、第一部で解かれずに残った謎のこと。犯人コーラは、窓からコートを投げ落とし、何者かが屋敷の角に姿を消したように見せかける。

次に、「袋小路からの消失」は、第二部で描かれる〈切り裂きジャック〉による連続殺人の一つで生じた謎。こちらの犯人はリードで、彼は巡査の制服を着て包囲網から逃れる。

右の文を読んだだけでは、どちらも陳腐なトリックに見えるに違いない。特に、「切り裂きジャック＝警察官」という真相は、海外の傑作ミステリ短篇をはじめ、いくらでも先例がある。――だが、ほとんどの読者は、この真相を見抜くことはできない。なぜならば読者は、切り裂きジャックはコーラだと――第一部で逮捕を逃れた殺人狂コーラがロンドンで連続殺人を犯していると――考えるからだ。そして、そう考える読者は、「コーラは二つの消失で同じトリックを使ったに違いない」と考えてしまう。これが作者の狙いであることは、第26章でわかる。犯人リードは全篇を通して一人称の語り手をつとめて事件を小説化しているが、自身が犯人となる第二部の解決篇では、「切り裂きジャックの方法とコーラの方法が同じものだとも、その策略がいつどこででも使えるとも言っていない。断じてそんな言い方はしていない。たしかに、ほのめかしはした」と語って、読者をミスリードしたことを告白しているのだ。

作者は巧妙なプロットと叙述で、読者に「二つの消失では同じトリックが使われた」と思い込ませ、真相を見抜かれないようにした。そしてこれは、カーが傑作短篇で行ったミスリードでもある。その短篇では、二十年前と現在で、同じ家で、同じ人物が、同じ密室状況で消失する。そして、読者が二つの消失で同じトリックが使われていると考える限り、真相を見抜くことはできない。このカーの仕掛けをアルテが発展させたのが『赤い霧』なのだろう。

もっとも、アルテが来日した際にこの件を尋ねたところ、ピンとこない様子だったので、あるいは、無自覚だったのかも……。

国内篇ベスト30

SOLUTION

真相は、賢蔵が妻を殺害した後で自殺し、それを他殺に見せかけたというもの。凶器の日本刀は、結びつけた琴糸を水車で引っぱり、離れの外に移動させた。

具体的には、まず、一本を二つに折った琴糸を刀に結びつけておく。水車が回り出すと糸が引かれ、刀は倒れた屏風の上を通り、雨戸の上の欄間を通って外に出る。糸の一端は屋根の琴柱に支えられ、竹藪を通って樟の木に刺さった鎌の刃の下を通っている。そのため、竹が糸をはじいて琴の音が響き、さらに糸が引かれると鎌で切断される。もう一端は燈籠の穴を通っていたが、反対側の糸が切れたため、刀は地面に突き刺さる。そして、どちらの糸も、節を抜いた竹の中を通り、水車に巻き取られる。

SPECIAL-GUIDE

本作の凶器移動トリックの原型は、作中でも言及されている『シャーロック・ホームズの事件簿』の一作。ただし、恐ろしく手の込んだ変更がなされているので、読者が理詰めで推理できるようなトリックではない。本作で称賛されるべきは、この不自然なプロットを成立させるために、黄金時代のミステリのさまざまな技巧を利用している点にある。

まず、巧みな状況設定によって犯人に不自然な行動を取らせるのはクイーン方式。賢蔵はクイーン作品の犯人のように必然性にがんじがらめにされて、やるつもりがなかった密室犯罪をやることになってしまう。そして、他殺説を強化するためにでっちあげた「生涯の仇敵・三本指の男」は、クイーンの『エジプト十字架の秘密』に登場する「家族の仇敵・復讐鬼クロサック」の設定の応用。

冒頭に作者らしき人物を出し、過去の密室ミステリの題名を挙げてから、「しかしそれらの小説のどれともこれは違っていた」と言って読者に挑戦するのは、J・D・カーが『三つの棺』の密室講義で行った手法。

そして最後には、この人物が再び登場して、『アクロイド殺し』から学んだ」トリックを用いたことを語る――。

まさしく本作は、黄金時代の傑作の「いいとこ取り」をした傑作と言えるだろう。

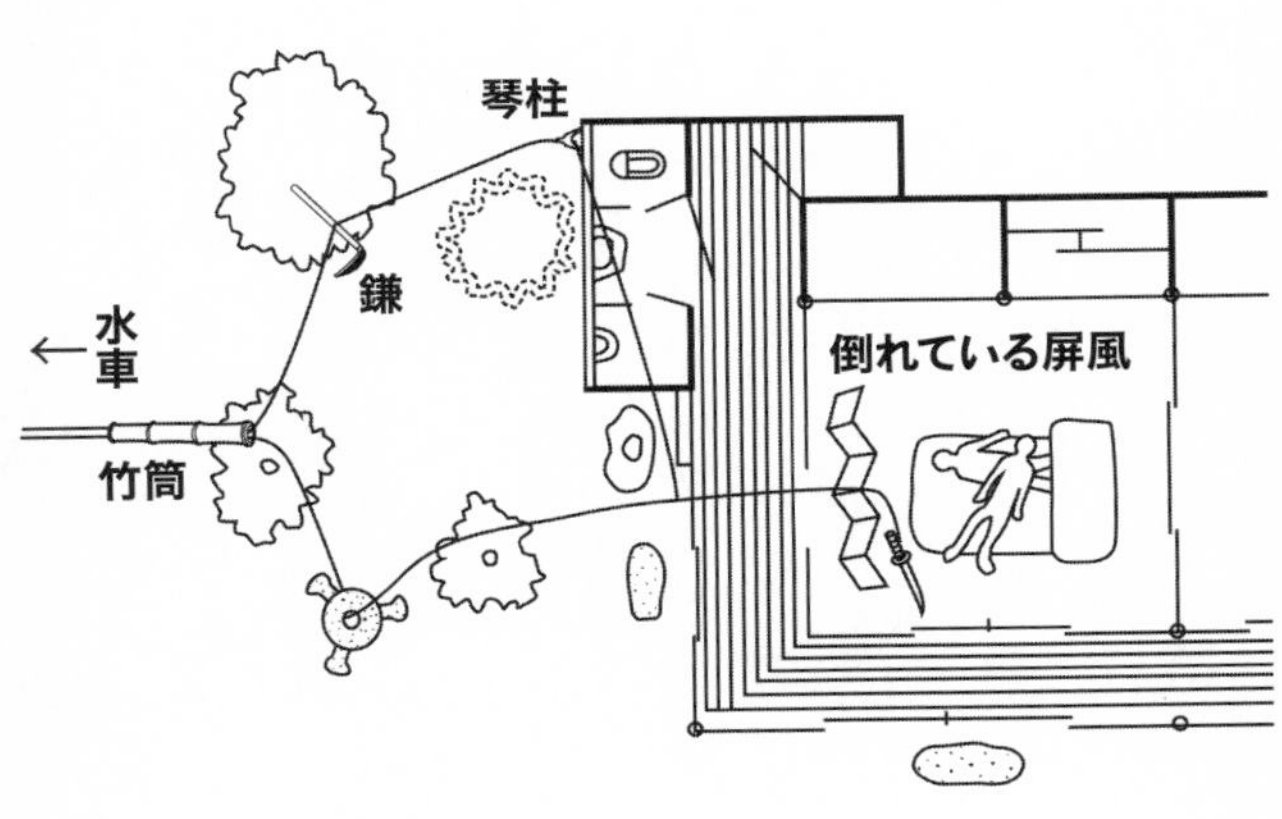

2

能面殺人事件

高木彬光

SOLUTION

［柳光一の解決（図参照）］逆さにした能面の向かって右の角を鍵の柄の穴に差し込む。左の角には紐をかけ、ドア上部の鉄の輪を通し、回転窓から外に出す。あらかじめ紐の先には風船を結びつけておく。三階の真上の部屋に行き、窓から紐を引くと能面が回転して鍵がかかり、面は床に落ちる。紐を回収したら、棒で回転窓を叩いて閉める。従って、犯行時に現場の真上の部屋にいた千鶴井麟太郎が犯人。

［高木彬光の解決］犯人は真上の部屋にいた麟太郎ではなく、同じ三階のその隣の部屋にいた柳光一。彼は隣の部屋の窓から登山用のピッケルを使って紐を引き込む。それから紐を引いて密室を作成。ピッケルで回転窓を叩いて閉める。すべては真上の部屋にいた麟太郎に罪を着せるためだった。

SPECIAL-GUIDE

密室トリックが明かされた瞬間に、「そのトリックが実行可能だったのは千鶴井麟太郎のみ」というロジックで犯人を特定——と思いきや、まさにそれこそが真犯人・柳が密室殺人を行った理由だった。おそらくは前代未聞の、そして優れた〝密室の必然性〟と言えるだろう。

加えて、密室作成の小道具に能面を使ったのも巧い。このトリックならば鉄棒でも良いのだが、わざわざ能面を使って不気味なムードを盛り上げる。そうしておいてから、推理の際には、探偵に「(能面に関する) ペダントリーはどうでもよいのです。私たちはいまは、このゆるやかな傾斜を示して伸び上がっている鋭い二本の角に注意すればそれでよいのです」と言わせてしまう。しかも、前振りとして、「天狗の面を帽子掛けとして使う」エピソードを語るが、これは三十二年後に島田荘司が御手洗潔に言わせているのとまったく同じエピソードなのだ。

それだけではない。本作の大部分は柳の手記であり、これは――解決篇までは――作中人物の高木彬光が語る「探偵が自分で犯罪を解決しながら、自分の行動を叙述していく(略)本格物」に見える。だが、真相がわかった瞬間に、柳の手記は、「犯人が自分で密室を作り、その密室で無実の人を追い込む行動を記したもの」に反転するのだ。

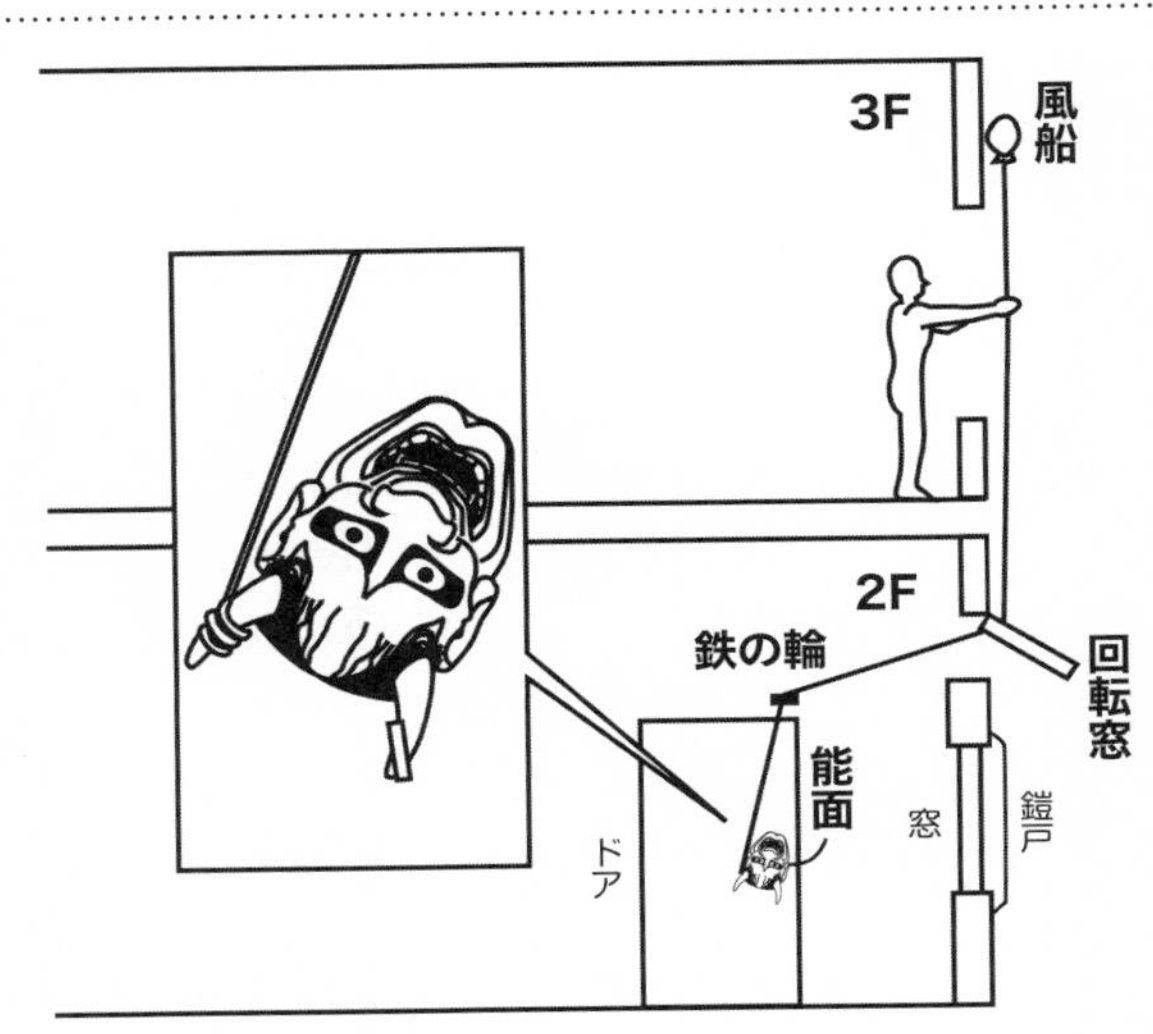

3 明日のための犯罪

天城一(あまぎはじめ)

SOLUTION

名寄は停電による暗闇の中、雷光に浮かんだ朱実を前妻の幽霊だと思い、心臓発作を起こす。大学の学費や生活費を名寄家に頼っていた朱実は、後妻の京子に家を追い出されることを恐れ、恋人で医師の沢田に電話で相談。二人が立てた計画は、事件を警察沙汰にして、愛人のいる京子を牽制するというものだった。

朱実はまず、死体に短刀を刺す。次に、雨が降っている間に庭の中央まで歩いて、そこで雨が止むのを待つ。雨が止んだら後ろ向きに歩いて居間に戻り、短刀で自分の胸を刺す——。

SPECIAL-GUIDE

本作を「ファルス」にしているのは、消えた足跡を作り出す犯人の姿だろう。肺炎になる危険を冒し、いつ止むとも知れない雨の中に立ち尽くす朱実の姿は、確かに滑稽至極ではある。しかも、自分で自分の胸を刺してもいる。それだけやって何を得られるかというと、大学の学費と生活費で、しかも、確実に得られるという保証はない。恋人の沢田も、「君の面倒くらい僕が見るよ」と言わずに、胸を刺しても致命傷にならないやり方を教える。探偵役の摩耶も、ワトソン役の島崎が京子の愛人の大瀬を疑うと、「つまらない事は考えないで、大瀬の通りと承って置く方が安全さ」と語る。その島崎も、なぜか「死体損壊は不問に附そう」と警察官にあるまじき台詞を吐く。かくして読者は、苦笑するしかなくなってしまうのだ。

——というのは作者の考え。実際には、〈天城一作品ランキング〉で本作を選んだ読者は、朱実が雨の中でたたずむ光景に魅力を感じ、印象に残ったらしい。そういえば、本作と同じように、犯人が〝死体のそばで雨が止むのを待ち、止んだら後ろ向きに歩いて立ち去る〟トリックを弄する浦賀和宏の長篇では、雨の中でたたずむ犯人の姿を「昔の角川文庫の、横溝正史の小説のカバーにするにはぴったりのシーンだ。恐ろしや」と述懐していた。笑うのではなく、怖がるべき光景というわけ。

冷静に考えると、密室トリックを実行中の犯人の姿には滑稽なものが少なくない。数本の紐を引いたりゆるめたりする姿、足跡をごまかすために後ろ向きに歩いたり、片足で歩いたり、逆立ちして歩いたりする姿、自分で自分を血まみれにする姿、脈を止めて死体のふりをする姿、反射角を計算しながら鏡を配置する姿、等々。天城一は「密室犯罪はメルヘンです」と語っているが、本当は「密室犯罪はファルスです」と言うべきかもしれない。そして、ミステリ・ファンに冷静さを失わせる密室の魅力が何かを考えなければならないだろう。

なお、本作と「高天原の犯罪」以外にも、天城には注目すべき密室ものが多い。その中でも特に、〈ポツダム宣言〉を密室と組み合わせた「ポツダム犯罪」、ポーの傑作に弁証法で挑んだ「盗まれた手紙」、笠井潔の『哲学者の密室』よりも先に〝戦争〟と〝密室〟を対峙させた『圷家殺人事件』の三作をお薦めする。おっと、評論の「密室犯罪学教程 理論編」も。

白い密室

鮎川哲也

SOLUTION

峯が実際に座間邸を訪れたのは、雪が止む前の八時頃。座間は峯を置いて外出し、愛人の佐藤キミ子の家に向かう。二人は口論になり、キミ子は座間を刺す。座間はキミ子をかばうためにナイフを抜かずに自宅に戻るが、既に雪は止んでいたため、足跡が残る。座間は峯にナイフを抜いて処分するように頼み、峯はその望みを聞き入れる。そして峯は、足跡を自分のものだと思わせるため、座間の靴をはく。そこに、自分が刺した座間がどうなったかを見るために、キミ子がやって来た——。

SPECIAL-GUIDE

本作のトリックのすばらしい点は、逆転の発想にある。他の作品の犯人が自分の足跡を消すのに四苦八苦するのに対して、峯はそもそも足跡を残していない。それなのに、被害者の足跡を自分のものだと思わせようと四苦八苦するので、まさに〝逆〟。座間が外出して殺人に巻き込まれている間、峯は座間邸で風呂に入って酒を飲んでいたというのも、〝逆〟。

しかし、それよりもすばらしいのが、星影の名探偵ぶり。まず、ワトソン役の田所警部に向かって「峯は足を怪我しなかったか」と訊き、「可能性は三分の一」と言う。次に、「犬や猫を（犯行時に）焼いた話をきかなかったか」と訊く。どちらも重要なデータを提示しているのだが、それだけではない。この問いは、読者に対するヒントにもなっているのだ。

極めつきは、《Story》で紹介した「犯人は座間家を出るとき雪の上を堂々と歩いていったんだよ」という台詞。犯人はキミ子なので、座間邸での事情聴取の後、普通に——トリックなどは一切使わずに——歩いて出て行ったことになる。つまり、星影は当たり前のことを言っているのに、警察や読者は誤解して、不可能性が高まってしまうのだ。

なお、本作が《宝石》誌に載った際、江戸川乱歩は「ある人は（小説に仕掛けた）このトリックをアンフェアだというかもしれない」というコメントを添えている。これはおそらく、峯の偽証に関するものだろう。峯の「座間邸には九時半に着いた」等の嘘の証言は、後日、彼が自分の編集する雑誌に書いた記事という形で読者に提供されている。警察の事情聴取の際に語った証言なら嘘があってもかまわないが、作中作に嘘があるのはアンフェアだと批判しているのだろう。

だが、これは的外れな批判だと思われる。峯の立場からすると、記事に真実を書くわけにはいかないではないか。そしてもちろん、星影も「峯の記事には嘘はない」とは思っていない。アンフェアだと批判する人は、嘘を書いてはいけない作者と、嘘を書いてもかまわない作中人物の区別が付いていないように見える。

あえて本作の欠点を挙げるとしたら、峯の「座間を敬愛しているので殺すことはないが、編集の鬼なので記事のために密室殺人をでっちあげることはやる」という性格が、読者に伝わって来ない点だろう。

虚無への供物

中井英夫

SOLUTION#1

まず、二人の体を適当な高さと角度（としか作中には書いていない）になるように吊るす。次に、紐の一方を書庫側のドアの閂にかけ、もう一方は階段側のドア上部の空気抜きの窓を通す。その際、紐は丸まった死体を滑車として使える角度に引っかけておく。最後に、階段側から紐を引けば書庫側のドアの閂がかかる。

SOLUTION#2

犯人は藍司を持ち上げ、階段側のドアの閂を握らせる。そのままドアを外に開くと、皓吉の死体が少しずつ上昇。犯人が外に出てからドアを閉めると、今度は皓吉の死体は少しずつ下降。ドアが閉じると藍司は閂をかけてから手を離す。すると皓吉の死体が床まで落下し、藍司の体はシャンデリアまで上昇する〔図参照〕。

これが当初の計画だったが、犯人は藍司を裏切ってその首に気づかれないように紐をかけ、藍司は犯人を裏切って閂をかけなかった。こうして「密室ではない密室」が生じたのだ。

SPECIAL-GUIDE

本作では氷沼家の連続密室殺人を知人たちが〝御見物衆〟として愉しむことを批判されるが、その姿勢は、密室ものを愉しむ読者とはイコールではない。なぜならば、被害者も犯人も知人だからだ。そこで作者は、この第四の密室殺人は〝作中作〟として、誰も殺さなかった。つまり、作中作を読んでお気楽に愉しむ作中人物は、読者と完全に一致することになる。その上で作者は、作中人物への批判を通じて、まっすぐ読者も射抜けるようになったわけである。

さらに本作は、笠井潔の〈大量死理論〉を生み出したという点にも注目しなければならない。笠井は、洞爺丸沈没事故などの大量死が密室を経由してアンチ・ミステリとなったのが『虚無への供物』だと論じ、その論をさらに発展させたのが〈大量死理論〉となる。この論は、「二つの世界大戦の間に黄金期を迎えた英米の探偵小説は、第一次世界大戦の大量殺戮による〝無意味な死〟に抵抗し、犯人のトリックと探偵の推理によって〝個人の尊厳ある死〟を復権させようという試みだった」というもの。『虚無への供物』は、この本格ミステリにとって重要な論を生み出す力を持っていたのだ。

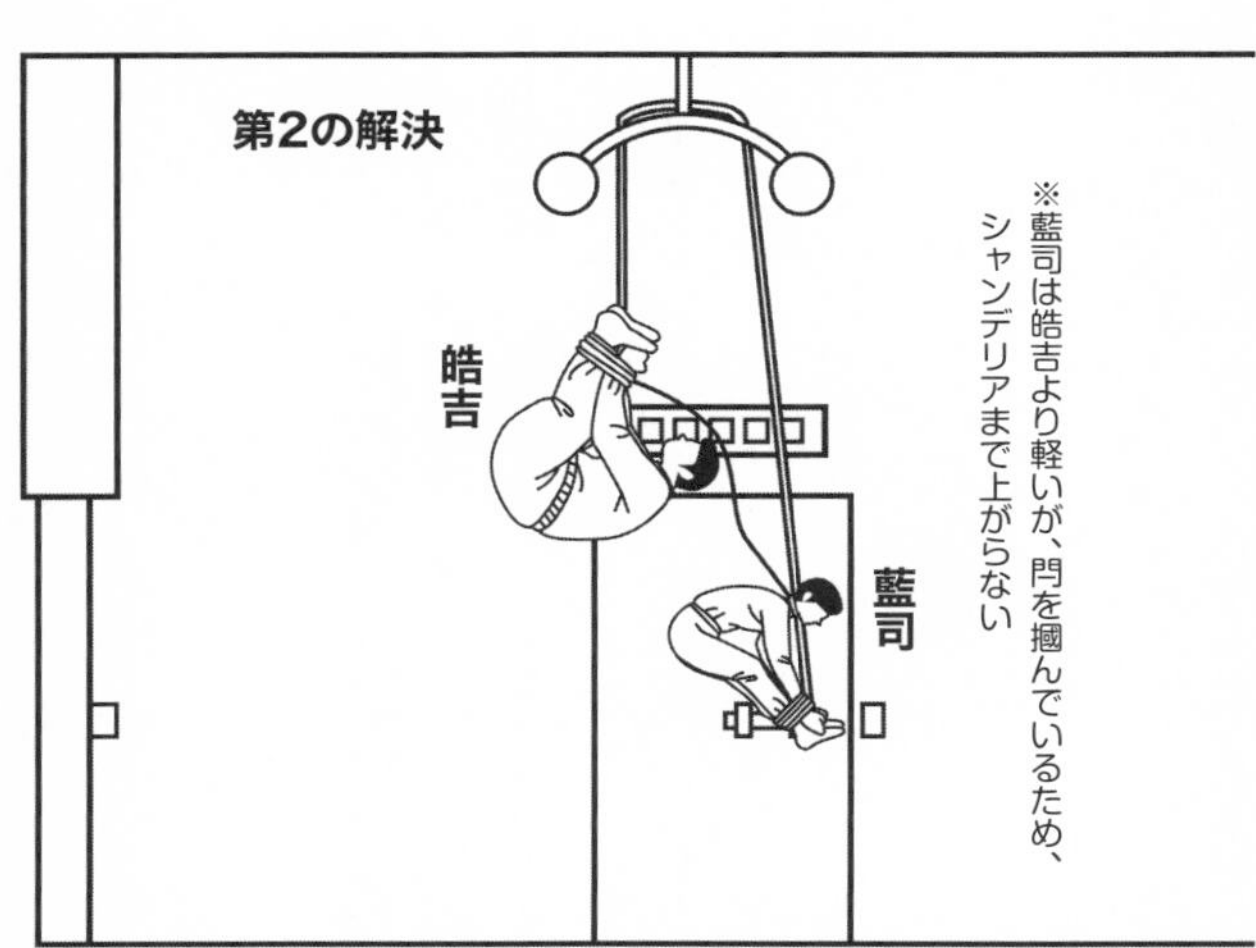

蜃気楼博士

都筑道夫

SOLUTION

事件の黒幕は久保寺俊作だった。彼は自分が余命一年と知り、友人を破滅させた富豪と物理学者を殺す計画を立てる。そして、峠原を手先に使い、表向きは対立しているふりをして、連続不可能殺人を実行したのだった。

第一の殺人では、俊作は簞笥から出る際に、奇術で使う袖のゴム紐付きポケットに短刀を隠して持ち出す。見張りを離れたあと、その短刀を金で雇った前科者に渡して富豪を殺させる。この前科者は物理学者を殺害した後、俊作に殺されて第三の被害者になる。

SPECIAL-GUIDE

私が初読の時に驚いたのは、完璧な不可能状況が、「峠原と久保寺が組んでいた」とわかった瞬間に崩壊するところ。作者はJ・D・カーを意識したらしいが、このシンプルだが効果的なトリックは、カーよりクリスティに近い。また、本作が〈探偵少年・草間次郎シリーズ〉の二作目や三作目ではなく一作目というのも巧い。私は久保寺と次郎を明智小五郎と小林少年に重ね合わせて読んでいたので、見事に騙されてしまった。

だが、このトリックが作者の書きづらさを生んだらしい。前述の『黄色い〜』の中に、「犯人の計画は、かなりの大芝居です。そういう大芝居をやりそうな人物にはしてあったのですけれど、妙に常識が邪魔をして、うまく書けない」

という文があるからだ。大人の目で読み返してみると、確かに、久保寺が〝大芝居〟をやる理由がわからない。性格ではなく、メリットがないのだ。「マスコミを巻き込んで被害者の悪行を世間に明らかにする」という狙いもないように見える。また、久保寺は次郎への手紙に、「わたしは見るひとが見れば真相がわかるように、フェアにこの大マジックを運んだつもりだ」と書くが、なぜフェアにふるまう必要があるのかも説明していない。何よりも不自然なのは、二つの殺人を前科者に依頼したのに、自分も犯行に立ち会っていること。依頼したなら自分はアリバイを作るのが当たり前ではないか。こういった作者側の都合による問題が、『黄色い～』における、〝犯人がトリックを弄する必然性〟の検討を生み出したのだろう。

また、本作の「あとがき」前半のパズラーの説明は、『黄色い～』と同じで興味深いが、後半はその上を行く。ここで都筑は、「作者はどこにも、蜃気楼博士は名探偵で、正義の味方だとは、書いていない」ので、ずるくはない、などと語って、本格ミステリの〝約束事〟を年少の読者に説明しているからだ。『黄色い～』には〝約束事〟に対する言及が何度も出て来ることを考えると、やはり、本作は都筑の本格ミステリ論に大きな影響を与えているのだろう。

最後に、今回読み返して気づいたのだが、作者は本作の構想にあたり、E・クイーンのドルリー・レーンものを意識したように見える。久保寺＝レーン、草間次郎＝ペーシェンス、草間昭一＝サム、そして、何よりも、召使いの林田が、クエイシーにそっくりなのだ。

仮題・中学殺人事件

辻真先

SOLUTION

犯人は出前もちの少年なので、出入りが意識されなかった。彼は、好きな女の子を成績二位に落とした日置を恨んでいたのだ。その日、少年が職員室で食器を回収していると、トイレに入る日置の姿が窓から見えたので、そのまま窓から飛び出し、彼女を刺した。刺された日置は個室に入り、さらなる攻撃を避けるために中から鍵をかける。少年はあきらめて立ち去るが、日置はドアの鍵の開け方がわからない。田舎者だと笑われたくない彼女は、助けを求めることはせず、そのまま絶命する。

SPECIAL-GUIDE

このトリックの原理は、「襲われた被害者が追撃を避けるために密室に閉じこもる」というもので、いくつも先例がある。従って、中高生の読者はともかく、ミステリ・ファンならば、トリックを見抜いて然るべき――なのだが、大人の読者でも、この原理が使われているとは思わないに違いない。なぜならば、犯行現場は学校のトイレなので、被害者は大声を出して助けを求めるのが普通だからだ。

そして、日置が助けを求めなかった理由が明らかになった瞬間に、彼女の思いが読者に伝わっていく。表向きは平然としていたが、田舎者扱いに深く傷ついていたこと。成績一位はそのコンプレックスをバネにしていたこと。そして、「カッコわるいざまを見せるくらいなら、死んだ方がマシと思った」ことなどが。おそらく、本来の読者である中高生の中には、いじめの問題について考えるきっかけを得た者もいるかもしれない（私は本作を中学生の時に読んだが、確かに田舎者いじめは実際にあった）。

この〝人の心を理解することが謎の解明につながる〟というアイデアは、平成以降は珍しくない。〈日常の謎〉も、京極夏彦の京極堂・百鬼夜行シリーズも、柄刀一の『システィーナ・スカル』も同じタイプに属する。しかし、ドアを外から施錠する方法や、目撃者を錯覚させる方法の案出に力を注ぐ作家が主流だった一九七二年に、こういったタイプの密室を描いたことは、いくら誉めても誉め足りないだろう。

ところが、この密室にはさらに奥があった。林一曹殺しを解決した桂は、犯人が清子ではないかと疑っていた。そこで、林一曹の密室殺人と同じトリックを用いた小説を書いて、それを読んだ清子の反応を見ようとしたのだ。つまり、作品の中で、外と同じ密室トリックを使って、読者を犯人だと告発したわけである。

この〝密室トリックを解き明かすのではなく密室を語る理由を解き明かす〟というアイデアは、一九七二年当時も、そして現代でも珍しい。すぐに思い浮かぶのは、綾辻行人の「フリークス」（一九九六年）や、本ガイドでも取り上げた古泉迦十の『火蛾』だろうか。海外でも、やはり本ガイドで取り上げたJ・ヤッフェの「皇帝のキノコの秘密」くらいしか思い浮かばない。このアイデアを用いるだけでなく、さらに〈読者が犯人〉という趣向につなげた作者は、いくら誉めても誉め足りないだろう。

笠井潔

SOLUTION

犯人は事前に塔に入り、窓の木枠に沿って、ロープの輪の部分を針で四隅に留める。ロープのもう一端は、天井の梁に引っかけてから小窓の隅から外に出す。塔に入ってきた被害者は閂をかけるが、星明かり程度ではロープに気づかない。そこで犯人が外から被害者の注意を惹き、被害者が窓から外を見ようと頭を突き入れた時に、外からロープを馬で一気に引く。ロープは窓枠から外れ、被害者の首を絞め、梁から吊るす。ここでロープの反対側の端を窓の鉄格子に登山器具で固定し、余った部分を切る。

SPECIAL-GUIDE

このトリックの先例は、G・K・チェスタートンのブラウン神父譚——と思っていたのだが、作者に聞いたところによると、加田伶太郎（福永武彦）の短篇とのこと。この二作の死体の発見場所は、チェスタートンは窓の外、加田伶太郎が窓の近くになっていて、どちらも読者がトリックに気づきやすい。しかし本作は、死体は部屋の中央にあるので、窓から絞殺したという考えが浮かびにくいのだ。二つの先例を知っていても見抜けなかった読者は多いだろう。ちなみに、三味線屋の勇次（『新 必殺仕事人』）より本作の方がわずかに早いので、パクリではない。また、このトリックだと、死体の重さのせいで、ロープを鉄格子に結びつけるのが難しくなる。そこで、登山器具を利用して、ロープを鉄格子に固定したというわけ。

もう一つ巧妙なのが、馬の使い方。このトリックの場合、強い力で一気に吊るす必要があるので、馬を使っている。だが、犯行現場で馬が殺されていても、読者は「見立てのためか」と考え、トリックに使ったとは考えないのだ。

また、舞台設定も巧妙。図を見るとわかるが、このトリックを使うには、壁（かべ）の厚さが人間の頭二つ分なければならない。しかし、どんな豪邸（ごうてい）の壁でも、そんなに厚くはない――のだが、古城の石壁なら、たっぷり厚みがある。しかも、塔の部屋は使われていないので照明がなく、窓や天井のロープは見えないのだ。

なお、笠井作品には不可能犯罪ものが意外とある。『哲学者の密室』以外では、未単行本化だが、『夜と霧の誘拐』をお薦めしたい。

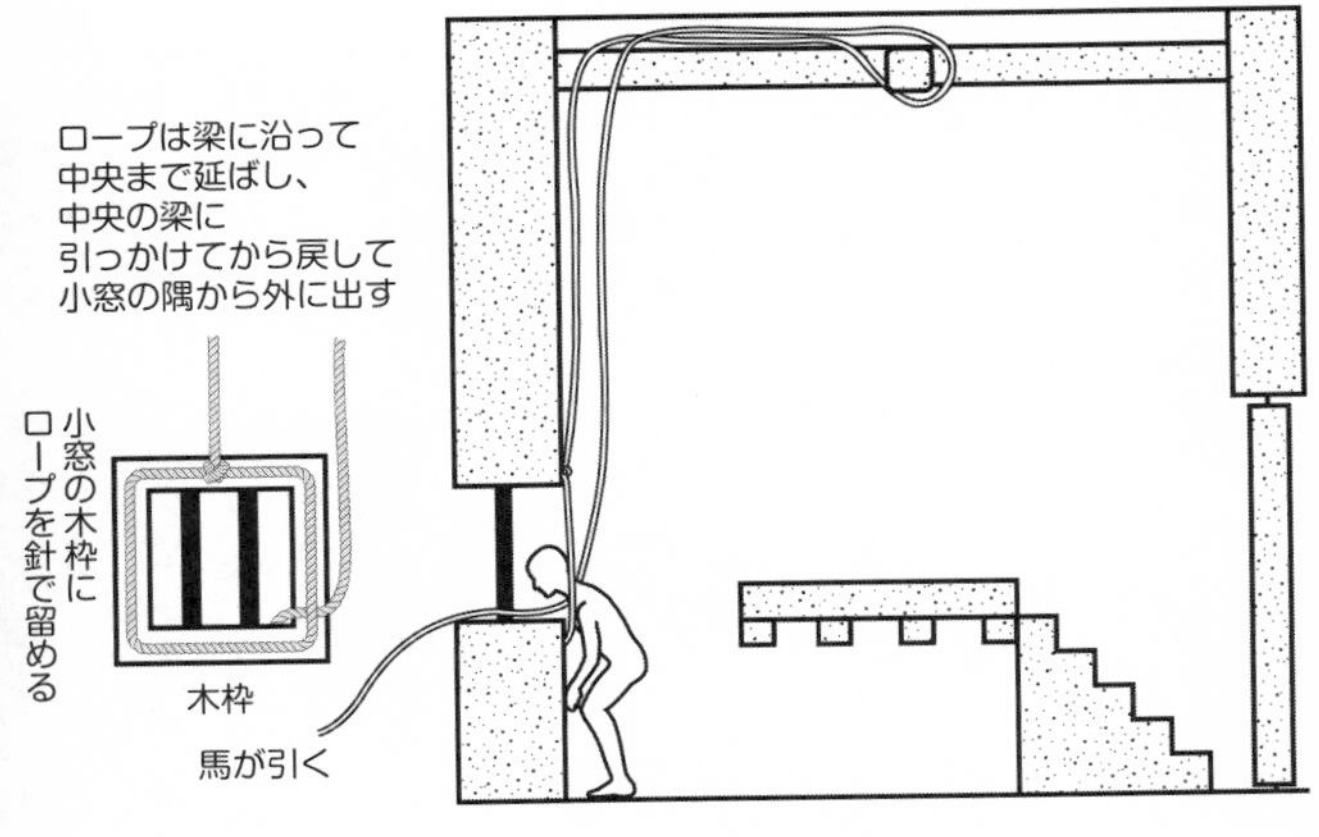

9

中町信

SOLUTION

生徒集会室で名城にレイプされかかった添畑は、彼を突き飛ばし、頭部に重傷を負わせる。そこに北田たちが来たので、窓からベランダに出る。秋庭がカーテンを開けると、ベランダにいた添畑が目に入るが、彼女をかばって何も言わない。谷原もやはり気づくが黙っている。

では、添畑をかばう必要のない教師の北田は、なぜベランダの添畑に気づかなかったのか？実は、添畑と秋庭が同じ服装と髪型だったため、北田は、ベランダにいる添畑の姿を、窓ガラスに映った秋庭のものだと思ってしまったのだ。

SPECIAL-GUIDE

密室トリックには鏡を使ったものが少なくない。Ｇ・Ｋ・チェスタートンの短篇や、Ｊ・Ｄ・カーの長篇など、高い評価を得ているものも少なくない。ただし、使い方を見ると、すべてが「虚像を実像に見せかける」となっている。目撃者が鏡に映った自分の姿を犯人だと思い込んだり、鏡に映った被害者の姿を犯人だと思い込んだり、鏡に映ったドアを犯行現場に出入りするドアだと思い込んだりと、いくらでも挙げられる。だが、本作のトリックの原理は、これらとは異なり、実像を虚像に見せかけているのだ。まさに逆転の発想と言えるだろう。考えてみれば、われわれ読者も、夜に窓ガラスに映った自分の姿を見たことは何度もあるので、同じ錯覚をしてもおかしくない。

分類上は、この密室トリックは——ロースンの名前が出て来ることからもわかると思うが——「犯人は犯行後も密室の内部に留まり、死体発見時のどさくさにまぎれて脱出する」というもの。ただし、他の作品の犯人が、ドアの陰やソファの下や調度品の中に隠れたりするのに対して、本作の犯人はベランダに立っているだけ。ある意味では、チェスタートンの「見えない人」と同じタイプとも言える。

しかも、この密室トリックは、さらなるミスリードをも生み出しているのだ。このトリックの場合、秋庭と谷原は犯人が添畑だと知っているし、添畑もまた、二人が自分に気づいたことを知っている。この状況で、十五年前の事件を探っていた堂上美保が殺され、続いて谷原と秋庭が殺された場合、読者も作中人物も、「添畑が過去の犯罪を隠すために三人を殺した」と考えるのは当然の話。見事なミスリードではないか。密室を裏づける三人の内の二人が偽証している点に不満を抱く読者がいるかもしれないが、それはミスリードのためだったのだ。

なお、本作の見出し「マルクス兄弟の密室」は、マルクス兄弟の映画『我輩はカモである』（一九三三年）から採ったもの。この映画では、独裁国家の大統領（グルーチョ）を探るスパイ（ハーポ）が、大統領に変装して忍び込むが、鏡を割ってしまう。そこに入ってきた大統領が鏡（正確には鏡の枠だけ）の前に立ったので、スパイはあわてて、鏡に映った大統領のふりをする、という有名な場面がある。このギャグはドリフがコントでパクっているので、作者が知っていた可能性は高い。

雪密室

法月綸太郎

SOLUTION

トリックは、離れにいた被害者の夫・篠塚国夫と沢渡恭平、それに、母屋にいた沢渡冬規の連係プレー。国夫は妻を殺し、スペアキーで施錠してから恭平の靴をはいて後ろ向きに母屋へ戻る。母屋に着いたら離れの玄関にいる恭平に靴を投げ、スペアキーをケースに戻す。母屋の冬規は法月警視を起こし、自分は恭平だと名乗る。それから、一足先に離れに向かったふりをして、自室に戻る。ずっと離れにいた恭平は、法月警視に対して、たった今、母屋から離れに着いたように見せかける。

SPECIAL-GUIDE

上記の解決を読んで、「面倒なだけで面白くないトリックだな」と感じた人は少なくないと思う。だが、実作を読むと、そう感じた人は少ないと思う。なぜならば、このトリックは、推理によって少しずつ解明されていくからである。

具体的に書くと、法月警視を起こした人物は耳栓のことを知っていたので恭平ではなく冬規。↓冬規が偽装をしたということは、恭平は母屋にいなかった。↓犯人は離れの金庫から恐喝のネタを持ち出したが、この作業は一人ではできない。↓離れには恭平ともう一人がいた。↓真棹が泥棒に手を貸すはずがないので、二人目は真棹以外。↓その二人目が、離れから母屋に後ろ向きに歩けば足跡の説明がつく。↓法月警視が離れの玄関で恭平に合流した時、恭平の靴は足跡をつけたものと同じだった。↓二人目は母屋に着いた後、靴を離れの恭平に投げ返した。↓離れの施錠はどうやった?↓犯人は母屋のスペアキーを離れの恭平とキャッチボールしたか、最初から母屋のスペアキーを持って離れに向かった。↓冬規は母屋で法月警視と会っているので二人目ではない。↓冬規は恭平のふりをして法月警視に声をかけただけ。↓母屋にいた冬規と離れにいた恭平は打ち合わせはできない。↓冬規の部屋の電話と離れの電話で打ち合わせた(当時は携帯電話は普及していなかった)。↓二人目は誰?↓足のサイズなどから消去法で篠塚国夫だと特定。

本作には〈読者への挑戦〉がはさまれているが、まさに、その挑戦にふさわしい推理だと言える。トリックがシンプルだと、ここまで緻密な推理は使えないだろう。この「不可能状況を、その構成要素ごとに分け、一つずつ解き明かしていく推理」は、難しいため、鮎川哲也の「赤い密室」などの優れた作例は数少ない。本作は、その数少ない作例の一つなのだ。

ただし、〝推理〟という観点からは、欠点が二つある。一つ目は、挑戦文で「(犯人は)いかなる機械的な手段も使用していない」と言っているが、これは作中探偵に推理で証明してほしかった。作中探偵は挑戦文を読めないのだから、この可能性も検討するのは当然だろう。

二つ目は、冒頭の「引き裂かれたエピローグ パート1」で、読者をミスリードしていること。言うまでもなく、作中探偵にはこのミスリードは効果がない。つまり、読者は探偵より不利なのだ。

翼ある闇 メルカトル鮎最後の事件

麻耶雄嵩

SOLUTION

犯人は伊都と有馬を気絶させ、二人を並べて座らせる。そのままダンビラを水平に振り、二人の首を一気に切断しようとした。だが、最初に伊都の首を斬ると、その頭部がダンビラの上に載ってしまう。かまわず有馬の首を斬ると、ダンビラの上の伊都の頭部が有馬の胴体の切断面の上に落ち、何十億分の一の確率で、伊都の頭部の神経繊維が有馬の胴体の神経繊維と結合してしまった。伊都の頭部は有馬の胴体を動かし、〝地獄の門〟に逃げ込む。そして、施錠したところで絶命し、頭部と胴体は離れる。

SPECIAL-GUIDE

麻耶作品の特徴は、本格ミステリのテーマや趣向に独自のひねりを加えている点にある。ただし、こういった特徴を持つ作家は、他にも多い。麻耶雄嵩がユニークなのは、そのテーマや趣向への理解度が、他の作家よりも高い点にある。例えば、麻耶はエラリー・クイーンに匹敵する消去法推理を描ける力量を持ち、その上で、消去法推理にひねりを加えた作品を書く。だから、独自の魅力が生じているわけである。『隻眼の少女』における〈後期クイーン的問題〉の扱いも、『木製の王子』(二〇〇〇年)のアリバイ・トリックも、優れた理解力に基づく独自のひねりが描かれているのだ。

本作の密室トリックも同じ。読者の第一印象は「ばかばかしい」だと思うが、作品全体を読み終えると、ばかばかしいとは思わなくなったのではないだろうか？　それは、作者が本格ミステリにおける密室トリックの位置づけをきちんと理解し、さまざまな手を打っているからに他ならない。

まず、トリックの原理は、「確率が異常に低い現象が起こった」というもの。現在では島田荘司とそのフォロワーたちの作品や山口雅也の『奇遇』（二〇〇二年）などでおなじみの原理だが、発表当時は珍しかった。おそらく作者は、過去の密室ものには――フランスの古典名作やJ・D・カーの傑作などには――起こる確率が低い現象を用いたトリックがいくつかあることに気づき、それを肥大化させたのだろう。

さらに、「木更津という風変わりな探偵が山に籠もって思いついたトリック」というエクスキューズを用意。いわば、「普通じゃない探偵役に普通じゃない真相を担保させる」手法で、こちらはG・K・チェスタートンの「折れた剣」などの応用だろう。

最も巧妙なのは、このトリックは〝ダミー解（間違った推理）〟だということ。これが真相なら怒る読者も、「奇矯な探偵が妄想したトリック」だと説明されると、笑って許してしまうに違いない。しかも、それなのに、読者の頭には、「奇抜な新案密室トリック」として、このトリックが刻まれてしまうのだ。

ただし、私が個人的に気に入っているのは、利き腕の手がかり。有馬は右利きだが、その胴体を動かしている伊都は左利きなので、鍵を左手に持って施錠したというわけ。実に見事な手がかりではないだろうか。

46番目の密室

有栖川有栖

SOLUTION

犯人は屋根に上がり、書庫から伸びている暖炉の煙突の前で待ち構える。書庫におびき出された被害者（真壁）が、暖炉の中に書かれたメッセージを読もうと頭を差し入れた時に、長いテグスを巻き付けた壺を煙突から落とす。加速度がついた壺で被害者を殴り殺すと、テグスを引いて壺を回収。続いて、煙突から灯油を注ぎ込み、火を点けて死体を燃やす。さらに、この時使った灯油缶とは別の灯油缶を犯行の前に書庫に転がしておき、こちらが使われたように見せかける。

SPECIAL-GUIDE

まず、このトリックは——作者も認めているように——既存のトリックの応用になっている。ということは、犯人は、事件関係者（推理作家や編集者）などにトリックを見抜かれないようにしなければならない。

ここで犯人が行ったのが、「死体が上半身を暖炉に突っ込んでいたのは燃やすため」と思わせるというミスリード。これにより、火村を除いた人々は、「犯人はなぜ死体を暖炉で燃やしたのだろう?」という謎にとらわれ、「被害者は暖炉の中で殺されたのではないか?」という発想は出て来なくなってしまった。

さらに犯人が巧妙なのは、灯油缶の扱い。犯行より前に空にした灯油缶を書庫に運び込んでおき、そちらが死体を燃やすために使われたように見せかけるのだ。しかも、裏口の灯油缶を使うと犯行前に数が減っていることに気づかれる危険性があるので、わざわざ離れた物置にある灯油缶を使うという用心深さ。そしてもちろん、この行為が、「なぜ犯人は手近にある灯油缶を使わなかったのか?」という謎を生み出すわけである。

さらに注目すべきは、犯人には密室を作成する意図はなかったという点。書庫のドアは勝手に開いてしまうため、隙間風を防ごうと被害者が掛け金を下ろしてしまったのだ。犯人がこのトリックを弄したのは、書庫に近づいていない自分には犯行が不可能だったと思わせるため――つまり、アリバイ工作だったのだ。しかも、書庫に近づいていないことを証明するために、自室から階下に降りる途中に石灰の粉を撒(ま)くという細工まで行っている。加えて、その理由に気づかれないように、白づくしの悪戯(いたずら)をいくつも仕掛けるという徹底ぶり。そしてもちろん、これもまた、謎を生み出しているわけである。

こういった犯人の徹底した合理的・論理的思考は、密室トリックだけ抜き出して分類すると、見えなくなってしまう。だが、犯人が合理的な思考をするからこそ、名探偵はその思考を推理することができるのだ。これこそが、作者がクイーンから学んだものであり、〝推理〟という観点からは、作者を他の作家より抜きん出た存在にしている理由に他ならない。

作者は「輝ける密室トリック」という言葉を使っている。トリック分類の観点からは見えない〝輝き〟をこの作品から引き出すことができたなら、本書の目的は達成できたと言える。

綾辻行人

SOLUTION

犯人は掛け金を上げておき、下りないように雪で固定。雪が浴室の熱で溶けると、掛け金が下りて施錠される。

では、こんな初歩的なトリックに、なぜ鹿谷はなかなか気づかなかったのか？　それは、事件が起こったのが八月であり、黒猫館の冷蔵庫は故障中だったため、雪や氷が用意できないと思い込んでいたからだった。だが、真の黒猫館は、阿寒ではなく、オーストラリアにあった。八月のオーストラリアは冬なので、犯人は雪を簡単に入手できたのだ。

SPECIAL-GUIDE

本作の解決篇を読んだ人には、私が言いたかったことをわかってもらえたと思う。「上げた掛け金を雪で固定して、溶けると下りる」という、もはや化石となったトリックが、叙述の仕掛けによって、鮮やかに甦っているのだ。

だが、私が評価するのは、それだけではない。本作では、叙述トリックにつきまとう二つの問題を、スマートに解決しているのだ。

一つ目は、描写の問題。例えば、叙述によって女であるA氏を男に見せかける場合、作者は、「彼」や「彼女」といった代名詞は使えず、常に「A氏は～」と書かなければならない。さらに、A氏は決してスカートなどはかず、はいた場合は服装の描写はできなくなる。さらに、A氏には中性的な口調で喋らせなければならない。こういった「読者を欺(あざむ)くための文章」は、不自然になってしまうことは避けられない。

　だが、本作における手記の書き手・鮎田(あゆた)は、読者を欺こうとはしていない。確かに、自分が今、オーストラリアにいることも、季節が冬であることも書いていないが、それは、彼にとっては、わざわざ書くまでもない、当たり前のことだからだ（と、第八章で語っている）。実にスマートな叙述トリックだと言えるだろう。

　二つ目は、推理の問題。例えば、叙述によって女であるA氏を男に見せかける場合、読者はA氏を男だと思い込むが、作中探偵は最初から女だとわかっている。従って、読者よりも作中探偵の方が、真相を見抜くことが容易なのだ。

　だが、本作においては、作中探偵の鹿谷と読者の間にギャップはない。鮎田の手記は作中作として提示されているため、鹿谷も読者も、まったく同じ文章を読んでいるからだ。このため、作中作を読んで黒猫館がオーストラリアにあることを突きとめる鹿谷の推理は、鮮やかであると同時に、読者にも可能なものになっていて――まさにフェアプレイと言える。

　もちろん、手記の書き手である鮎田は、黒猫館がオーストラリアにあることを知っているので、鹿谷や読者とはギャップがある。だが、彼は記憶を失っているので、このギャップは問題とならない。実にスマートではないか。

　また、阿寒にも黒猫館らしき建物があるという設定も巧い。もちろん、よく似た館（まったく同じではない）を日本とオーストラリアに建てた理由も、作中できちんと説明されている。これもまた、スマートだと言えるだろう。

凶漢消失

泡坂妻夫

SOLUTION

この文書は小説ではなく、新興宗教の教祖を讃える宗教説話集だった。つまり、教祖・牧馬恭が起こした奇跡を描いて教義を伝える本の一挿話だったのだ。それに気づいた根本が考えた結末では、牧馬恭は、藤八はもはや「改悛の手だてなく、世に存命せるは理の外なれば消亡して本来なり」としてこの世から消滅させる。そして恭は、まわりの人に向かって、「藤八が姿見たければ、今、ここに現すべし」と言って天空の一角を指さす。そこに人々が見たのは、鬼に引き立てられる藤八の姿だった。

SPECIAL-GUIDE

本作のアイデアを単純化すると、「教祖の奇跡を描いた宗教説話集の一部を手に入れた密室マニアが密室小説だと誤解する」というもの。つまり、作中作の密室を作り出したのは、作中作の作者でも作中作内の人物でもなく、作中作を読んだ密室マニアなのだ。ヘロドトスの『歴史』や旧約聖書の外典に密室もののルーツを見出し、ハードボイルドやサスペンスや冒険小説で密室トリックを見つけると嬉々としてトリック分類に加えるマニアの心理を逆手にとった、実に面白いアイデアだと言える。

それなのに、本作のトリックを分類しようとすると、江戸川乱歩の分類にも天城一の分類にも当てはまらないのだ。唯一、本書のコラム1で私が挙げた分類「D密室の完全性を判断する根拠に錯覚がある場合」には当てはまるが、これは、私が本作も分類できるように考えた項目だから。

ただし、私は別の点をより高く評価したい。それは、物語の最後で、「凶漢消失」が探偵小説ではないと知ってがっかりする〝私〟に向かって根本が言う台詞、「これをありのまま書けば、アンフェアであってしかもフェアな探偵小説という、これまでにない新しい小説が書けるんじゃないですか」。これは、どういう意味だろうか？

まず、語り手の〝私〟の立場で見てみよう。彼は「凶漢消失」を探偵小説だと思い込み、「牧馬恭が納屋から連れ出した子供は藤八の変装だった」というトリックを考え出す。そんな彼から見ると、この解決はアンフェアになる。

今度は、根本の立場で見てみよう。彼は、「凶漢消失」が宗教説話だと気づき、消失トリックを見抜くことができた。この文書が小説ではなく宗教説話であり、牧馬恭が新興宗教の教祖であることを示す手がかりが、作中にきちんと書かれているので、気づくことができたのだ。そんな彼から見ると、この解決はフェアと言える。つまり、密室ミステリとして見るとアンフェアだが、文書が密室ミステリではないことを示すデータが存在するのでフェアというわけ。

ここで巧いのは、「凶漢消失」の冒頭。古事記の八俣（やまた）の大蛇（おろち）の話と日本霊異記（りょういき）の死人が牛になる話に合理的な説明をつけているので、作者は合理的思考の持ち主に見える。だが実は、新興宗教を持ち上げるため、神話と仏教説話を否定しているだけだったのだ。

15

SOLUTION

久遠寺牧朗の死体は、ずっと書庫の床にあった。だが、久遠寺梗子、姉の涼子、住み込みの医師の内藤、関口の四人には、その死体が〝見えなかった〟。彼らはそれぞれの事情により、脳が死体を知覚することを拒んでいたのだ。死体が屍蠟となって腐敗しなかったことも、それを手助けした。もちろん、使用人は死体に気づいていたが、久遠寺家への忠誠のため、口をつぐんでいた。だが、中禅寺の〈憑物落し〉のため、関口たちの脳は死体を知覚するようになり、忽然と現れたように見えたのだった。

SPECIAL-GUIDE

本作は脳科学のテーマの一つ、「脳は嘘をつく」をトリックに用いている。このテーマは夢野久作の『ドグラ・マグラ』（一九三五年）にも登場するが、当時は、嘘をつく原理が解明されていなかったため、論理的な説明を必要とする本格ミステリでは使いづらかった。他にも、ランドル・ギャレットの一九六四年の短篇では、「不美人でも愛する男には美人に見える」というアイデアをミステリに組み込んでいるが、脳ではなく心の問題になってしまっている。

私見だが、近年の研究成果を踏まえた脳科学を本格ミステリに組み込んだ最初の作家は、島田荘司だろう。『眩暈』（一九九二年）以降の作品は、「ミステリーの霧は脳にこそ潜んでいる」という彼の主張に沿って書かれているからだ。ならば、『姑獲鳥の夏』は、その二番煎じかというと、そうではない。

　島田作品では、脳に騙された人物の物語は作中作で語られることが多い。なぜかというと、周囲の人物は騙されていないからだ。本人が〝死体は存在しない〟と思い込んでいても、他の人が「そこに死体があるじゃないか」と指摘したら、ミステリとして成り立たない。だから、脳に騙されている本人の視点しか存在しない作中作形式をとるしかないのだ。

　ところが、『姑獲鳥の夏』では、作中作形式はとっていない。それどころか、〝脳に騙されている〟関口が最初に久遠寺家を訪れた際に同行していた榎木津は、ちゃんと死体に気づいていて、関口にそれを告げてさえもいるのだ。

　だが、関口も読者もそう思わない。榎木津が「普通の人には見えないものが見える」能力によって、存在しないものを見たと思うからだ。逆に言うと、榎木津が「見た」と言っても読者がそれを信じないようにするために、彼に特殊能力を持たせたわけである。この本格ミステリのセンスあふれる発想こそが、本作を、単に脳に嘘をつかせて不可能状況を生み出すだけの作品のはるか上に位置づけているのだ。

　――と思った私のような読者は、次作の『魍魎の匣』で驚くことになる。こちらの作品でも語り手が現実にはありえない光景を見るが、読者が「今回も語り手が脳に騙されたのだな」と考えると、大はずれ。こちらのトリックは、前作と百八十度異なる原理に基づいていたのだ。

京極夏彦、恐るべし。

SOLUTION

王を狙う敵の名は「ネヌ」だが、これは古代エジプト語では否定詞を意味する。そのため訳者は、パピルスの文を訳す時に、人名の「ネヌ」を否定詞だと勘違（かんちが）いしてしまった。正しい訳文は、「この王墓には誰もはいっていない」ではなく、「この王墓にネヌがはいった」。「この部屋には誰も人はいない」ではなく、「この部屋にはネヌがいる」だったのだ。

ネヌは王墓の建築者を味方につけ、玄室に向かう通路だけトラップが発動しないようにさせてから侵入し、王を殺害したのだった。

SPECIAL-GUIDE

私が最初に読んだ小森作品は、一九九四年に高沢のりこ名義で同人誌に発表された「白と黒の犯罪」。これは、天城一（あまぎはじめ）の「高天原の犯罪」に挑んだ、〈見えない人〉テーマの傑作だった。作者はその後もこのテーマに挑み続ける——『コミケ殺人事件』、本作、『バビロン空中庭園の殺人』、『眠れぬイヴの夢』（サブの事件）、『駒場の七つの迷宮』、『ムガール宮の密室』、『魔夢十夜』（二つ目の墜落（ついらく）死）、『大相撲殺人事件』の「頭のない前頭」と「女人禁制の密室」で。これ以外でも、『ローウェル城の密室』や『Gの残影』は、広義の〈見えない人〉テーマだと言えないこともない。原理も、元祖（チェスタートン）の流用、証人の偽証、光の反射を利用したもの、コミケ即売会のシステムを利用したもの、とさまざま。だが、そのシンプルさと盲点を突いた発想において、本作と「白と黒の犯罪」が突出していることは間違いない。

もっとも、本作の解決を読んで「バカバカしい」と思う人もいると思う。作中に出て来る『不思議の国のアリス』の「Nobody」のエピソードだけでは納得できない人は、「果物チームと野菜チームの野球対決」クイズの「九回裏、果物チームは二死ランナーなし」という問題文を思い出してほしい。それでも足りなければ、神田の古書店主が、００７シリーズの『ドクター・ノオ（Doctor No）』に『医者はいらない』という訳題をつけたエピソードを教えよう（伝聞だが）。漢字で「無し／梨」と使い分けができる日本語や、人名は大文字で始まる英語でも誤解が生じるのだから、古代エジプト語を誤訳してもおかしくないはずである。

また、この誤訳トリックを示す手がかりが、きちんと提示されているのもすばらしい。翻訳者が「否定詞の位置がおかしい」と言うのは、主語の「ネヌ」を否定詞だと思ったからだし、文章の整合性がとれていないように見えるのも、同じ理由。そして何よりも巧い手がかりは、王名表に残された、「ネクエンラー王の死後に王が不在の時期が続いた大空位時代」の謎。王名表の「王がいない時代が続いた」というのも誤訳で、実際は「王がネヌの時代が続いた」だったのだ。〝王名表〟と〝密室〟という、まったく異なる二つの謎が、お互いにもう一方の謎を解く手がかりになっているわけである。王名表の翻訳に関しても「否定詞の位置がおかしい」という台詞を言わせているのもさすが。

森博嗣

SOLUTION

四季は十五年前に幽閉された時点で妊娠していた。子供の父親である新藤所長の協力の下、他の誰にも知られずに女の子を出産し、育てた——十四歳になったら自分を殺害させるために。だが、天才ではない娘はそれができず、四季が娘を殺害。その死体を自分に見せかけ、みんなが死体を追ってオフィスを出た隙に、エレベーターで脱出。この姿は監視カメラで撮影されているが、あらかじめＯＳに仕込んでおいたプログラムが映像ファイルを消したために、証拠は残らなかった。

SPECIAL-GUIDE

通常はＯＳは簡単に変えることはできない。だが、研究所のシステムで使っているＯＳは四季が作ったものなので、あらかじめ脱出サポート機能を仕込んでおくことは容易だった。その中で最も重要な機能は、犯行時にシステムの時刻を一分戻すこと。監視カメラの映像ファイルは名前に時刻が組み込まれているため、同じ名前のものが二つ生成され、先にできた方が後からできた方に上書きされて消える。そして、この機能が動き出すのを、ＯＳの稼働開始から６５５３５時間後、16進法ならＦＦＦＦ時間後になる——２バイトの整数変数のすべてがＦになる——時刻に設定しておく。こういったＯＳを利用したトリックは先例がなく、まさしく、従来にない〈理系ミステリ〉と言える。

一方、子供を替え玉にした密室トリックの方は、『有栖川有栖の密室大図鑑』の中で、有栖川が「あんなことがトリックに使えるとは。自分なら冗談にしかできなかった」と語っているし、私自身は、クイズで読んだ記憶がある。つまり、本作のトリックは、冗談やクイズに見えるのだ。だが、理系の思考では、そんなことはどうでも良い。重要なのは、「そのトリックは実行可能か」と「そのトリックを実行すれば目的を達成できるか」しかない。

　そして、娘を身代わりにするならば、指紋を照合されないように腕を切断して処分するのは当然の話。腕に注目されないように足も切断しておくのも、これまた当然の話。

　さらに、山根はシステムを十時に復旧する計画を立てたが、十一時前に復旧されては脱出計画に都合が悪い。ならば、復旧を一時間遅らせるために山根を殺すのは当然の話。

　こういった思考は合理的ではあるが、小説の中ではなく現実の世界ならば、ついて行けない人も多いに違いない。だが、理系の天才・真賀田四季は、こういう思考をするのだ。

　ところが四季は、娘に十四歳の自分を再現させることに理由もなく固執する。「すべてがFになる」というヒントを残した理由について、「私は、誰かには、気づいてほしかったのね、きっと」という合理的とはほど遠い説明をする。そして、オフラインで会った犀川にキスを求める——江戸川乱歩の『黒蜥蜴』のように。

　真賀田四季は、理系の天才犯罪者であると同時に、〈怪人対名探偵〉の系列に属する女性犯罪者でもあったのだ。

火蛾

古泉迦十

SOLUTION

カーシムを殺したのはホセインだが、現場を密室にしたのはシャムウーン。ゾロアスター教徒である彼は、カーシムの死骸の血が大地を汚すことを嫌い、大きな絨毯の下に小さな絨毯を敷こうとする。だが、狭い場所ではやりづらいため、木杭を外して穹廬を横倒しにしてから小さな絨毯を敷く。作業が終わると、帷幕の紐を内側から結んだまま穹廬を立てて、あらためて布を木杭で留める。だがこの時、ゾロアスター教徒である彼は、燭台の正しい場所がわからなかった。

SPECIAL-GUIDE

前述の解決だけを読むと、普通の密室ミステリに見えるかもしれない。だが、その先が普通ではないのだ。アリーは密室の解明をするが、シャムウーンの言葉により、「手がかり」としていたものを、すべて喪失してしまった。そのためアリーは、シャムウーンを刺し殺す。

そして、アリーの話を聞き終えたファリードは、二つの物語を読み取る。

一つ目は、三人の弟子はアリーの我欲の形象だという物語。アリーは自身の我欲を放逐するために、三人を殺さなければならなかったのだ。

二つ目は、弟子が師を殺すウワイス派の論理による殺人だという物語。カーシムはホセインに殺され、そのホセインはシャムウーンに殺された。そして、シャムウーンはアリーに殺されるべく、彼に幻覚を見せたのだ。さらに、アリーが物語を語ったのも、ファリードに自分を殺させるためだった。だが、ファリードはアリーを殺さずに立ち去った……。

動機探しのミステリとして読んでも実に面白い。特に、「なぜ物語を語るのか？」という謎の解決はすばらしい。だが、二つの解釈のどちらを取っても、余分なものが残る。それは、密室殺人の謎。我欲の抹殺にせよ、ウワイス派の論理にせよ、現場を密室にする意味はない。アリーの密室解明を聞いたシャムウーンは「あなたのいったとおりだ」と認めているが、これは二つの解釈のどちらとも矛盾している。まるで、メフィスト賞に応募するために密室殺人をはめ込んだようにも見える。

だが、ここでは小森健太朗の『探偵小説の様相論理学』の『火蛾』論を援用させてもらおう。小森は本作における「我は神なり」という宣言を、名探偵の「これが真相だ」という言葉に重ね合わせている。ならば、密室トリックを正しく解明しながら、その正しさに疑いを持ったアリーは、名探偵であることを放棄したと言えないだろうか。だから、シャムウーンに操られて殺人を犯した。一方、ファリードはアリーの話の狙いを正しく推理し、蠟燭には大麻が仕込まれていることも見抜いた。だから、名探偵のままでいたファリードは、アリーに操られることはなく、殺人を犯さなかった。

余分に見える〝密室殺人〟に注目すると、本作は、「名探偵がどこまで自分の推理を信じ切れるか」というテーマを描いた本格ミステリになるのだ。

19

世界は密室でできている。

舞城王太郎

SOLUTION

四つの建物は、ストッパーを外すと、すべて時計回りに四十五度回転するようになっていた。四部屋とも回転すると、死体を囲む壁ができる。さらに、四つの建物の天井の一部は上に開くようになっていて、完全に開くとこの空間の天井となる。これにより、被害者は脱出できない密室の中に閉じ込められて——いや、「密室の外に閉じ込められて」——餓死したわけである。もともとは日本のナチスが作ったもので、中央の密室でユダヤ人を拷問する姿を四つの密室の囚人に見せるためのものだった。

SPECIAL-GUIDE

最初の事件は、犯行現場を絵画に見立てた連続殺人。ルンババは、窓から見える現場の光景が絵と同じになる（つまり、見える光景の枠が絵の額縁と一致する）場所に住んでいる人が犯人だと見抜く。

椿の愛人殺しは、被害者が事件に椿を巻き込まないために（つまり、椿を容疑者枠の外に置くために）密室を作る。

不倫男の家族の殺人事件では、妻が一家心中から夫を排除しようとして（つまり、夫を家族の枠の外に置くために）密室を作る。

四つの建物での殺人者は、四つの部屋と死体を使って（つまり、密室を漫画のコマの枠線として使って）四コマ漫画を描こうとする。

そして、四つの建物を回転させて作る密室。

この密室で注目すべきは、自身の枠線を持っていない――四つの密室の枠線が中央の密室の枠線になっている――という点。そしてもちろん、これは現実の世界でも同じ。前述の国境を例に取るならば、海に面していない国は、隣国の国境線だけで国を囲む線が引かれている。県で言うならば、井上姉妹が住んでいる埼玉県などがこのタイプだろう。

物語のラスト、姉のように軟禁されたルンババを助けだそうとした〝僕〟は、「人の家のことに口出すな」（つまり、「他人の家」という枠の中に入るな）、と言われる。しかし、〝僕〟は入り込む。なぜならば、「ルンババの家族」という世界の枠線は「ルンババの親友」という世界の枠線でもあり、この線は閉じてはいても、鍵はかかっていないのだから――。

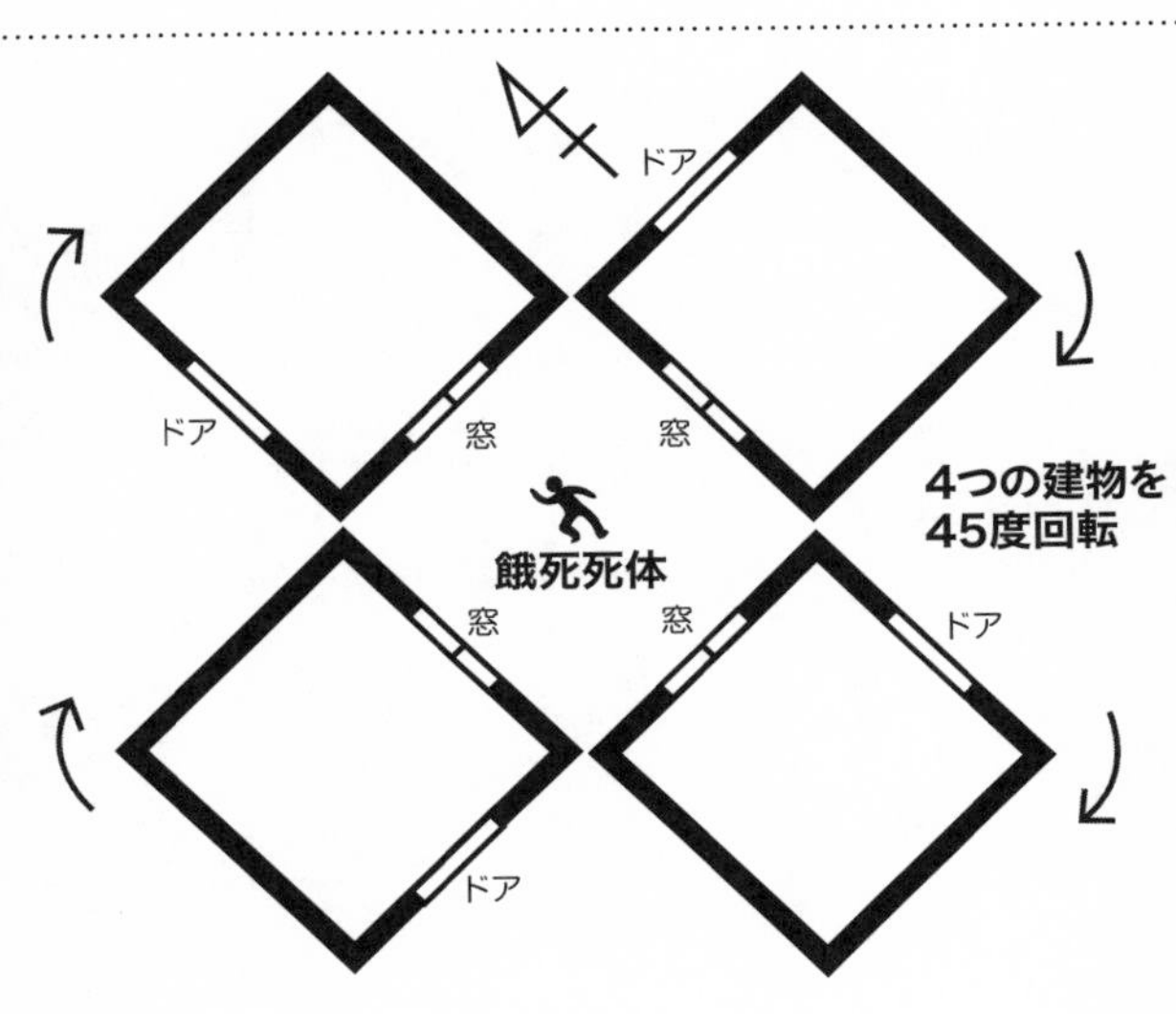

SOLUTION

犯人はビルの窓の清掃員で、仕事のために借りた鍵（かぎ）の合鍵を作り、夜中に他の警備システムをかいくぐって社長室に侵入。社長室の窓ガラスを数ミリほど動くようにしておく。

犯行時は清掃用ゴンドラで社長室の窓まで降下。そこから介護ロボットを操縦（そうじゅう）して社長を持ち上げ、頭部が窓に接する位置まで移動させる（病人を入浴させる動きの応用）。その状態で外からボウリングの球を窓ガラスに叩きつけると、強化ガラスは割れずに衝撃波が社長の頭部に伝わり、致命傷を与えた。

SPECIAL-GUIDE

このトリックは、よく知られている〈運動量保存の法則〉を利用。作者はビリヤードを使って説明しているが、一般の人には「ニュートンのゆりかご」（通称「カチカチ玉」）の方がわかりやすいだろう。ただし、この知識を持っている読者でも、トリックを見破ることは難しい。なぜならば、ボウリングの球と被害者の頭部の間にある物体がガラスだから。作中に防弾ガラスの強度の高さに関するデータが提示してあるにもかかわらず、読者はガラスの割れやすいイメージに縛（しば）られてしまうわけである。

また、榎本がビルに侵入するシーンが、倒叙形式で描かれる、犯人がビルに侵入するシーンの伏線になっている点もお見事。

ただし、本作の密室ミステリとしての最大の魅力は、多彩な別解――間違った推理で使われるトリック――にある。この別解は、介護ロボットや監視カメラが「できること、できないこと」のデータを読者に与える役割を持っているが、単に、トリックだけを見ても面白い。それは、ハイテクはローテクよりも作者の自由度が高いためだろう。例えば、監視カメラの撮影間隔が六秒であることを利用したトリックが出来るが、この間隔は作者が自分の都合に合わせて設定したもの。これが人間の監視人なら、恣意的な設定は難しいだろう。そしてまた、六・〇一七秒を計るという不可能を可能にする手段も、〈体感器〉というハイテクなのだ。

こういったハイテクの利用により、多彩な〝密室の多重解決〟を提示した本作は、まさしく、21世紀の密室ミステリと言える。

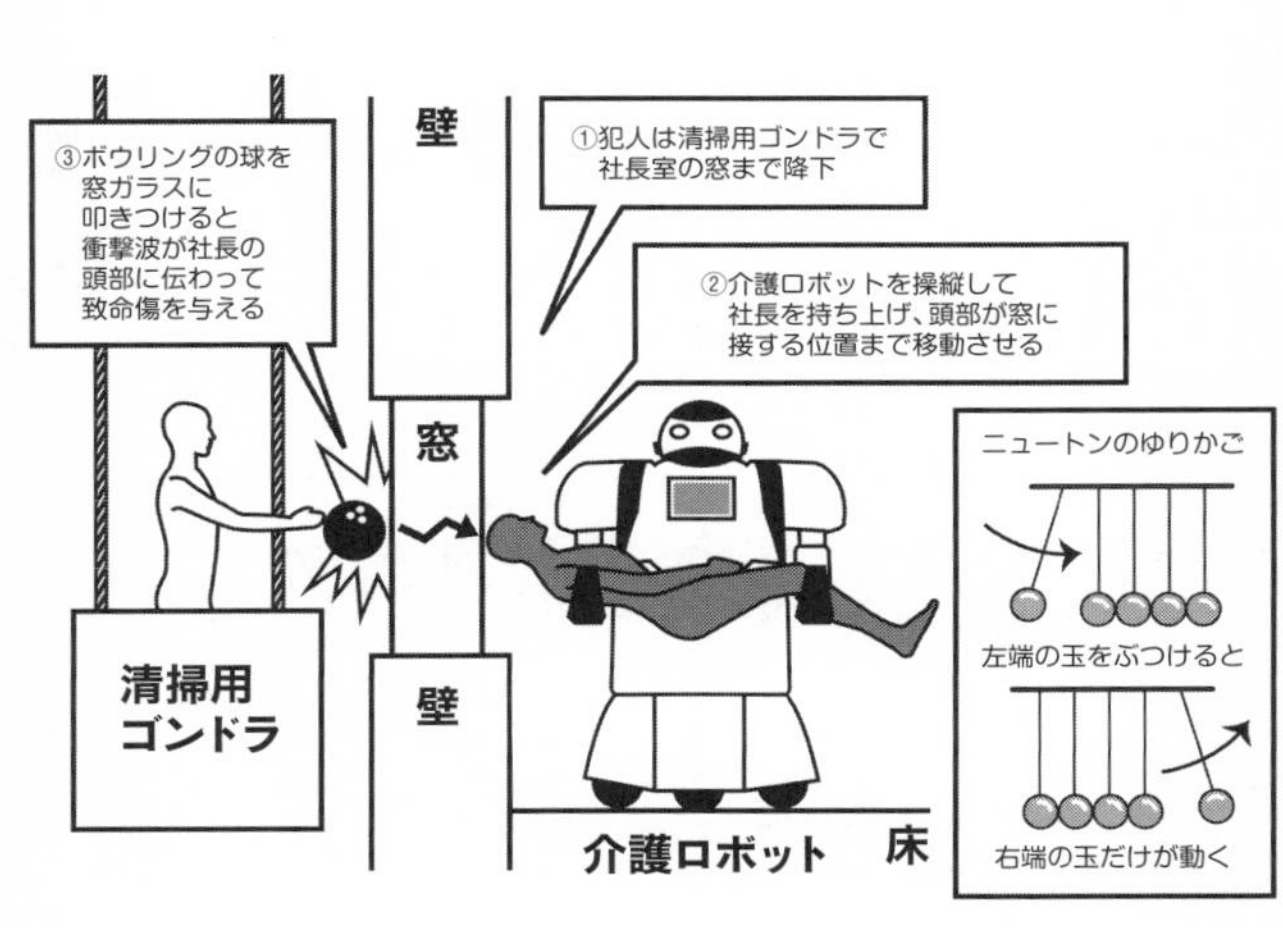

SOLUTION

犯人は麻紐のトリックなど使わず、単に、隠し通路から密室に出入りしただけだった。しかし、記者たちが「誰も舞台部屋には出入りしていない」と証言したら、警察は隠し通路の可能性を考えてしまう。そこで、麻紐の灰や煤を残し、警察に「犯人はトリックを使ってドアに施錠した」と思わせる。そうすれば警察は、「記者たちの監視も何らかのトリックを使ってくぐり抜けたに違いない」と考え、隠し通路の可能性が思い浮かばなくなる――というのが、犯人の狙いだった。

SPECIAL-GUIDE

密室ものは、作中レベルでは「犯人が密室を作り出した」、作外レベルでは「作者が密室を作り出した」となっている。だが、J・D・カーがこの構造を崩してしまった。『三つの棺』（一九三五年）の「密室講義」では、作中人物であるフェル博士が「われわれは探偵小説のなかにいる」と宣言して、密室トリックを考えたのは作中の犯人ではなく作者だという前提で分類を行ったからだ。そして、この作外レベルが作中レベルに入り込んだ構造を高木彬光が受け継いだ。『呪縛の家』（一九五四年）の〈ふたたび読者諸君への挑戦〉には、「倒された中に犯人がいるだろう、というんですか。どういたしまして、そんな甘い手は、小生、使用いたしません」という文章が登場しているが、これもまた、「密室トリックを考えたのは作者だ」と公言しているわけである。かくして、作中レベルにおいても密室トリックの考案者は作者になり、作中の犯人は傀儡となり、作品は〈新案密室トリック披露会〉と化した。もちろん、カーも高木も他の作品では「密室トリックを考えたのは犯人」と言ってはいるが、一度公言したら、もう読者の意識が以前に戻ることはない。

しかし、本作は違う。犯人は自身を容疑圏外に逃すために密室トリックを考え出したのだ。あるいは、密室トリックを使って探偵側の思考を操ろうとしていると言っても良い。そして探偵は、トリックではなく、そのトリックによる操りを見破ろうとする。これは、カーではなくクイーン、特に『ギリシャ棺の秘密』（一九三二年）の構造に類似している。犯人が密室トリックを――不可能状況を作り出すためではなく――アリバイのために使っているところも、クイーン風。そして、読み終えた読者の脳裏に刻まれるのは、新案トリックを自慢する作者ではなく、密室を使って目的を達成すべく全知力を注ぎ込む犯人の姿に違いない。本作の時期の美希風は、心臓病のためにいつ死んでもおかしくなかった。そんな彼が取り組む価値があるのは、こういった犯人が作り上げた、他人の思考さえも操る密室なのだ。

なお、作者のもう一つの密室ミステリの傑作『ゴーレムの檻』の表題作（二〇〇三年）でも、命をかけて密室を作り上げた犯人の姿を見ることができる。おそらく、犯人が作者ではなく自分のために密室を築いたのが〈密室の王国〉なのだろう。

少年と少女の密室

大山誠一郎

SOLUTION

少年の名が篠山薫で、少女の名が鬼頭真澄だった。暴力団組長の娘である真澄を敵対する愚連隊から守るため、少年は自分が鬼頭だと名乗り、少女はその気持ちをくんで篠山薫と名乗ったのだ。このため柏木は、見張りの報告時に少年と少女を逆に伝えてしまった。実際は、二時に少女（鬼頭真澄）が訪問。二時半より前に裏口から空き家に入った闇取引の関係者が目撃されたと思って少女を殺害。三時二十五分に少年（篠山薫）が帰宅するが、その時は、既にタクシーの運転手に刺されていた……。

SPECIAL-GUIDE

完璧な不可能状況が、刑事の誤認が判明した瞬間に可能状況に転じる。実に見事なトリックと言えるだろう。このトリックの巧妙さについては、探偵役である密室蒐集家の口を借りて、作者が説明（自慢か？）をしている。

「薫が帰宅したのが三時二十五分だとわかっていれば、このケース（内出血密室）だとすぐにわかったでしょう。しかし、二時に帰宅したと誤認されたために、（略）内出血密室の可能性が否定されてしまったのです。（略）鬼頭真澄の死はこのケース（時間差密室）でした。彼女は実際には篠山家が密室状態になる二時半以前に殺害されたのに、三時二十五分に篠山家に来たと誤認されたため、犯人には被害者を殺害できなかったように見えてしまったのです」

しかし、密室の解明の後に続く、犯人特定の推理は、もっとすばらしい。まず、少年が叔母に三時にかけた電話の内容から、彼が篠山家からかなり離れた場所にいたことを推理。そこから三時二十五分に篠山家に着くためには（高校生なので）タクシーを利用するしかない。そして、監視の状況から、少年を刺すことができたのはタクシーの運転手しかいないと結論。凶器のナイフが同一であることから、この運転手が少女も殺したことが確定。

さらに、事件後に少女の家にかかってきた電話の内容から、犯人は鬼頭真澄の絶命を確認できなかったことを推理。しかし、犯人が絶命を確認できなかったのは篠山薫の方だった。つまり、犯人も柏木と同じように少年と少女の名前を誤認していたのだ。この誤認をしたのは、柏木と愚連隊、そして、少年と少女を自宅まで送ったタクシーの運転手しかいない。従って、この運転手が犯人ということになる。

論理的かつ意外性に満ちた推理と言える。「少年と少女を乗せたタクシーの運転手＝闇取引の関係者＝少年を乗せたタクシーの運転手」というう信じられない偶然も、読者は「それ以外にあり得ない」と納得したに違いない。

だが、注目すべきは、この推理に用いるデータが問題篇には存在しない点。解決篇で密室トリックが解明されて、初めて読者はデータを入手できるのだ。つまり読者は、「問題篇のデータから密室トリックを推理→犯人特定に必要なデータを入手→データを基に犯人を推理」という二段階の推理が必要になる。この連携の見事さこそが、私が高く評価する理由なのだ。

23

スチームオペラ 蒸気都市探偵譚(たんていたん)

芦辺(あしべ)拓(たく)

SOLUTION

犯人グループは犯行現場の真上にある八階の部屋を借り、そこに強力な電磁石を持ち込む。まず、被害者が持ち込んだ隕鉄(いんてつ)を磁力で天井まで引きつける。そのまま電磁石をベッドに横たわる被害者の頭部の真上まで動かしてから、電気を切る。すると隕鉄は落下し、被害者の頭部を直撃する。

なぜ犯人たちは、この世界には存在しない電力を使うことができたのか？　実は、彼らは電力を使う別世界からの来訪者だったのだ。別世界——われわれ読者が住む世界からの。

SPECIAL-GUIDE

本作を〈パラレルワールド〉ものだと思っていた読者は、真相を知って驚いたに違いない。本作は、〈対地球(カウンターアース)〉ものだったのだ。

〈パラレルワールド〉は「分岐世界」とも言われ、歴史のある時点で枝分かれした世界を指す。本作の場合は、われわれの世界では蒸気の次に電気の発見・利用が行われたが、分岐世界では、電気ではなく「エーテル」が発見され、これを用いて蒸気技術がさらなる発展を遂げた、という設定になっている。枝分かれしたわけだから、当然、この二つの世界は同じ時間軸には存在しない。

〈対地球(カウンターアース)〉とは、われわれの住む地球とよく似た地球が太陽をはさんで存在する、という一昔前のSFではおなじみの設定のこと。この二つの世界は同じ時間軸に存在しているので、一方の地球の住人がもう一方の地球に行くことができる。本作では、われわれの地球のあるグループが、もう一つの地球の侵略を目論(もくろ)んで、まずは〈対地球(カウンターアース)〉の存在に気づいた科学者を殺していったというのが真相だった。

これで、私が第一部で「他の異世界本格とはレベルが違う」と書いた理由がわかってもらえたと思う。「異世界ならではのトリック」ではない。「異世界のタイプを錯覚させることによって、ありふれたトリック（甲賀三郎(こうがさぶろう)の戦前の短篇の応用）に読者が気づかないようにするトリック」なのだ。しかも、〝間違った推理〟という形で、エーテルを利用した「異世界ならではのトリック」も披露(ひろう)。まったくもって、作者には驚かされるではないか。

密室トリックではなく、トリックを解明する推理に関しても、作者には驚かされる。謎の少年ユージンはわれわれの地球の住人なので、彼が密室トリックを解明するのかと思いきや、そうではない。何と、蒸気世界の名探偵ムーリエが解明するのだ。彼は、密室状況から、犯人が用いた「この未知なるトリックと、それを支えているさらに未知なる力について、ゼロから想像をめぐら」して、ついに電気の存在にたどりつくのだ。これまで、こんな推理をやってのけた名探偵がいるだろうか？

なお、密室ミステリのファンには、同じ作者の『異次元の館の殺人』（二〇一四年）もお薦めする。これまたSFではおなじみのタイムリープ設定を用いて、密室トリックの多重解決に、前代未聞(みもん)のひねりを加えているのだ。

体育館の殺人

青崎有吾

SOLUTION

犯人が下手のドアから外に逃げようとすると、演劇部が道具を積んだリヤカーを引いてやって来るのが見えたので、トイレに隠れる。演劇部はリヤカーをドアから半分ほど入れたところで止めて、前方の二人がアリーナの運動部に挨拶に行くと、犯人はトイレから出てリヤカーのカバーの下に隠れる。死体が発見され大騒ぎになったので演劇部はリヤカーを引き出してからステージに向かう。犯人はまわりに誰もいなくなった時にリヤカーを出て、三メートル先の渡り廊下を使って、雨に濡れずに逃げる。

SPECIAL-GUIDE

前記の密室トリックを読むだけでは誰も感心しないに違いない。しかし、推理を読むならば、誰もが感心するに違いない。——という評は法月綸太郎の『雪密室』でも書いたが、本作の推理はさらにクイーンに寄せている。

まず、天馬が「体育館に一度入り、それからまた出たものが一つだけあります」という点からリヤカーを利用したトリックを見破る推理。クイーンには、「犯行後に持ち出された唯一の品物に凶器が隠されていた」というトリックの作品があるが、エラリーの「他に持ち出されたものが一つあります。それを私たちは調べなかった。だから（凶器は）その中に隠して持ち出されたんです」という推理を読めば、二作が同じロジックを用いていることはわかると思う。

そして、密室トリックを解明するもう一つのロジック——現場に残された傘の推理。まず、傘が犯人のものであることを推理で特定。ここで、「なぜ犯人は現場に自分の傘を残したのか？」と、「なぜ自分の傘を捨てた犯人が濡れずに外に出られたのか？」という二つの疑問が生じる。次に、犯人が濡れずに外に出る方法を次々に消去して、リヤカーの利用しかないことを示す。最後に、リヤカーに隠れるには傘が邪魔になるので残したと結論づける。

第一部で述べたように、これはクイーンの『ローマ帽子の秘密』のロジック。こちらでは「現場に帽子が残されていなかった」という謎なので、逆に見えるかもしれないが、そうではない。『ローマ帽子』では、消えた帽子の推理を進めていくと、現場に残された○○の謎に変わり、そこから犯人を特定しているのだ。

なお、密室トリックとは関係ないが、本作にはまだまだクイーン作品の推理が盛り込まれている。例えば、被害者のポケットの中身による推理は『Xの悲劇』で、放送室のリモコンによる推理は『エジプト十字架の秘密』の推理に挑んだものだろう。

クイーンの描く推理は、作品ごとに違う。犯行現場に残された靴を基に推理する『オランダ靴の秘密』、犯行現場から消えた帽子を基に推理する『ローマ帽子』、複数の手がかりをつなぎ合わせて推理する『フランス白粉の秘密』、一つの手がかりから芋づる式に推理する『エジプト十字架』……。青崎有吾はその個々の推理の違いまで理解した上で、自作に取り込んでいるから、〈平成のクイーン〉なのだ。

聖女の毒杯

その可能性はすでに考えた

井上真偽

SOLUTION

犯人は花嫁の父。盃の正しい呑み口に砒素を二人分だけ塗る。花婿は正位置から呑むので毒を摂取。盃を回さずに受け取った花嫁は反対側から呑むので毒は摂取しない。再び盃を回さずに受け渡しをすると花婿の父は正位置から呑むので毒を摂取。これで盃の砒素はなくなるので花婿の母から先は毒は摂取しない。花嫁の父は後で隙を見て毒を飲む。犬はもともと闇社会の大物を暗殺するための道具で、首輪には、酒を呑むと鈴が酒につかって砒素が溶け出す仕組みがあり、それで死んだのだった。

SPECIAL-GUIDE

密室もので多重推理を描くのは難しい。密室の解決の多くは、「このトリックを使えば密室を作ることができる」と言っているだけで、推理していないからだ。逆に、本書で紹介した法月綸太郎や有栖川有栖や青崎有吾の作品のように、手がかりから唯一無二の解決を導き出すタイプの推理では、それ以外の解決は描くことができない。

だが本作では、九通りの論理的でアクロバティックな推理を楽しむことができる。というのも、最終解決以外は、「この密室トリックが使われたこと」を推理しているわけではなく、「この密室トリックが使われなかったこと」を推理しているからだ。言うまでもないが、「密室トリックAが使われたことを証明する推理」と「密室トリックBが使われたことを証明する推理」は両立しない。一方が正しいならもう一方は間違いということになるからだ。だが、「密室トリックAが使われていないことを証明する推理」と「密室トリックBが使われていないことを証明する推理」は両立できる。かくして本作では、九通りもの多重推理が実現したわけである。

　そして、密室トリックをあばく推理ではなく否定する推理をいくつも描くことができたのは、探偵役の設定にある。本作の名探偵・上苙丞(うえおろじょう)は、奇蹟(きせき)が存在することを証明しようとしているのだ。そして、そのためには、ある不可能状況が人間によるトリックでは実現できないことを証明すれば良いと考えている。

　この設定は密室ものに何をもたらすのだろうか？　まず、密室トリックをあばく者は、「この密室にはこのトリックが使われた」ことを示す必要はない。「このトリックを使えば密室を作ることができる」という可能性を示すだけで事足りる。だが上苙は、この可能性をつぶすためには、事前に提示されている手がかりに基づいた論理的な推理を行わなければならない。つまり、推理にフェアプレイや論理性が求められるのは、上苙の方なのだ。

　あらためて本作を見てみると、どの密室トリックも、既存のバリエーションに留まっていて意外性は乏しい。だが、上苙の推理の方は、論理的にしてアクロバティックになっている。例えば、花嫁の足袋(たび)が濡れていたことからある密室トリックを否定する推理の意外さは、クイーンとはまったく別の魅力を持っていると言っても過言ではないのだ。

巨大幽霊マンモス事件

二階堂黎人（にかいどうれいと）

SOLUTION

三人の少女は、結合双生児の妹二人を姉が抱きかかえているように見えたが、実は、三人が腰でつながっている〈結合性三胎〉だった（足は姉の二本のみ）。姉は館の子供部屋で首を斬られたが、代わりに妹が必死に足を動かして礼拝堂に逃げ込む。だが、そこで出血多量のため絶命。つまり、館から礼拝堂までの唯一の足跡は、三人姉妹のものだったのだ。

この状況に加え、死体発見時に、殺人者が凶器のナイフを礼拝堂に置いたために、さらに不可能性が増してしまうことになった。

SPECIAL-GUIDE

このトリックを読んで、本書のベスト50に選ばれた作品を思い出した人がけっこういると思う。ただし、そちらは〝間違った解決〟として問題を回避しているのに対して、本作は〝真の解決〟となっている。まさに、読者をねじ伏せる〈豪腕〉と言えるだろう。

ただし、このトリックには致命的な欠点がある。それは、「死体を調べれば三姉妹が結合していることがわかる」という点。三人が腰から下を共有していると知ってしまえば、読者はトリックを見抜くことができてしまう。

ところが、読者はトリックを見抜くことができない。なぜならば、作者が巧妙な叙述で読者を欺（あざむ）いているから。豪腕トリックを巧妙な叙述が支えていると言えば良いだろう。同じように豪腕密室トリックで押しまくる『人狼城の恐怖』ではなく本作を私が選んだのは、この叙述の工夫にある。――まあ、「『人狼城』を未読の人は、第二部に進む前にこの作品を読んでください」と言いづらいという理由もあったが。

その叙述の工夫とは、作中作形式の導入。しかも、作中作は書簡でも日記でも手記でもなく、〈本格ミステリ小説〉。つまり、シュペア老人が、かつて自分が関わった事件を、蘭子たち読者に挑戦する本格ミステリとして小説化したという設定。従って、三姉妹が登場する場面では、結合しているのは妹二人だけに見えるような描写を行い、礼拝堂の場面では、死体を調べるところを省略するのは当たり前の話。もちろん、読者（われわれ読者も含む）をミスリードするだけではなく、必要なデータはきちんと提示して、フェアプレイを実践している。これにより、作中人物にとっては密室状況ではない事件を、密室ミステリに仕立てているわけである。

さらに巧いのが、小説化の方法。関係者の内の二人（シュペアと商隊長）が日記を書いていて、シュペアはそれを基に小説化したという設定になっている。つまり、シュペアの日記を使うと都合が悪い時は商隊長の日記を使って読者の目から真相を遠ざけるわけである。しかも、この日記を書いた「シュペア」は、事件の小説化を行ったシュペア老人ではなく、瓜二つの双子の弟。そして、もう一件の〈足跡のない殺人〉は、この叙述上の仕掛けを用いて不可能状況を生み出している。つまり本作は、作者の豪腕と技巧の連携によってのみ成立する、密室ミステリの傑作なのだ。

マツリカ・マトリョシカ

相沢沙呼（あいざわさこ）

SOLUTION

　ターゲットの制服に似せたものを用意し、事前にすり替えておく。テスト準備期間前に鍵（かぎ）を借りて準備室に入り、トルソーに本物の制服を着せておく。さらに制服の胸ポケットから内扉の一センチの隙間を通して美術室まで糸を渡しておく。窓を施錠（せじょう）してカーテンを開けてからベランダに出て、カーテンが閉まっているように見える偽の窓を本物の窓にかぶせておく。

　犯行当日は、偽の制服を盗み、美術室から糸を使って自転車の鍵を制服の胸ポケットに送り込む。最後に偽の窓を外せば完了。

SPECIAL-GUIDE

　本作のメイン・トリックは、時間差を利用したもの。このトリックを殺人に応用すると、警察が死体を調べるだけで見破られてしまう。つまり、「人が死んでいないからこそ利用できるトリック」だと言える。一方、糸を使って鍵を密室内に送り込むトリックは——マツリカも言っているように——既存のトリックの応用。ダミーの窓のトリックも類似の先例がある。ただし、私は三つとも、殺人事件では、犯人が使えないトリックだと思っている。

　制服のトリックは、持ち主が偽の制服を汚したり破ったりしたら、失敗してしまう。偽の制服を回収した時に汚れに気づいても、準備室の制服に同じ汚れをつけることはできないからだ。鍵のトリックも、失敗したらやり直しができない上に、床に鍵が落ちていたら、誰でも「内扉の隙間から投げ込んだな」と考えるだろう。窓のトリックも、誰かがベランダからのぞいたら失敗してしまう。殺人という重罪を犯そうとする犯人ならば、こんなにリスクの大きいトリックは、実行できないに違いない。

　しかし、本作の犯人は実行した。なぜならば、トリックが失敗して犯人だと指摘された場合でも、罪は制服の盗難と器物損壊で済むから。「謝って済むから警察はいらない」のだ。

　これが、〈日常の謎〉ならではの密室トリックである。「警察が調べればすぐにばれるトリック」や、「成功率の低いトリック」といった、殺人を扱った密室ものでは使えないトリックが、堂々と使えてしまうのだ。本作のラストでは、マツリカにトリックを見破られた犯人が、「写真部の皆さんと事件についてあれこれと話をするのは……。その、楽しかった、です」と語る。犠牲者（ぎせいしゃ）がいなければ、密室は楽しい――これこそが、〈日常の密室〉の魅力なのだ。

　ちなみに、この〝事件についての話〟とは、生徒たちによる密室トリックをめぐるディスカッションのこと。作者はこれを用いて、警察の捜査なしで密室の不可能性を強調しているのだ。しかも、作者はこの場面にもう一つの役割も持たせている。例えば、ここで窓の錠に引っかけた糸を内扉の隙間を通して美術室から操作するトリックが俎上（そじょう）に載せられるが、この検討内容が、最終解決である「鍵をポケットに送り込むトリック」に生かされている、といった具合に。作者は〈日常の謎〉における密室について、とことん考え抜いていたのだ。

SOLUTION

進藤はゾンビに噛まれた恋人・星川を部屋に運び込むが、「ゾンビに噛まれた人もゾンビになる」と聞いて、仲間に話せなくなる。その内に星川がゾンビ化して進藤を噛み殺し、ベランダから転落。それを自室の窓から目撃した静原は、メッセージを書いた紙を二枚用意し、一枚は進藤の部屋のドアにはさみ、もう一枚は死体発見時の混乱にまぎれて室内に置く。映研のメンバーを殺害する計画を立てていた静原は、進藤殺しを人間の仕業に見せかければ、自分にアリバイが成立すると考えたのだ。

SPECIAL-GUIDE

本格ミステリに特殊設定を持ち込む場合、二つの方法がある。それは、ゾンビが発生したばかりの世界を舞台に設定するか、ゾンビのありふれた世界を舞台に設定するか、の二つ。そして、本格ミステリの場合は、この二つの方法には、大きな差がある。それは、作中人物の知識量の差。本作ならば、ゾンビが発生したばかりの出来事なので、作中人物の知識は乏しい。進藤はゾンビに噛まれた恋人を自室に連れて帰ったが、これは「ゾンビに噛まれた人はゾンビになる」という知識を持っていなかったから。仮に、ゾンビのありふれた世界の住人だったら、進藤は充分な知識を持っていたので、恋人の脳を即座に破壊したに違いない。また、こちらの世界では、既にゾンビを利用した犯罪がいくつも発生しているはずなので、警察が本作のトリックを見抜いてしまう可能性が高い。つまり、作者はトリックの都合で、ゾンビがありふれていない世界を舞台にしたわけである。

しかし、〝推理〟の観点からは、この世界は都合が悪い。なぜかというと、「ゾンビのできること／できないこと」が確定していないからだ。例えば、密室状況を検討する際に、「知性を持ったゾンビがいる」という可能性が俎上に載せられるが、誰も完全否定はできない。また、比留子は〝星川は噛まれてからゾンビ化するまで五時間かかった〟という推理をするが、これは確実とは言えない。もう一方のゾンビのありふれた世界ならば、どちらも確定しているので、推理に使うことができるのだが。

もちろん、作者はこの問題を認識していて、巧妙な対応を見せてくれる。比留子は〝被害者の部屋の音楽が途切れた〟という手がかりから犯人を特定するが、この推理には、ゾンビ設定はまったく使われていない。通常のミステリでも使える推理――しかも、エラリー・クイーンばりの推理――なのだ。言い換えると、「ゾンビのできること／できないこと」が未確定でも、推理には穴は生じない。予知能力が実在する世界を舞台にしている二作目の『魔眼の匣の殺人』でも、やはり、犯人を特定する推理には、世界設定とは無関係の手がかり（壊された時計）を用いている。この二作から考えると、作者がトリックには特殊設定を用いるが推理には用いないようにしていることは明らかだろう。このあたりの卓越した作者のセンスが、本作を本格ミステリの傑作にしているのだ。

29

SOLUTION

犯人は漆喰塀ぞいに巡回をしていた警固兵。彼はまず、三間鑓（三間＝五メートル半の長槍）二本を結びつけ、五間半の長槍を作る。さらに、先端の穂先を外して矢をくくりつける。これを使って漆喰塀の前から被害者を庭ごしに刺し殺し、槍を手元に引けば矢傷が残る。ただし、槍が長いのでしなりが大きくなり、狙いがつけにくい。そこで、槍を春日灯籠の火袋の穴を通すことによって安定させる。だが、そのために、槍を引いて回収した時に、火袋に被害者の血痕がついてしまった。

SPECIAL-GUIDE

上記のトリックだけを読むと、実行は難しいように見える。このやり方では、犯人と灯籠を結んだ直線の延長上にいる人間を刺すことしかできないので、相手がかわすのは簡単だからだ。被害者が犯人に協力する必要があるが、警固兵と被害者にはまったく接点はない。

物語の終盤でそれに気づいた村重は、自身の側室・千代保が黒幕だと見抜き、問い詰める。彼女は天罰を作り出すことによって、民に「御仏が見ている」と思わせ、救いを与えようとしたと返答。この時代、この状況ならではの実に見事な動機によって、密室トリックを成立させていると言える――が、こういった手法は山田風太郎作品にもある。私が本作で評価するのは、密室トリック解明の手順に他ならない。その密室の解明は、以下の流れで行われている。

①死体発見後、村重によるさまざまなトリックの検討が行われ、不可能状況が確定。

②村重が黒田官兵衛に相談し、トリックを解明するためのヒントをもらう。

③ヒントをもとに現場をあらためて調べ、灯籠の血痕を見つけてトリックに気づく。

まず、①の検討はそれほど徹底していない。ミステリ・ファンならば、いくらでも他のトリックを思いつくに違いない。例えば、六間の長さの綱を凍らせて固い棒にして、その先端に矢をくくりつけても、犯行可能な凶器を作ることができるだろう。逆に言うと、実際に使われたトリックを特定できないことになる。

　だが、②で官兵衛から与えられたヒントを使うと特定できる。トリックはいくつも考えられるが、ヒントに合致するものは一つしかないからだ。つまり、読者は村重同様、ヒントについて考えるだけで良いのだ。――「あら木弓いたみのやりにひはつかず、いるもいられず引もひかれず」というヒントを。

　この「ヒントによってトリックを特定する」手法は、高木彬光の『人形はなぜ殺される』などで用いられているが、米澤はさらに巧妙な変形を加えている。官兵衛と村重の関係は、安楽椅子探偵と警察の関係ではなく、トマス・ハリスの『羊たちの沈黙』に近い。官兵衛は事件の解決を口実に村重から情報を集め、村重を動かし、村重を滅ぼそうとする（千代保の計画も見抜いている）。そして同時にその行為は、本格ミステリにおける密室トリックの解明の手法に、新たな一頁を加えたのだ。

月灯館殺人事件

北山猛邦（きたやまたけくに）

SOLUTION

密室トリックは、北山猛邦の『「瑠璃城（るりじょう）」殺人事件』（二〇〇二年）のものをそのまま実行。もちろん、作中レベルでは、〝北山猛邦〟はミステリ作家の一人に過ぎない。

ところが、このトリックは、一九五一年に出た式神九字（しきがみくじ）『陰陽密室』のトリックを盗んだものだった。この〝式神九字〟は、本作にしか登場しない架空の作家。そのトリックを、現実に存在する作家〝北山猛邦〟が盗んで――やはり現実に存在する――『「瑠璃城」殺人事件』に用いたという設定になっているのだ。

SPECIAL-GUIDE

天神人（てんじんひとし）は本格ミステリ作家八人を殺害し、彼らの未発表トリックを使った自作を発表。さらに、忘れられた作品のトリックも盗用して発表して、〈本格ミステリの神〉と言われるようになった。そして、こう語る――「私の本格ミステリとは、名もなき者たちのアイディアの寄せ集めに過ぎない。しかしそれこそが本格ミステリの本質なのである。（略）本格ミステリとは何かと問われた時に、私はためらわず、こう答える。先駆者たちのアイディアを寄せ集めて上塗（うわぬ）りし、それらしく振る舞うものである、と」。この言葉を受けるように、密室の解明も他とは異なる。帯の「本格ミステリを終わらせる～」という文は中井英夫（なかいひでお）の『虚無への供物』を思い出すが、『虚無』では四つの密室殺人で推理合戦が繰り広げられるのに対して、本作ではトリックを盗用した元の作品を読むだけで済んでしまう。そしてノアは、こう述懐する。「密室を開けるたびに、心が空っぽになっていく。世界一虚しい謎解きだ。解決編に載っている図版を見ればそれだけで終わる謎解き」と。

　天神人の言葉は、クイーンのような〝推理〟を描く作品や、叙述トリックのような全体にかかるトリックを描く作品には当てはまらない。では、密室ものには当てはまるだろうか？　本書のコラム1を読めば、「NO」だとわかる。天神は自身の膨大な蔵書から忘れられたトリックを見つけて自作で使っていて、これは〝トリックDBの消費〟に他ならない。だが、カーの密室講義以降、作者や読者の間でDBの更新と共有が行われるようになった。作品が忘れ去られても、優れたトリックならば読んだ人のDBに登録される。そして、そのDBを共有した人ならば、読んでいなくても先例が指摘できるのだ。一個人の書庫が、この〝集合知〟を超えることはできない。

　そしてまた、DBの更新と公開が進むと、トリックを明かせば終わりの作品は評価されなくなった。本書で紹介した作品のように、トリックを明かしたその先に魅力がなければならないのだ。本作にしても、既存の密室トリックを変形して、綾辻行人の『十角館の殺人』のトリックの変形と組み合わせただけの作品ではない（本作を密室トリックだけで評価する読者はいないはず）。つまり、密室ミステリの作者と読者が積み重ねた二世紀近い歴史が、天神人の言葉と行為を否定して――密室は終わらない。

星海社新書263

密室ミステリガイド

二〇二三年　六月一九日　第一刷発行
二〇二三年　八月二五日　第三刷発行

著者　飯城勇三

発行者　太田克史
編集担当　丸茂智晴
発行所　株式会社星海社
〒一一二-〇〇一三
東京都文京区音羽一-一七-一四　音羽YKビル四階
電話　〇三-六九〇二-一七三〇
FAX　〇三-六九〇二-一七三一
https://www.seikaisha.co.jp
発売元　株式会社講談社
〒一一二-八〇〇一
東京都文京区音羽二-一二-二一
(販売)〇三-五三九五-五八一七
(業務)〇三-五三九五-三六一五
印刷所　凸版印刷株式会社
製本所　株式会社国宝社

アートディレクター　吉岡秀典(セプテンバーカウボーイ)
デザイナー　鯉沼恵一(ピュープ)
フォントディレクター　紺野慎一
イラスト　ささきゆか+西園寺いづみ
校閲　鷗来堂

ISBN978-4-06-532217-8
Printed in Japan

263
SEIKAISHA SHINSHO

164

『名探偵ポワロ』完全ガイド

ドラマ『名探偵ポワロ』を英国ヴィクトリア朝&メイド文化研究者が徹底ガイド！

久我真樹

〝ミステリーの女王〟アガサ・クリスティーが、作家生涯の大半をかけて書いた名探偵エルキュール・ポワロ。彼の活躍を記す原作小説をドラマ化した『名探偵ポワロ』は、1989年から2013年のなんと24年にわたって放映。英国のみならず日本も含む世界各国でも親しまれ、英国における最多海外放映されたテレビドラマとなりました。本書はその全70話を徹底ガイド！　英国文化研究者の視点から、『名探偵ポワロ』を熱愛っぷりを覗かせながらご紹介します。まだ見ぬ視聴者の方も、視聴済みのファンの方も、『名探偵ポワロ』の味わい深い魅力を一緒に堪能しましょう！

194

新本格ミステリを識るための100冊

令和のためのミステリブックガイド

ミステリ入門を志すあなたへ捧げる決定版ブックガイド！

佳多山大地

〈新本格ミステリ〉ムーブメントは、令和に至る本格ミステリシーンにまで影響を及ぼし続けている、戦後日本における最長・最大の文学運動です。本書では、〈新本格〉の嚆矢である綾辻行人『十角館の殺人』が刊行された１９８７年から２０２０年内までに刊行された日本の本格ミステリ作品より、その潮流を辿るべく１００の傑作を厳選しご案内。さらにその１００冊のみならず、本格ミステリ世界へ深く誘う〈併読のススメ〉も加え、総計２００作品以上のミステリ作品をご紹介します。さあ、この冒険の書を手に、目眩く謎と論理が渦巻く本格ミステリワールドを探索しましょう！

新本格ミステリを識るための100冊
令和のためのミステリブックガイド
佳多山大地
194
SEIKAISHA SHINSHO

204

エラリー・クイーン完全ガイド

エラリー・クイーン研究の第一人者によるクイーン入門ガイド！

飯城勇三

世界最高の本格ミステリ作家——エラリー・クイーンから絶大な影響を受け続け、日本の本格ミステリは世界一の発展を遂げてきました。本書では、〈国名シリーズ〉のエラリー・クイーン&〈悲劇四部作〉のドルリー・レーン、クイーンが生み出した二大名探偵の活躍をメインに、その全作品を解説。あらすじ、読みどころ、本格ミステリとしての達成、その影響下にある日本のミステリ作品までご紹介します。クイーンを知ることは、本格ミステリの論理＝ロジックの読み方を知ること。今こそ〝本格ミステリの神〟エラリー・クイーンの歩みを辿りましょう！

エラリー・クイーン
完全ガイド
飯城勇三
204
SEIKAISHA SHINSHO

222

円居挽のミステリ塾

円居挽　青崎有吾　斜線堂有紀　日向夏　相沢沙呼　麻耶雄嵩

円居挽さんと一緒に学ぶ「ミステリ塾」開講！

かつて自分のセンスを信じるのをやめたことで、デビューを果たしたミステリ作家・円居挽。京都大学推理小説研究会で叩きこまれたミステリ観は、円居さんの創作の指針であるとともに束縛する枷でもありました。そんな円居さんのために集合したのは、青崎有吾、斜線堂有紀、日向夏、相沢沙呼、麻耶雄嵩、当代きっての人気作家たち。彼らの読書遍歴からミステリ創作のメソッドまで、ミステリのおもしろさとつくりかたを縦横無尽に語り合い、見えてくるのは作家それぞれの「ミステリ道」！　さあ、この〝円居塾〟に入塾して、あなたも己がミステリ道を極めましょう！

円居挽のミステリ塾

円居挽
×
青崎有吾
斜線堂有紀
日向夏
相沢沙呼
麻耶雄嵩

自分のセンスを信じることをやめたミステリ作家・円居挽が、
新たなミステリの真髄を見つけるための
「ミステリ塾」開講!!
人気作家たちの「ミステリ道」を、円居さんと一緒に学ぼう！
青崎有吾　斜線堂有紀　日向夏　相沢沙呼　麻耶雄嵩

253

少女小説を知るための100冊

嵯峨景子

少女小説の歴史を100の名作で辿る入門ガイド!

「少女小説」は明治から令和まで形を変えて書き繋がれた、１００年以上に及ぶ歴史を持つジャンルです。吉屋信子『花物語』の登場、戦後の少女小説ブーム、コバルト文庫や講談社X文庫ティーンズハートの創刊と隆盛を経て、ライトノベルやライト文芸、ウェブ小説までそのエッセンスは多彩に広がりつつあります。そんな少女小説の歴史を辿るため、本書は１００の名作を厳選しご案内。少女小説の世界へ深く誘う〈併読のススメ〉も加え、総計３００作品以上の少女小説をご紹介します。あなたのなかの「少女」のための世界へ、この本と一緒に踏み出しましょう!

次世代による次世代のための

武器としての教養
星海社新書

星海社新書は、困難な時代にあっても前向きに自分の人生を切り開いていこうとする次世代の人間に向けて、ここに創刊いたします。本の力を思いきり信じて、みなさんと一緒に新しい時代の新しい価値観を創っていきたい。若い力で、世界を変えていきたいのです。

本には、その力があります。読者であるあなたが、そこから何かを読み取り、それを自らの血肉にすることができれば、一冊の本の存在によって、あなたの人生は一瞬にして変わってしまうでしょう。思考が変われば行動が変わり、行動が変われば生き方が変わります。著者をはじめ、本作りに関わる多くの人の想いがそのまま形となった、文化的遺伝子としての本には、大げさではなく、それだけの力が宿っていると思うのです。

沈下していく地盤の上で、他のみんなと一緒に身動きが取れないまま、大きな穴へと落ちていくのか？　それとも、重力に逆らって立ち上がり、前を向いて最前線で戦っていくことを選ぶのか？

星海社新書の目的は、戦うことを選んだ次世代の仲間たちに「武器としての教養」をくばることです。知的好奇心を満たすだけでなく、自らの力で未来を切り開いていくための〝武器〟としても使える知のかたちを、シリーズとしてまとめていきたいと思います。

2011年9月

星海社新書初代編集長　柿内芳文